GABRIEL GARCÍA MÁRQUEZ

El otoño del patriarca

EDITORIAL SUDAMERICANA

BUENOS AIRES

Portada de León Zapata

PRIMERA EDICION
Mayo de 1975

CUARTA EDICION
Mayo de 1990

IMPRESO EN LA ARGENTINA

Queda hecho el depósito
que previene la ley 11.723.
© *1975, Editorial Sudamericana S.A.,*
Humberto I 531, Buenos Aires.

ISBN 950-07-0511-7

DURANTE el fin de semana los gallinazos se metieron por los balcones de la casa presidencial, destrozaron a picotazos las mallas de alambre de las ventanas y removieron con sus alas el tiempo estancado en el interior, y en la madrugada del lunes la ciudad despertó de su letargo de siglos con una tibia y tierna brisa de muerto grande y de podrida grandeza. Sólo entonces nos atrevimos a entrar sin embestir los carcomidos muros de piedra fortificada, como querían los más resueltos, ni desquiciar con yuntas de bueyes la entrada principal, como otros proponían, pues bastó con que alguien los empujara para que cedieran en sus goznes los portones blindados que en los tiempos heroicos de la casa habían resistido a las lombardas de William Dampier. Fue como penetrar en el ámbito de otra época, porque el aire era más tenue en los pozos de escombros de la vasta guarida del poder, y el silencio era más antiguo, y las cosas eran arduamente visibles en la luz decrépita. A lo largo del primer patio, cuyas baldosas habían cedido a la presión subterránea de la maleza, vimos el retén en desorden de la guardia fugitiva, las armas abandonadas en los armarios, el largo mesón de tablones bastos con los platos de sobras del almuerzo dominical interrumpido por el pá-

nico, vimos el galpón en penumbra donde estuvieron las
oficinas civiles, los hongos de colores y los lirios pálidos
entre los memoriales sin resolver cuyo curso ordinario
había sido más lento que las vidas más áridas, vimos en
el centro del patio la alberca bautismal donde fueron cris-
tianizadas con sacramentos marciales más de cinco generaciones, vimos en el fondo la antigua caballeriza de
los virreyes transformada en cochera, y vimos entre las
camelias y las mariposas la berlina de los tiempos del
ruido, el furgón de la peste, la carroza del año del cometa, el coche fúnebre del progreso dentro del orden, la
limusina sonámbula del primer siglo de paz, todos en
buen estado bajo la telaraña polvorienta y todos pintados con los colores de la bandera. En el patio siguiente,
detrás de una verja de hierro, estaban los rosales nevados de polvo lunar a cuya sombra dormían los leprosos
en los tiempos grandes de la casa, y habían proliferado
tanto en el abandono que apenas si quedaba un resquicio
sin olor en aquel aire de rosas revuelto con la pestilencia
que nos llegaba del fondo del jardín y el tufo de gallinero
y la hedentina de boñigas y fermentos de orines de vacas y soldados de la basílica colonial convertida en establo de ordeño. Abriéndonos paso a través del matorral
asfixiante vimos la galería de arcadas con tiestos de claveles y frondas de astromelias y trinitarias donde estuvieron las barracas de las concubinas, y por la variedad
de los residuos domésticos y la cantidad de las máquinas de coser nos pareció posible que allí hubieran vivido
más de mil mujeres con sus recuas de sietemesinos, vimos
el desorden de guerra de las cocinas, la ropa podrida al
sol en las albercas de lavar, la sentina abierta del ca-
gadero común de concubinas y soldados, y vimos en el
fondo los sauces babilónicos que habían sido transpor-
tados vivos desde el Asia Menor en gigantescos invernade-
ros de mar, con su propio suelo, su savia y su llovizna, y

al fondo de los sauces vimos la casa civil, inmensa y triste, por cuyas celosías desportilladas seguían metiéndose los gallinazos. No tuvimos que forzar la entrada, como habíamos pensado, pues la puerta central pareció abrirse al solo impulso de la voz, de modo que subimos a la planta principal por una escalera de piedra viva cuyas alfombras de ópera habían sido trituradas por las pezuñas de las vacas, y desde el primer vestíbulo hasta los dormitorios privados vimos las oficinas y las salas oficiales en ruinas por donde andaban las vacas impávidas comiéndose las cortinas de terciopelo y mordisqueando el raso de los sillones, vimos cuadros heroicos de santos y militares tirados por el suelo entre muebles rotos y plastas recientes de boñiga de vaca, vimos un comedor comido por las vacas, la sala de música profanada por estropicios de vacas, las mesitas de dominó destruidas y las praderas de las mesas de billar esquilmadas por las vacas, vimos abandonada en un rincón la máquina del viento, la que falsificaba cualquier fenómeno de los cuatro cuadrantes de la rosa náutica para que la gente de la casa soportara la nostalgia del mar que se fue, vimos jaulas de pájaros colgadas por todas partes y todavía cubiertas con los trapos de dormir de alguna noche de la semana anterior, y vimos por las ventanas numerosas el extenso animal dormido de la ciudad todavía inocente del lunes histórico que empezaba a vivir, y más allá de la ciudad, hasta el horizonte, vimos los cráteres muertos de ásperas cenizas de luna de la llanura sin término donde había estado el mar. En aquel recinto prohibido que muy pocas gentes de privilegio habían logrado conocer, sentimos por primera vez el olor de carnaza de los gallinazos, percibimos su asma milenaria, su instinto premonitorio, y guiándonos por el viento de putrefacción de sus aletazos encontramos en la sala de audiencias los cascarones agusanados de las vacas, sus cuartos

traseros de animal femenino varias veces repetidos en
los espejos de cuerpo entero, y entonces empujamos una
puerta lateral que daba a una oficina disimulada en el
muro, y allí lo vimos a él, con el uniforme de lienzo sin
insignias, las polainas, la espuela de oro en el talón izquierdo, más viejo que todos los hombres y todos los
animales viejos de la tierra y del agua, y estaba tirado
en el suelo, bocabajo, con el brazo derecho doblado bajo
la cabeza para que le sirviera de almohada, como había
dormido noche tras noche durante todas las noches de
su larguísima vida de déspota solitario. Sólo cuando lo
volteamos para verle la cara comprendimos que era imposible reconocerlo aunque no hubiera estado carcomido
de gallinazos, porque ninguno de nosotros lo había visto
nunca, y aunque su perfil estaba en ambos lados de las
monedas, en las estampillas de correo, en las etiquetas
de los depurativos, en los bragueros y los escapularios,
y aunque su litografía enmarcada con la bandera en el
pecho y el dragón de la patria estaba expuesta a todas
horas en todas partes, sabíamos que eran copias de copias de retratos que ya se consideraban infieles en los
tiempos del cometa, cuando nuestros propios padres
sabían quién era él porque se lo habían oído contar a
los suyos, como éstos a los suyos, y desde niños nos
acostumbraron a creer que él estaba vivo en la casa del
poder porque alguien había visto encenderse los globos
de luz una noche de fiesta, alguien había contado que vi
los ojos tristes, los labios pálidos, la mano pensativa
que iba diciendo adioses de nadie a través de los ornamentos de misa del coche presidencial, porque un domingo de hacía muchos años se habían llevado al ciego
callejero que por cinco centavos recitaba los versos del
olvidado poeta Rubén Darío y había vuelto feliz con una
morrocota legítima con que le pagaron un recital que
había hecho sólo para él, aunque no lo había visto, por

supuesto, no porque fuera ciego sino porque ningún mortal lo había visto desde los tiempos del vómito negro, y sin embargo sabíamos que él estaba ahí, lo sabíamos porque el mundo seguía, la vida seguía, el correo llegaba, la banda municipal tocaba la retreta de valses bobos de los sábados bajo las palmeras polvorientas y los faroles mustios de la Plaza de Armas, y otros músicos viejos reemplazaban en la banda a los músicos muertos. En los últimos años, cuando no se volvieron a oír ruidos humanos ni cantos de pájaros en el interior y se cerraron para siempre los portones blindados, sabíamos que había alguien en la casa civil porque de noche se veían luces que parecían de navegación a través de las ventanas del lado del mar, y quienes se atrevieron a acercarse oyeron desastres de pezuñas y suspiros de animal grande detrás de las paredes fortificadas, y una tarde de enero habíamos visto una vaca contemplando el crepúsculo desde el balcón presidencial, imagínese, una vaca en el balcón de la patria, qué cosa más inicua, qué país de mierda, pero se hicieron tantas conjeturas de cómo era posible que una vaca llegara hasta un balcón si todo el mundo sabía que las vacas no se trepaban por las escaleras, y menos si eran de piedra, y mucho menos si estaban alfombradas, que al final no supimos si en realidad la vimos o si era que pasamos una tarde por la Plaza de Armas y habíamos soñado caminando que habíamos visto una vaca en un balcón presidencial donde nada se había visto ni había de verse otra vez en muchos años hasta el amanecer del último viernes cuando empezaron a llegar los primeros gallinazos que se alzaron de donde estaban siempre adormilados en la cornisa del hospital de pobres, vinieron más de tierra adentro, vinieron en oleadas sucesivas desde el horizonte del mar de polvo donde estuvo el mar, volaron todo un día en círculos lentos sobre la casa del poder hasta que un rey con

plumas de novia y golilla encarnada impartió una orden
silenciosa y empezó aquel estropicio de vidrios, aquel
viento de muerto grande, aquel entrar y salir de gallinazos por las ventanas como sólo era concebible en una
casa sin autoridad, de modo que también nosotros nos
atrevimos a entrar y encontramos en el santuario desierto los escombros de la grandeza, el cuerpo picotea-
do, las manos lisas de doncella con el anillo del poder
en el hueso anular, y tenía todo el cuerpo retoñado de
líquenes minúsculos y animales parasitarios de fondo de
mar, sobre todo en las axilas y en las ingles, y tenía el
braguero de lona en el testículo herniado que era lo único que habían eludido los gallinazos a pesar de ser tan
grande como un riñón de buey, pero ni siquiera entonces nos atrevimos a creer en su muerte porque era la
segunda vez que lo encontraban en aquella oficina, solo
y vestido, y muerto al parecer de muerte natural durante el sueño, como estaba anunciado desde hacía muchos años en las aguas premonitorias de los lebrillos
de las pitonisas. La primera vez que lo encontraron,
en el principio de su otoño, la nación estaba todavía
bastante viva como para que él se sintiera amenazado
de muerte hasta en la soledad de su dormitorio, y sin
embargo gobernaba como si se supiera predestinado a
no morirse jamás, pues aquello no parecía entonces una
casa presidencial sino un mercado donde había que abrirse paso por entre ordenanzas descalzos que descargaban
burros de hortalizas y huacales de gallinas en los corredores, saltando por encima de comadres con ahijados
famélicos que dormían apelotonadas en las escaleras para
esperar el milagro de la caridad oficial, había que eludir
las corrientes de agua sucia de las concubinas deslenguadas que cambiaban por flores nuevas las flores nocturnas de los floreros y trapeaban los pisos y cantaban
canciones de amores ilusorios al compás de las ramas

secas con que venteaban las alfombras en los balcones, y todo aquello entre el escándalo de los funcionarios vitalicios que encontraban gallinas poniendo en las gavetas de los escritorios, y tráficos de putas y soldados en los retretes, y alborotos de pájaros, y peleas de perros callejeros en medio de las audiencias, porque nadie sabía quién era quién ni de parte de quién en aquel palacio de puertas abiertas dentro de cuyo desorden descomunal era imposible establecer dónde estaba el gobierno. El hombre de la casa no sólo participaba de aquel desastre de feria sino que él mismo lo promovía y comandaba, pues tan pronto como se encendían las luces de su dormitorio, antes de que empezaran a cantar los gallos, la diana de la guardia presidencial mandaba el aviso del nuevo día al cercano cuartel del Conde, y éste lo repetía para la base de San Jerónimo, y ésta para la fortaleza del puerto, y ésta volvía a repetirlo para las seis dianas sucesivas que despertaban primero a la ciudad y luego a todo el país, mientras él meditaba en el excusado portátil tratando de apagar con las manos el zumbido de sus oídos, que entonces empezaba a manifestarse, y viendo pasar la luz de los buques por el voluble mar de topacio que en aquellos tiempos de gloria estaba todavía frente a su ventana. Todos los días, desde que tomó posesión de la casa, había vigilado el ordeño en los establos para medir con su mano la cantidad de leche que habían de llevar las tres carretas presidenciales a los cuarteles de la ciudad, tomaba en la cocina un tazón de café negro con cazabe sin saber muy bien para dónde lo arrastraban las ventoleras de la nueva jornada, atento siempre al cotorreo de la servidumbre que era la gente de la casa con quien hablaba el mismo lenguaje, cuyos halagos serios estimaba más y cuyos corazones descifraba mejor, y un poco antes de las nueve tomaba un baño lento de aguas de hojas hervidas en la alberca de granito construida

a la sombra de los almendros de su patio privado, y sólo
después de las once conseguía sobreponerse a la zozobra
del amanecer y se enfrentaba a los azares de la realidad.
Antes, durante la ocupación de los infantes de marina, se
encerraba en la oficina para decidir el destino de la patria con el comandante de las tropas de desembarco y
firmaba toda clase de leyes y mandatos con la huella del
pulgar, pues entonces no sabía leer ni escribir, pero cuando lo dejaron solo otra vez con su patria y su poder no
volvió a emponzoñarse la sangre con la conduerma de
la ley escrita sino que gobernaba de viva voz y de cuerpo
presente a toda hora y en todas partes con una parsimonia rupestre pero también con una diligencia inconcebible a su edad, asediado por una muchedumbre de leprosos, ciegos y paralíticos que suplicaban de sus manos la
sal de la salud, y políticos de letras y aduladores impávidos que lo proclamaban corregidor de los terremotos,
los eclipses, los años bisiestos y otros errores de Dios,
arrastrando por toda la casa sus grandes patas de elefante en la nieve mientras resolvía problemas de estado
y asuntos domésticos con la misma simplicidad con que
ordenaba que me quiten esta puerta de aquí y me la
pongan allá, la quitaban, que me la vuelvan a poner,
la ponían, que el reloj de la torre no diera las doce a las
doce sino a las dos para que la vida pareciera más larga, se cumplía, sin un instante de vacilación, sin una
pausa, salvo a la hora mortal de la siesta en que se
refugiaba en la penumbra de las concubinas, elegía una
por asalto, sin desvestirla ni desvestirse, sin cerrar la
puerta, y en el ámbito de la casa se escuchaba entonces
su resuello sin alma de marido urgente, el retintín anhelante de la espuela de oro, su llantito de perro, el espanto
de la mujer que malgastaba su tiempo de amor tratando
de quitarse de encima la mirada escuálida de los sietemesinos, sus gritos de lárguense de aquí, váyanse a jugar en

el patio que esto no lo pueden ver los niños, y era como
si un ángel atravesara el cielo de la patria, se apagaban
las voces, se paró la vida, todo el mundo quedó petrifi-
cado con el índice en los labios, sin respirar, silencio,
el general está tirando, pero quienes mejor lo conocieron
no confiaban ni siquiera en la tregua de aquel instante
sagrado, pues siempre parecía que se desdoblaba, que lo
vieron jugando dominó a las siete de la noche y al mismo
tiempo lo habían visto prendiendo fuego a las bostas de
vaca para ahuyentar los mosquitos en la sala de audiencias, ni nadie se alimentaba de ilusiones mientras no se
apagaban las luces de las últimas ventanas y se escuchaba
el ruido de estrépito de las tres aldabas, los tres cerrojos,
los tres pestillos del dormitorio presidencial, y se oía el
golpe del cuerpo al derrumbarse de cansancio en el suelo
de piedra, y la respiración de niño decrépito que se iba
haciendo más profunda a medida que montaba la marea,
hasta que las arpas nocturnas del viento acallaban las
chicharras de sus tímpanos y un ancho maretazo de espuma arrasaba las calles de la rancia ciudad de los
virreyes y los bucaneros e irrumpía en la casa civil por todas las ventanas como un tremendo sábado de agosto que
hacía crecer percebes en los espejos y dejaba la sala de
audiencias a merced de los delirios de los tiburones y
rebasaba los niveles más altos de los océanos prehistóricos, y desbordaba la faz de la tierra, y el espacio y el
tiempo, y sólo quedaba él solo flotando bocabajo en el
agua lunar de sus sueños de ahogado solitario, con su uniforme de lienzo de soldado raso, sus polainas, su espuela
de oro, y el brazo derecho doblado bajo la cabeza para
que le sirviera de almohada. Aquel estar simultáneo en todas partes durante los años pedregosos que precedieron a
su primera muerte, aquel subir mientras bajaba, aquel ex-
tasiarse en el mar mientras agonizaba de malos amores
no eran un privilegio de su naturaleza, como lo proclama-

ban sus aduladores, ni una alucinación multitudinaria,
como decían sus críticos, sino que era la suerte de contar
con los servicios íntegros y la lealtad de perro de Patricio
Aragonés, su doble perfecto, que había sido encontrado
sin que nadie lo buscara cuando le vinieron con la novedad mi general de que una falsa carroza presidencial
andaba por pueblos de indios haciendo un próspero negocio de suplantación, que habían visto los ojos taciturnos en la penumbra mortuoria, que habían visto los
labios pálidos, la mano de novia sensitiva con un guante
de raso que iba echando puñados de sal a los enfermos
arrodillados en la calle, y que detrás de la carroza iban
dos falsos oficiales de a caballo cobrando en moneda
dura el favor de la salud, imagínese mi general, qué
sacrilegio, pero él no dio ninguna orden contra el su-
plantador sino que había pedido que lo llevaran en secreto a la casa presidencial con la cabeza metida en un
talego de fique para que no fueran a confundirlo, y entonces padeció la humillación de verse a sí mismo en
semejante estado de igualdad, carajo, si este hombre
soy yo, dijo, porque era en realidad como si lo fuera,
salvo por la autoridad de la voz, que el otro no logró
imitar nunca, y por la nitidez de las líneas de la mano
en donde el arco de la vida se prolongaba sin tropiezos
en torno a la base del pulgar, y si no lo hizo fusilar en
el acto no fue por el interés de mantenerlo como suplan-
tador oficial, pues esto se le ocurrió más tarde, sino
porque lo inquietó la ilusión de que las cifras de su
propio destino estuvieran escritas en la mano del impostor. Cuando se convenció de la vanidad de aquel
sueño ya Patricio Aragonés había sobrevivido impasible
a seis atentados, había adquirido la costumbre de arrastrar los pies aplanados a golpes de mazo, le zumbaban
los oídos y le cantaba la potra en las madrugadas de
invierno, y había aprendido a quitarse y a ponerse la

espuela de oro como si se le enredaran las correas sólo
por ganar tiempo en las audiencias mascullando carajo
con estas hebillas que fabrican los herreros de Flandes
que ni para eso sirven, y de bromista y lenguaraz que
había sido cuando soplaba botellas en la carquesa de su
padre se volvió meditativo y sombrío y no ponía atención a lo que le decían sino que escudriñaba la penumbra
de los ojos para adivinar lo que no le decían, y nunca
contestó a una pregunta sin antes preguntar a su vez
y usted qué opina y de holgazán y vividor que había sido
en el negocio de vender milagros se volvió diligente hasta el tormento y caminador implacable, se volvió tacaño
y rapaz, se resignó a amar por asalto y a dormir en el
suelo, vestido, bocabajo y sin almohada, y renunció a
sus ínfulas precoces de identidad propia y a toda vocación hereditaria de veleidad dorada de simplemente so-
plar y hacer botellas, y afrontaba los riesgos más tre-
mendos del poder poniendo primeras piedras donde nunca se había de poner la segunda, cortando cintas inaugurales en tierra de enemigos y soportando tantos sueños
pasados por agua y tantos suspiros reprimidos de ilusiones imposibles al coronar sin apenas tocarlas a tantas
y tan efímeras e inalcanzables reinas de la belleza, pues
se había conformado para siempre con el destino raso de
vivir un destino que no era el suyo, aunque no lo hizo
por codicia ni convicción sino porque él le cambió la vida
por el empleo vitalicio de impostor oficial con un sueldo
nominal de cincuenta pesos mensuales y la ventaja de vivir como un rey sin la calamidad de serlo, qué más quieres. Aquella confusión de identidades alcanzó su tono mayor una noche de vientos largos en que él encontró a
Patricio Aragonés suspirando hacia el mar en el vapor fragante de los jazmines y le preguntó con una alarma legítima si no le habían echado acónito en la comida que andaba a la deriva y como atravesado por un mal aire, y Patri-

cio Aragonés le contestó que no mi general, que la vaina
es peor, que el sábado había coronado a una reina de carnaval y había bailado con ella el primer valse y ahora
no encontraba la puerta para salir de aquel recuerdo,
porque era la mujer más hermosa de la tierra, de las
que no se hicieron para uno mi general, si usted la viera,
pero él replicó con un suspiro de alivio que qué carajo,
ésas son vainas que le suceden a los hombres cuando
están estreñidos de mujer, le propuso secuestrársela
como hizo con tantas mujeres retrecheras que habían
sido sus concubinas, te la pongo a la fuerza en la cama
con cuatro hombres de tropa que la sujeten por los pies
y las manos mientras tú te despachas con la cuchara
grande, qué carajo, te la comes barbeada, le dijo, hasta
las más estrechas se revuelcan de rabia al principio y
después te suplican que no me deje así mi general como
una triste pomarrosa con la semilla suelta, pero Patricio Aragonés no quería tanto sino que quería más, quería que lo quisieran, por que ésta es de las que saben de
dónde son los cantantes mi general, ya verá que usted
mismo lo va a ver cuando la vea, así que él le indicó como
fórmula de alivio los senderos nocturnos de los cuartos
de sus concubinas y lo autorizó para usarlas como si
fuera él mismo, por asalto y de prisa y con la ropa
puesta, y Patricio Aragonés se sumergió de buena fe
en aquel cenegal de amores prestados creyendo que con
ellos le iba a poner una mordaza a sus anhelos, pero
era tanta su ansiedad que a veces se olvidaba de las
condiciones del préstamo, se desbraguetaba por dis-
tracción, se demoraba en pormenores, tropezaba por
descuido con las piedras ocultas de las mujeres más
mezquinas, les desentrañaba los suspiros y las hacía
reír de asombro en las tinieblas, qué bandido mi general, le decían, se nos está volviendo avorazado después de viejo, y desde entonces ninguno de ellos ni

ninguna de ellas supo nunca cuál de los hijos de quién era hijo de quién, ni con quién, pues también los hijos de Patricio Aragonés como los suyos nacían sietemesinos. Así fue como Patricio Aragonés se convirtió en el hombre esencial del poder, el más amado y quizá también el más temido, y él dispuso de más tiempo para ocuparse de las fuerzas armadas con tanta atención como al principio de su mandato, no porque las fuerzas armadas fueran el sustento de su poder, como todos creíamos, sino al contrario, porque eran su enemigo natural más temible, de modo que les hacía creer a unos oficiales que estaban vigilados por los otros, les barajaba los destinos para impedir que se confabularan, dotaba a los cuarteles de ocho cartuchos de fogueo por cada diez legítimos y les mandaba pólvora revuelta con arena de playa mientras él mantenía el parque bueno al alcance de la mano en un depósito de la casa presidencial cuyas llaves cargaba en una argolla con otras llaves sin copias de otras puertas que nadie más podía franquear, protegido por la sombra tranquila de mi compadre de toda la vida el general Rodrigo de Aguilar, un artillero de academia que era además su ministro de la defensa y al mismo tiempo comandante de las guardias presidenciales, director de los servicios de seguridad del estado y uno de los muy pocos mortales que estuvieron autorizados para ganarle a él una partida de dominó, porque había perdido el brazo derecho tratando de desmontar una carga de dinamita minutos antes de que la berlina presidencial pasara por el sitio del atentado. Se sentía tan seguro con el amparo del general Rodrigo de Aguilar y la asistencia de Patricio Aragonés, que empezó a descuidar sus presagios de conservación y se fue haciendo cada vez más visible, se atrevió a pasear por la ciudad con sólo un edecán en un carricoche sin insignias contemplando por entre los visillos la catedral arrogante

de piedra dorada que él había declarado por decreto la
más bella del mundo, atisbaba las mansiones antiguas
de calicanto con portales de tiempos dormidos y girasoles vueltos hacia el mar, las calles adoquinadas con olor
de pabilo del barrio de los virreyes, las señoritas lívidas
que hacían encaje de bolillo con una decencia ineluc-
table entre los tiestos de claveles y los colgajos de trinitarias de la luz de los balcones, el convento ajedrezado
de las vizcaínas con el mismo ejercicio de clavicordio
a las tres de la tarde con que habían celebrado el primer
paso del cometa, atravesó el laberinto babélico del comercio, su música mortífera, los lábaros de billetes de
lotería, los carritos de guarapo, los sartales de huevos de
iguana, los baratillos de los turcos descoloridos por el
sol, el lienzo pavoroso de la mujer que se había convertido en alacrán por desobedecer a sus padres, el callejón
de miseria de las mujeres sin hombres que salían desnudas al atardecer a comprar corbinas azules y pargos
rosados y a mentarse la madre con las verduleras mientras se les secaba la ropa en los balcones de maderas
bordadas, sintió el viento de mariscos podridos, la luz
cotidiana de los pelícanos a la vuelta de la esquina, el
desorden de colores de las barracas de los negros en los
promontorios de la bahía, y de pronto, ahí está, el puerto, ay, el puerto, el muelle de tablones de esponja, el viejo
acorazado de los infantes más largo y más sombrío que
la verdad, la estibadora negra que se apartó demasiado
tarde para dar paso al cochecito despavorido y se sintió
tocada de muerte por la visión del anciano crepuscular
que contemplaba el puerto con la mirada más triste del
mundo, es él, exclamó asustada, que viva el macho, gritó, que viva, gritaban los hombres, las mujeres, los niños
que salían corriendo de las cantinas y las fondas de chinos, que viva, gritaban los que trabaron las patas de los
caballos y bloquearon el coche para estrechar la mano

del poder, una maniobra tan certera e imprevista que
él apenas tuvo tiempo de apartar el brazo armado del
edecán reprendiéndolo con voz tensa, no sea pendejo,
teniente, déjelos que me quieran, tan exaltado con aquel
arrebato de amor y con otros semejantes de los días siguientes que al general Rodrigo de Aguilar le costó trabajo quitarle la idea de pasearse en una carroza descubierta
para que puedan verme de cuerpo entero los patriotas de
la patria, qué carajo, pues él ni siquiera sospechaba que
el asalto del puerto había sido espontáneo pero que los siguientes fueron organizados por sus propios servicios de
seguridad para complacerlo sin riesgos, tan engolosinado
con los aires de amor de las vísperas de su otoño que se
atrevió a salir de la ciudad después de muchos años, volvió a poner en marcha el viejo tren pintado con los colores de la bandera que se trepaba gateando por las cornisas de su vasto reino de pesadumbre, abriéndose paso por
entre ramazones de orquídeas y balsaminas amazónicas,
alborotando micos, aves del paraíso, leopardos dormidos
sobre los rieles, hasta los pueblos glaciales y desiertos de
su páramo natal en cuyas estaciones lo esperaban con
bandas de músicas lúgubres, le tocaban campanas de
muerto, le mostraban letreros de bienvenida al patricio
sin nombre que está sentado a la diestra de la Santísima
Trinidad, le reclutaban indios desbalagados de las veredas
que bajaban a conocer el poder oculto en la penumbra
fúnebre del vagón presidencial, y los que conseguían acercarse no veían nada más que los ojos atónitos detrás de
los cristales polvorientos, veían los labios trémulos, la
palma de una mano sin origen que saludaba desde el
limbo de la gloria, mientras alguien de la escolta trataba de apartarlo de la ventana, tenga cuidado, general,
la patria lo necesita, pero él replicaba entre sueños no
te preocupes, coronel, esta gente me quiere, lo mismo en
el tren de los páramos que en el buque fluvial de rueda

de madera que iba dejando un rastro de valses de pia-
nola por entre la fragancia dulce de gardenias y sala-
mandras podridas de los afluentes ecuatoriales, eludien-
do carcachas de dragones prehistóricos, islas providencia-
les donde se echaban a parir las sirenas, atardeceres de
desastres de inmensas ciudades desaparecidas, hasta los
caseríos ardientes y desolados cuyos habitantes se asomaban a la orilla para ver el buque de madera pintado
con los colores de la patria y apenas si alcanzaban a distinguir una mano de nadie con un guante de raso que saludaba desde la ventana del camarote presidencial, pero
él veía los grupos de la orilla que agitaban hojas de malanga a falta de banderas, veía los que se echaban al agua
con una danta viva, un ñame gigantesco como una pata
de elefante, un huacal de gallinas de monte para la olla
del sancocho presidencial, y suspiraba conmovido en la
penumbra eclesiástica del camarote, mírelos cómo vienen, capitán, mire cómo me quieren. En diciembre, cuando el mundo del Caribe se volvía de vidrio, subía en el
carricoche por las cornisas de rocas hasta la casa enca-
ramada en la cumbre de los arrecifes y se pasaba la tarde
jugando dominó con los antiguos dictadores de otros
países del continente, los padres destronados de otras patrias a quienes él había concedido el asilo a lo largo de
muchos años y que ahora envejecían en la penumbra de
su misericordia soñando con el barco quimérico de la
segunda oportunidad en las sillas de las terrazas, hablando solos, muriéndose muertos en la casa de reposo que
él había construido para ellos en el balcón del mar después de haberlos recibido a todos como si fueran uno
solo, pues todos aparecían de madrugada con el uniforme de aparato que se habían puesto al revés sobre la
piyama, con un baúl de dinero saqueado del tesoro público y una maleta con un estuche de condecoraciones,
recortes de periódicos pegados en viejos libros de conta-

bilidad y un álbum de retratos que le mostraban a él en
la primera audiencia como si fueran las credenciales,
diciendo mire usted, general, éste soy yo cuando era teniente, aquí fue el día de la posesión, aquí fue en el
decimosexto aniversario de la toma del poder, aquí, mire
usted general, pero él les concedía el asilo político sin
prestarles mayor atención ni revisar credenciales porque
el único documento de identidad de un presidente derro-
cado debe ser el acta de defunción, decía, y con el mismo desprecio escuchaba el discursillo ilusorio de que
acepto por poco tiempo su noble hospitalidad mientras
la justicia del pueblo llama a cuentas al usurpador, la
eterna fórmula de solemnidad pueril que poco después
le escuchaba al usurpador, y luego al usurpador del
usurpador como si no supieran los muy pendejos
que en este negocio de hombres el que se cayó se cayó,
y a todos los hospedaba por unos meses en la casa presidencial, los obligaba a jugar dominó hasta despojarlos
del último céntimo, y entonces me llevó del brazo frente
a la ventana del mar, me ayudó a dolerme de esta vida
puñetera que sólo camina para un solo lado, me con-
soló con la ilusión de que me fuera para allá, mire, allá,
en aquella casa enorme que parecía un trasatlántico en-
callado en la cumbre de los arrecifes donde le tengo un
aposento con muy buena luz y buena comida, y mucho
tiempo para olvidar junto a otros compañeros en desgracia, y con una terraza marina donde a él le gustaba sentarse en las tardes de diciembre no tanto por el placer
de jugar al dominó con aquella cáfila de mampolones
sino para disfrutar de la dicha mezquina de no ser uno
de ellos, para mirarse en el espejo de escarmiento de
la miseria de ellos mientras él chapaleaba en la ciénaga grande la felicidad, soñando solo, persiguiendo en
puntillas como un mal pensamiento a las mulatas man-
sas que barrían la casa civil en la penumbra del amane-

cer, husmeaba su rastro de dormitorio público y bri-
llantina de botica, acechaba la ocasión de encontrarse
con una sola para hacer amores de gallo detrás de las
puertas de las oficinas mientras ellas reventaban de risa
en la sombra, qué bandido mi general, tan grande y todavía tan garoso, pero él quedaba triste después del amor
y se ponía a cantar para consolarse donde nadie lo oyera,
fúlgida luna del mes de enero, cantaba, mírame cómo
estoy de acontecido en el patíbulo de tu ventana, cantaba, tan seguro del amor de su pueblo en aquellos octu-
bres sin malos presagios que colgaba una hamaca en el
patio de la mansión de los suburbios donde vivía su madre Bendición Alvarado y hacía la siesta a la sombra de
los tamarindos, sin escolta, soñando con los peces errá-
tiles que navegaban en las aguas de color de los dormitorios, la patria es lo mejor que se ha inventado, madre,
suspiraba, pero nunca esperaba la réplica de la única
persona en el mundo que se atrevió a reprenderlo por el
olor a cebollas rancias de sus axilas, sino que regresaba
a la casa presidencial por la puerta grande exaltado con
aquella estación de milagro del Caribe en enero, aquella
reconciliación con el mundo al cabo de la vejez, aquellas
tardes malvas en que había hecho las paces con el nuncio
apostólico y éste lo visitaba sin audiencia para tratar de
convertirlo a la fe de Cristo mientras tomaban chocolate
con galletitas, y él alegaba muerto de risa que si Dios es
tan macho como usted dice dígale que me saque este cu-
carrón que me zumba en el oído, le decía, se desaboto-
naba los nueve botones de la bragueta y le mostraba la
potra descomunal, dígale que me desinfle esta criatura,
le decía, pero el nuncio lo pastoreaba con un largo es-
toicismo, trataba de convencerlo de que todo lo que es
verdad, dígalo quien lo diga, proviene del Espíritu Santo,
y él lo acompañaba hasta la puerta con las primeras lámparas, muerto de risa como muy pocas veces lo habían

visto, no gaste pólvora en gallinazos, padre, le decía, para
qué me quiere convertido si de todos modos hago lo
que ustedes quieren, qué carajo. Aquel remanso de placidez se desfondó de pronto en la gallera de un páramo
remoto cuando un gallo carnicero le arrancó la cabeza
al adversario y se la comió a picotazos ante un público
enloquecido de sangre y una charanga de borrachos que
celebró el horror con músicas de fiesta, porque él fue el
único que registró el mal presagio, lo sintió tan nítido
e inminente que ordenó en secreto a su escolta que
arrestaran a uno de los músicos, a ése, el que está tocando el bombardino, y en efecto le encontraron una
escopeta de cañón recortado y confesó bajo tortura que
pensaba disparar contra él en la confusión de la salida,
por supuesto, era más que evidente, explicó él, porque yo
miraba a todo el mundo y todo el mundo me miraba a
mí, pero el único que no se atrevió a mirarme ni una
sola vez fue ese cabrón del bombardino, pobre hombre,
y sin embargo él sabía que no era ésa la razón última de
su ansiedad, pues la siguió sintiendo en las noches de la
casa civil aun después de que sus servicios de seguridad
le demostraron que no había motivos de inquietud mi
general, que todo estaba en orden, pero él se había aferrado a Patricio Aragonés como si fuera él mismo desde
que padeció el presagio de la gallera, le daba de comer de
su propia comida, le daba a beber de su propia miel de
abejas con la misma cuchara para morirse al menos con
el consuelo de que ambos se murieran juntos si las cosas estaban envenenadas, y andaban como fugitivos por
aposentos olvidados, caminando sobre las alfombras para
que nadie conociera sus grandes pasos furtivos de elefantes siameses, navegando juntos en la claridad intermitente del faro que se metía por las ventanas e inundaba
de verde cada treinta segundos los aposentos de la casa
a través del humo de boñiga de vaca y los adioses lúgu-

bres de los barcos nocturnos en los mares dormidos, pasaban tardes enteras contemplando la lluvia, contando golondrinas como dos amantes vetustos en los atardeceres lánguidos de septiembre, tan apartados del mundo que él mismo no cayó en la cuenta de que su lucha feroz por existir dos veces alimentaba la sospecha contraria de que existía cada vez menos, que yacía en un letargo, que había sido doblada la guardia y no se permitía la entrada ni la salida de nadie en la casa presidencial, que sin embargo alguien había logrado burlar aquel filtro severo y había visto los pájaros callados en las jaulas, las vacas bebiendo en la pila bautismal, los leprosos y los paralíticos durmiendo en los rosales, y todo el mundo estaba al mediodía como esperando a que amaneciera porque él había muerto como estaba anunciado en los lebrillos de muerte natural durante el sueño pero los altos mandos demoraban la noticia mientras trataban de dirimir en conciliábulos sangrientos sus pugnas atrasadas. Aunque él ignoraba estos rumores era consciente de que algo estaba a punto de ocurrir en su vida, interrumpía las lentas partidas de dominó para preguntarle al general Rodrigo de Aguilar cómo siguen las vainas, compadre, todo bajo control mi general, la patria estaba en calma, acechaba señales de premonición en las piras funerarias de las plastas de boñiga de vaca que ardían en los corredores y en los pozos de aguas antiguas sin encontrar ninguna respuesta a su ansiedad, visitaba a su madre Bendición Alvarado en la mansión de los suburbios cuando aflojaba el calor, se sentaban a tomar el fresco de la tarde debajo de los tamarindos, ella en su mecedor de madre, decrépita pero con el alma entera, echándoles puñados de maíz a las gallinas y a los pavorreales que picoteaban en el patio, y él en la poltrona de mimbre pintada de blanco, abanicándose con el sombrero, persiguiendo con una mirada de hambre vie-

ja a las mulatas grandes que le llevaban las aguas frescas
de fruta de colores para la sed del calor mi general, pensando madre mía Bendición Alvarado si supieras que ya
no puedo con el mundo, que quisiera largarme para no sé
dónde, madre, lejos de tanto entuerto, pero ni siquiera
a su madre le mostraba el interior de los suspiros sino
que regresaba con las primeras luces de la noche a la casa
presidencial, se metía por la puerta de servicio oyendo al
pasar por los corredores el taconeo de los centinelas que
lo iban saludando sin novedad mi general, todo en orden,
pero él sabía que no era cierto, que lo engañaban por hábito, que le mentían por miedo, que nada era verdad en
aquella crisis de incertidumbre que le estaba amargando
la gloria y le quitaba hasta las viejas ganas de mandar
desde la tarde aciaga de la gallera, permanecía hasta muy
tarde tirado bocabajo en el suelo sin dormir, oyó por la
ventana abierta del mar los tambores lejanos y las gaitas
tristes que celebraban alguna boda de pobres con el mismo alborozo con que hubieran celebrado su muerte, oyó
el adiós de un buque perdulario que se fue a las dos sin
permiso del capitán, oyó el ruido de papel de las rosas
que se abrieron al amanecer, sudaba hielo, suspiraba sin
querer, sin un instante de sosiego, presintiendo con un
instinto montaraz la inminencia de la tarde en que regresaba de la mansión de los suburbios y lo sorprendió
un tropel de muchedumbres en la calle, un abrir y cerrar
de ventanas y un pánico de golondrinas en el cielo diáfano de diciembre y entreabrió la cortina de la carroza
para ver qué pasaba y se dijo esto era, madre, esto era,
se dijo, con un terrible sentimiento de alivio, viendo
los globos de colores en el cielo, los globos rojos y verdes, los globos amarillos como grandes naranjas azules,
los innumerables globos errantes que se abrieron vuelo
por entre el espanto de las golondrinas y flotaron un instante en la luz de cristal de las cuatro y se rompieron de

pronto en una explosión silenciosa y unánime y soltaron
millares y millares de hojas de papel sobre la ciudad, una
tormenta de panfletos volantes que el cochero aprovechó
para escabullirse del tumulto del mercado público sin
que nadie reconociera la carroza del poder, porque todo
el mundo estaba en la rebatiña de los papeles de los globos mi general, los gritaban en los balcones, repetían de
memoria abajo la opresión, gritaban, muera el tirano,
y hasta los centinelas de la casa presidencial leían en voz
alta por los corredores la unión de todos sin distinción
de clases contra el despotismo de siglos, la reconciliación patriótica contra la corrupción y la arrogancia de
los militares, no más sangre, gritaban, no más pillaje, el
país entero despertaba del sopor milenario en el momento en que él entró por la puerta de la cochera y se
encontró con la terrible novedad mi general de que a Patricio Aragonés lo habían herido de muerte con un dardo
envenenado. Años antes, en una noche de malos humores, él le había propuesto a Patricio Aragonés que se
jugaran la vida a cara o sello, si sale cara te mueres tú,
si sale sello me muero yo, pero Patricio Aragonés le
hizo ver que se iban a morir empatados porque todas las
monedas tenían la cara de ambos por ambos lados, le
propuso entonces que se jugaran la vida en la mesa de
dominó, veinte partidas al que gane más, y Patricio Aragonés aceptó a mucha honra y con mucho gusto mi general siempre que me conceda el privilegio de poderle
ganar, y él aceptó, de acuerdo, así que jugaron una partida, jugaron dos, jugaron veinte, y siempre ganó Patricio Aragonés pues él sólo ganaba porque estaba prohibido ganarle, libraron un combate largo y encarnizado y
llegaron a la última partida sin que él ganara una, y Patricio Aragonés se secó el sudor con la manga de la camisa suspirando lo siento en el alma mi general pero
yo no me quiero morir, y entonces él se puso a recoger las

fichas, las colocaba en orden dentro de la cajita de madera mientras decía como un maestro de escuela cantando una lección que él tampoco tenía por qué morirse en la mesa de dominó sino a su hora y en su sitio de
muerte natural durante el sueño como lo habían predi-
cho desde el principio de sus tiempos los lebrillos de las
pitonisas, y ni siquiera así, pensándolo bien, porque Bendición Alvarado no me parió para hacerle caso a los lebrillos sino para mandar, y al fin y al cabo yo soy el que
soy yo, y no tú, de modo que dale gracias a Dios de que
esto no era más que un juego, le dijo riéndose, sin haber
imaginado entonces ni nunca que aquella broma terrible había de ser verdad la noche en que entró en el cuarto de Patricio Aragonés y lo encontró enfrentado con las
urgencias de la muerte, sin remedio, sin ninguna esperanza de sobrevivir al veneno, y él lo saludó desde la
puerta con la mano extendida, Dios te salve, macho, grande honor es morir por la patria. Lo acompañó en la lenta
agonía, los dos solos en el cuarto, dándole con su mano
las cucharadas de alivio para el dolor, y Patricio Aragonés las tomaba sin gratitud diciéndole entre cada cucharada que ahí lo dejo por poco tiempo con su mundo de
mierda mi general porque el corazón me dice que nos
vamos a ver muy pronto en los profundos infiernos, yo
más torcido que un lebranche con este veneno y usted
con la cabeza en la mano buscando dónde ponerla, dicho
sea sin el menor respeto mi general, pues ahora le puedo decir que nunca lo he querido como usted se ima-
gina sino que desde las témporas de los filibusteros en
que tuve la mala desgracia de caer en sus dominios
estoy rogando que lo maten aunque sea de buena manera para que me pague esta vida de huérfano que me
ha dado, primero aplanándome las patas con manos de
pilón para que se me volvieran de sonámbulo como las
suyas, después atravesándome las criadillas con leznas

de zapatero para que se me formara la potra, después poniéndome a beber trementina para que se me olvidara leer y escribir con tanto trabajo como le costó a mi madre enseñarme, y siempre obligándome a hacer los oficios públicos que usted no se atreve, y no porque la patria lo necesite vivo como usted dice sino porque al más bragado se le hiela el culo coronando a una puta de la belleza sin saber por dónde le va a tronar la muerte, dicho sea sin el menor respeto mi general, pero a él no le importaba la insolencia sino la ingratitud de Patricio Aragonés a quien puse a vivir como un rey en un palacio y te di lo que nadie le ha dado a nadie en este mundo hasta prestarte mis propias mujeres, aunque mejor no hablemos de eso mi general que vale más estar capado a mazo que andar tumbando madres por el suelo como si fuera cuestión de herrar novillas, nomás que esas pobres bastardas sin corazón ni siquiera sienten el hierro ni patalean ni se retuercen ni se quejan como las novillas, ni echan humo por los cuadriles ni huelen a carne chamuscada que es lo menos que se les pide a las buenas mujeres, sino que ponen sus cuerpos de vacas muertas para que uno cumpla con su deber mientras ellas siguen pelando papas y gritándoles a las otras que me hagas el favor de echármele un ojo a la cocina mientras me desocupo aquí que se me quema el arroz, sólo a usted se le ocurre creer que esa vaina es amor mi general porque es el único que conoce, dicho sea sin el menor respeto, y entonces él empezó a bramar que te calles, carajo, que te calles o te va a costar caro, pero Patricio Aragonés siguió diciendo sin la menor intención de burla que para qué me voy a callar si lo más que puede hacer es matarme y ya me está matando, más bien aproveche ahora para verle la cara a la verdad mi general, para que sepa que nadie le ha dicho nunca lo que piensa de veras sino que todos le dicen lo que saben que usted

quiere oír mientras le hacen reverencias por delante y
le hacen pistola por detrás, agradezca siquiera la casualidad de que yo soy el hombre que más lástima le tiene
en este mundo porque soy el único que me parezco a
usted, el único que tiene la honradez de cantarle lo que
todo el mundo dice que usted no es presidente de nadie
ni está en el trono por sus cañones sino que lo senta-
ron los ingleses y lo sostuvieron los gringos con el par
de cojones de su acorazado, que yo lo vi cucaracheando
de aquí para allá y de allá para acá sin saber por dónde
empezar a mandar de miedo cuando los gringos le grita-
ron que ahí te dejamos con tu burdel de negros a ver
cómo te las compones sin nosotros, y si no se desmontó
de la silla desde entonces ni se ha desmontado nunca no
será porque no quiere sino porque no puede, reconóz-
calo, porque sabe que a la hora que lo vean por la calle
vestido de mortal le van a caer encima como perros para
cobrarle esto por la matanza de Santa María del Altar,
esto otro por los presos que tiran en los fosos de la fortaleza del puerto para que se los coman vivos los caimanes,
esto otro por los que despellejan vivos y le mandan el
cuero a la familia como escarmiento, decía, sacando del
pozo sin fondo de sus rencores atrasados el sartal de recursos atroces de su régimen de infamia, hasta que ya
no pudo decirle más porque un rastrillo de fuego le desgarró las entrañas, se le reblandeció el corazón y terminó
sin intención de ofensa sino casi de súplica que se lo digo
en serio mi general, aproveche ahora que me estoy muriendo para morirse conmigo, nadie tiene más criterio
que yo para decírselo porque nunca tuve la pretensión de
parecerme a nadie ni menos ser un prócer de la patria
sino un triste soplador de vidrios para hacer botellas
como mi padre, atrévase, mi general, no duele tanto como
parece, y se lo dijo con un aire de tan serena verdad que
a él no le alcanzó la rabia para contestar sino que trató

de sostenerlo en la silla cuando vio que empezaba a tor-
cerse y se agarraba las tripas con las manos y sollozaba
con lágrimas de dolor y vergüenza que qué pena mi general pero me estoy cagando, y él creyó que lo decía en
sentido figurado queriéndole decir que se estaba muriendo de miedo, pero Patricio Aragonés le contestó que no,
quiero decir cagándome cagándome mi general, y él alcanzó a suplicarle que te anguantes Patricio Aragonés,
aguántate, los generales de la patria tenemos que morir
como los hombres aunque nos cueste la vida, pero lo dijo
demasiado tarde porque Patricio Aragonés se fue de bruces y le cayó encima pataleando de miedo y ensopado de
mierda y de lágrimas. En la oficina contigua a la sala de
audiencias tuvo que restregar el cuerpo con estropajo
y jabón para quitarle el mal olor de la muerte, lo vistió
con la ropa que él llevaba puesta, le puso el braguero de
lona, las polainas, la espuela de oro en el talón izquierdo,
sintiendo a medida que lo hacía que se iba convirtiendo
en el hombre más solitario de la tierra, y por último
borró todo rastro de la farsa y prefiguró a la perfección
hasta los detalles más ínfimos que él había visto con sus
propios ojos en las aguas premonitorias de los lebrillos,
para que al amanecer del día siguiente las barrenderas
de la casa encontraran el cuerpo como lo encontraron
tirado bocabajo en el suelo de la oficina, muerto por primera vez de falsa muerte natural durante el sueño con
el uniforme de lienzo sin insignias, las polainas, la espuela de oro, y el brazo derecho doblado bajo la cabeza
para que le sirviera de almohada. Tampoco aquella vez se
divulgó la noticia de inmediato, al contrario de lo que él
esperaba, sino que transcurrieron muchas horas de prudencia, de averiguaciones sigilosas, de componendas secretas entre los herederos del régimen que trataban de
ganar tiempo desmintiendo el rumor de la muerte con
toda clase de versiones contrarias, sacaron a la calle del

comercio a su madre Bendición Alvarado para que com-
probáramos que no tenía cara de duelo, me vistieron con
un traje de flores como a una marimonda, señor, me hicieron comprar un sombrero de guacamaya para que
todo el mundo me viera feliz, me hicieron comprar cuanto coroto encontrábamos en las tiendas a pesar de que
yo les decía que no, señor, que no era hora de comprar
sino de llorar porque hasta yo creía que de veras era mi
hijo el que había muerto, y me hacían sonreír a la fuerza
cuando la gente me sacaba retratos de cuerpo entero
porque los militares decían que había que hacerlo por
la patria mientras él se preguntaba confundido en su
escondite qué ha pasado en el mundo que nada se alteraba con la patraña de su muerte, cómo es que había
salido el sol y había vuelto a salir sin tropezar, por qué
este aire de domingo, madre, por qué el mismo calor
sin mí, se preguntaba asombrado, cuando sonó un cañonazo intempestivo en la fortaleza del puerto y empezaron los dobles de las campanas maestras de la catedral
y subió hasta la casa civil la tropelina de las muchedumbres que se alzaban del marasmo secular con la noticia
más grande del mundo, y entonces entreabrió la puerta
del dormitorio y se asomó a la sala de audiencias y se
vio a sí mismo en cámara ardiente más muerto y más
ornamentado que todos los papas muertos de la cristiandad, herido por el horror y la vergüenza de su propio
cuerpo de macho militar acostado entre las flores, la cara
lívida de polvo, los labios pintados, las duras manos de
señorita impávida sobre el pectoral blindado de medallas
de guerra, el fragoroso uniforme de gala con los diez
soles crepusculares de general del universo que alguien le
había inventado después de la muerte, el sable de rey de
la baraja que no había usado jamás, las polainas de charol con dos espuelas de oro, la vasta parafernalia del
poder y las lúgubres glorias marciales reducidas a su ta-

maño humano de maricón yacente, carajo, no puede ser
que ése soy yo, se dijo enfurecido, no es justo, carajo, se
dijo, contemplando el cortejo que desfilaba en torno de
su cadáver, y por un instante olvidó los propósitos turbios de la farsa y se sintió ultrajado y disminuido por
la inclemencia de la muerte ante la majestad del poder,
vio la vida sin él, vio con una cierta compasión cómo
eran los hombres desamparados de su autoridad, vio con
una inquietud recóndita a los que sólo habían venido
por descifrar el enigma de si en verdad era él o no era
él, vio a un anciano que le hizo un saludo masónico de
los tiempos de la guerra federal, vio un hombre enlutado
que le besó el anillo, vio una colegiala que le puso una
flor, vio una vendedora de pescado que no pudo resistir
la verdad de su muerte y esparció por los suelos la canasta de pescados frescos y se abrazó al cadáver perfumado llorando a gritos que era él, Dios mío, qué va a ser
de nosotros sin él, lloraba, de modo que era él, gritaban,
era él, gritó la muchedumbre sofocada en el sol de la
Plaza de Armas, y entonces se interrumpieron los dobles
y las campanas de la catedral y las de todas las iglesias
anunciaron un miércoles de júbilo, estallaron cohetes
pascuales, petardos de gloria, tambores de liberación, y
él vio a los grupos de asalto que se metieron por las ventanas ante la complacencia callada de la guardia, vio los
cabecillas feroces que dispersaron a palos el cortejo y tiraron por el suelo a la pescadera inconsolable, vio a los
que se encarnizaron con el cadáver, los ocho hombres
que lo sacaron de su estado inmemorial y de su tiempo
quimérico de agapantos y girasoles y se lo llevaron a ras-
tras por las escaleras, los que desbarataron la tripamenta de aquel paraíso de opulencia y desdicha que creían
destruir para siempre destruyendo para siempre la ma-
driguera del poder, derribando capiteles dóricos de cartón de piedra, cortinas de terciopelo y columnas babiló-

nicas coronadas con palmeras de a
las de pájaros por las ventanas, el
el piano de cola, rompiendo criptas
de próceres ignotos y gobelinos de
en góndolas de desilusión y enorme
militares arcaicos y batallas navale
quilando el mundo para que no que
de las generaciones futuras ni siqui
mo de la estirpe maldita de las gentes de armas, y luego
se asomó a la calle por las rendijas de las persianas para
ver hasta dónde llegaban los estragos de la defenestra-
ción y con una sola mirada vio más infamias y más ingratitud de cuantas habían visto y llorado mis ojos desde
mi nacimiento, madre, vio a sus viudas felices que aban-
donaban la casa por las puertas de servicio llevando de
cabestro las vacas de mis establos, llevándose los muebles
del gobierno, los frascos de miel de tus colmenas, madre,
vio a sus sietemesinos haciendo músicas de júbilo con
los trastos de la cocina y los tesoros de cristalería y
los servicios de mesa de los banquetes de pontifical cantando a grito callejero se murió mi papá, viva la libertad,
vio la hoguera encendida en la Plaza de Armas para que-
mar los retratos oficiales y las litografías de almanaques
que estuvieron a toda hora y en todas partes desde el
principio de su régimen, y vio pasar su propio cuerpo
arrastrado que iba dejando por la calle un reguero de
condecoraciones y charreteras, botones de dormán, hilachas de brocados y pasamanería de alamares y borlas de
sables de barajas y los diez soles tristes de rey del universo, madre, mira cómo me han puesto, decía, sintiendo en carne propia la ignominia de los escupitajos y las
bacinillas de enfermos que le tiraban al pasar desde los
balcones, horrorizado por la idea de ser descuartizado y
digerido por los perros y los gallinazos entre los aullidos
delirantes y los truenos de pirotecnia del carnaval de mi

. Cuando pasó el cataclismo siguió oyendo músi-
emotas en la tarde sin viento, siguió matando mos-
utos y tratando de matar con las mismas palmadas
las chicharras de los oídos que lo estorbaban para pensar, siguió viendo la lumbre de los incendios en el horizonte, el faro que lo atigraba de verde cada treinta
segundos por entre las rendijas de las persianas, la respiración natural de la vida diaria que volvía a ser la
misma a medida que su muerte se convertía en otra muerte más como otras tantas del pasado, el torrente incesante de la realidad que se lo iba llevando hacia la tierra de
nadie de la compasión y el olvido, carajo, a la mierda la
muerte, exclamó, y entonces abandonó el escondite exaltado por la certidumbre de que su hora grande había
sonado, atravesó los salones saqueados arrastrando sus
densas patas de aparecido por entre los destrozos de su
vida anterior en las tinieblas olorosas a flores moribundas y a pabilo de entierro, empujó la puerta del salón del
consejo de ministros, oyó a través del aire de humo las
voces extenuadas en torno a la larga mesa de nogal, y
vio a través del humo que allí estaban todos los que él
había querido que estuvieran, los liberales que habían
vendido la guerra federal, los conservadores que la habían comprado, los generales del mando supremo, tres
de sus ministros, el arzobispo primado y el embajador
Schnontner, todos juntos en una sola trampa invocando
la unión de todos contra el despotismo de siglos para
repartirse entre todos el botín de su muerte, tan absor-
tos en los abismos de la codicia que ninguno advirtió la
aparición del presidente insepulto que dio un solo golpe
con la palma de la mano en la mesa, y gritó, ¡ajá! y no
tuvo que hacer nada más, pues cuando quitó la mano de
la mesa ya había pasado la estampida de pánico y sólo
quedaban en el salón vacío los ceniceros desbordados, los
pocillos de café, las sillas tiradas por el suelo, y mi com-

padre de toda la vida el general Rodrigo de Aguilar en uniforme de campaña, minúsculo, impasible, apartando el
humo con su única mano para indicarle que se tirara
en el suelo mi general que ahora empiezan las vainas, y
ambos se tiraron en el piso en el instante en que empezó frente a la casa el júbilo de muerte de la metralla, la
fiesta carnicera de la guardia presidencial que cumplió
con mucho gusto y a mucha honra mi general su orden
feroz de que nadie escapara con vida del conciliábulo
de la traición, barrieron con ráfagas de ametralladora a
los que trataron de escapar por la puerta principal, ca-
zaron como pájaros a los que se descolgaban por las
ventanas, desentrañaron con granadas de fósforo vivo a
los que pudieron burlar el cerco y se refugiaron en las
casas vecinas y remataron a los heridos de acuerdo con
el criterio presidencial de que todo sobreviviente es un
mal enemigo para toda la vida, mientras él continuaba
acostado bocabajo en el piso a dos cuartas del general
Rodrigo de Aguilar soportando la granizada de vidrios
y argamasa que se metía por las ventanas con cada explosión, murmurando sin pausas como si estuviera re-
zando, ya está, compadre, ya está, se acabó la vaina,
de ahora en adelante voy a mandar yo solo sin perros
que me ladren, será cuestión de ver mañana temprano qué es lo que sirve y lo que no sirve de todo este desmadre y si acaso falta en qué sentarse se compran para
mientras tanto seis taburetes de cuero de los más baratos, se compran unas esteras de petate y se ponen por
aquí y por allá para tapar los huecos, se compran dos o
tres corotos más, y ya está, ni platos ni cucharas ni
nada, todo eso me lo traigo de los cuarteles porque ya
no voy a tener más gente de tropa, ni oficiales, qué carajo, sólo sirven para aumentar el gasto de leche y a la
hora de las vainas, ya se vio, escupen la mano que les da
de comer, me quedo solo con la guardia presidencial que

es gente derecha y brava y no vuelvo a nombrar ni ga-
binete de gobierno, qué carajo, sólo un buen ministro
de salud que es lo único que se necesita en la vida, y si
acaso otro con buena letra para lo que haya que escribir,
y así se pueden alquilar los ministerios y los cuarteles y
se tiene esa plata para el servicio, que aquí lo que hace
falta no es gente sino plata, se consiguen dos buenas sirvientas, una para la limpieza y la cocina, y otra para lavar
y planchar, y yo mismo para hacerme cargo de las vacas y los pájaros cuando los haya, y no más despelote de
putas en los excusados ni lazarinos en los rosales ni
doctores de letras que todo lo saben ni políticos sabios
que todo lo ven, que al fin y al cabo esto es una casa
presidencial y no un burdel de negros como dijo Patricio
Aragonés que dijeron los gringos, y yo solo me basto y
me sobro para seguir mandando hasta que vuelva a pasar
el cometa, y no una vez sino diez, porque lo que soy yo
no me pienso morir más, qué carajo, que se mueran
los otros, decía, hablando sin pausas para pensar, como
si recitara de memoria, porque sabía desde la guerra que
pensando en voz alta se le espantaba el miedo de las
cargas de dinamita que sacudían la casa, haciendo planes
para mañana por la mañana y para el siglo entrante al
atardecer hasta que sonó en la calle el último tiro de
gracia y el general Rodrigo de Aguilar se arrastró cule-
breando y ordenó por la ventana que buscaran los carros
de la basura para llevarse los muertos y salió del salón
diciendo que pase buenas noches mi general, buenas,
compadre, contestó él, muchas gracias, acostado bocabajo en el mármol funerario del salón del consejo de
ministros, y luego dobló el brazo derecho para que le
sirviera de almohada y se durmió en el acto, más solo
que nunca, arrullado por el rumor del reguero de hojas
amarillas de su otoño de lástima que aquella noche había
empezado para siempre en los cuerpos humeantes y los

charcos de lunas coloradas de la masacre. No tuvo que
tomar ninguna de las determinaciones previstas, pues el
ejército se desbarató solo, las tropas se dispersaron, los
pocos oficiales que resistieron hasta última hora en los
cuarteles de la ciudad y en otros seis del país fueron ani-
quilados por los guardias presidenciales con la ayuda de
voluntarios civiles, los ministros sobrevivientes se exila-
ron al amanecer y sólo quedaron los dos más fieles, uno
que además era su médico particular y otro que era el
mejor calígrafo de la nación, y no tuvo que decirle que
sí a ningún poder extranjero porque las arcas del gobierno se desbordaron de anillos matrimoniales y diade-
mas de oro recaudados por partidarios imprevistos, ni
tuvo que comprar esteras ni taburetes de cuero de los
más baratos para remendar los estragos de la defenes-
tración, pues antes de que acabaran de pacificar el país
estaba restaurada y más suntuosa que nunca la sala de
audiencias, y había jaulas de pájaros por todas partes,
guacamayas deslenguadas, loritos reales que cantaban en
las cornisas para España no para Portugal, mujeres dis-
cretas y serviciales que mantenían la casa tan limpia y
tan ordenada como un barco de guerra, y entraban por
las ventanas las mismas músicas de gloria, los mismos
petardos de alborozo, las mismas campanas de júbilo que
habían empezado celebrando su muerte y continuaban
celebrando su inmortalidad, y había una manifestación
permanente en la Plaza de Armas con gritos de adhesión
eterna y grandes letreros de Dios guarde al magnífico
que resucitó al tercer día entre los muertos, una fiesta sin
término que él no tuvo que prolongar con maniobras secretas como lo hizo en otros tiempos, pues los asuntos
del estado se arreglaban solos, la patria andaba, él solo
era el gobierno, y nadie entorpecía ni de palabra ni de
obra los recursos de su voluntad, porque estaba tan solo
en su gloria que ya no le quedaban ni enemigos, y esta-

ba tan agradecido con mi compadre de toda la vida el
general Rodrigo de Aguilar que no volvió a inquietarse
por el gasto de leche sino que hizo formar en el patio a
los soldados rasos que se habían distinguido por su fe-
rocidad y su sentido del deber, y señalándolos con el dedo
según los impulsos de su inspiración los ascendió a los
grados más altos a sabiendas de que estaba restaurando
las fuerzas armadas que iban a escupir la mano que les
diera de comer, tú a capitán, tú a mayor, tú a coronel,
qué digo, tú a general, y todos los demás a tenientes, qué
carajo compadre, aquí tienes tu ejército, y estaba tan
conmovido por quienes se dolieron de su muerte que se
hizo llevar al anciano del saludo masónico y al caballero
enlutado que le besó el anillo y los condecoró con la medalla de la paz, se hizo llevar a la vendedora de pescado y le dio lo que ella dijo que más necesitaba que era
una casa de muchos cuartos para vivir con sus catorce
hijos, se hizo llevar a la escolar que le puso una flor al
cadáver y le concedió lo que más quiero en este mundo
que era casarse con un hombre de mar, pero a pesar de
aquellos actos de alivio su corazón aturdido no tuvo un
instante de sosiego mientras no vio amarrados y escu-
pidos en el patio del cuartel de San Jerónimo a los grupos de asalto que habían entrado a saco en la casa presidencial, los reconoció uno por uno con la memoria
inapelable del rencor y los fue separando en grupos diferentes según la intensidad de la culpa, tú aquí, el que
comandaba el asalto, ustedes allá, los que tiraron por el
suelo a la pescadera inconsolable, ustedes aquí, los que
habían sacado el cadáver del ataúd y se lo llevaron a ras-
tras por las escaleras y los barrizales, y todos los demás
de este lado, cabrones, aunque en realidad no le interesaba el castigo sino demostrarse a sí mismo que la profa-
nación del cuerpo y el asalto de la casa no habían sido un
acto popular espontáneo sino un negocio infame de mer-

cenarios, así que se hizo cargo de interrogar a los cautivos de viva voz y de cuerpo presente para conseguir que le dijeran por las buenas la verdad ilusoria que le hacía falta a su corazón, pero no lo consiguió, los hizo colgar de una viga horizontal como loros atados de pies y manos y con la cabeza hacia abajo durante muchas horas, pero no lo consiguió, hizo que echaran a uno en el foso del patio y los otros lo vieron descuartizado y devorado por los caimanes, pero no lo consiguió, escogió uno del grupo principal y lo hizo desollar vivo en presencia de todos y todos vieron el pellejo tierno y amarillo como una placenta recién parida y se sintieron empapados con el caldo caliente de la sangre del cuerpo en carne viva que agonizaba dando tumbos en las piedras del patio, y entonces confesaron lo que él quería que les habían pagado cuatrocientos pesos de oro para que arrastraran el cadáver hasta el muladar del mercado, que no querían hacerlo ni por pasión ni por dinero porque no tenían nada contra él, y menos si ya estaba muerto, pero que en una reunión clandestina donde encontraron hasta dos generales del mando supremo los habían amedrentado con toda clase de amenazas y fue por eso que lo hicimos mi general, palabra de honor, y entonces él exhaló una bocanada de alivio, ordenó que les dieran de comer, que los dejaran descansar esa noche y que por la mañana se los echen a los caimanes, pobres muchachos engañados, suspiró, y regresó a la casa presidencial con el alma liberada de los cilicios de la duda, murmurando que ya lo vieron carajo, ya lo vieron, esta gente me quiere. Resuelto a disipar hasta el rescoldo de las inquietudes que Patricio Aragonés había sembrado en su corazón, decidió que aquellas torturas fueran las últimas de su régimen, mataron a los caimanes, desmantelaron las cámaras de suplicio donde era posible triturar hueso por hueso hasta todos los huesos sin matar, proclamó la amnistía general,

se anticipó al futuro con la ocurrencia mágica de que
la vaina de este país es que a la gente le sobra demasiado
tiempo para pensar, y buscando la manera de mantenerla
ocupada restauró los juegos florales de marzo y los concursos anuales de reinas de la belleza, construyó el estadio de pelota más grande del Caribe e impartió a nuestro equipo la consigna de victoria o muerte, y ordenó
establecer en cada provincia una escuela gratuita para
enseñar a barrer cuyas alumnas fanatizadas por el estímulo presidencial siguieron barriendo las calles después de haber barrido las casas y luego las carreteras y
los caminos vecinales, de manera que los montones de
basura eran llevados y traídos de una provincia a la otra
sin saber qué hacer con ellos en procesiones oficiales con
banderas de la patria y grandes letreros de Dios guarde
al purísimo que vela por la limpieza de la nación, mientras él arrastraba sus lentas patas de bestia meditativa
en busca de nuevas fórmulas para entretener a la población civil, abriéndose paso por entre los leprosos y los
ciegos y los paralíticos que suplicaban de sus manos la
sal de la salud, bautizando con su nombre en la fuente
del patio a los hijos de sus ahijados entre los aduladores impávidos que lo proclamaban el único porque entonces no contaba con el concurso de nadie igual a él y
tenía que doblarse a sí mismo en un palacio de mercado público adonde llegaban a diario jaulas y jaulas de
pájaros inverosímiles desde que trascendió el secreto de
que su madre Bendición Alvarado tenía el oficio de pajarera, y aunque unas las mandaban por adulación y otras
las mandaban por burla no hubo al cabo de poco tiempo
un espacio disponible para colgar más jaulas, y se quería atender a tantos asuntos públicos al mismo tiempo
que entre las muchedumbres de los patios y las oficinas
no se podía distinguir quiénes eran los servidores y quiénes los servidos, y se derribaron tantas paredes para

aumentar el mundo y se abrieron tantas ventanas para
ver el mar que el hecho simple de pasar de un salón a
otro era como aventurarse por la cubierta de un velero
al garete en un otoño de vientos cruzados. Eran los alisios de marzo que habían entrado siempre por las ventanas de la casa, pero ahora le decían que eran los vientos de la paz mi general, era el mismo zumbido de los
tímpanos que tenía desde años antes, pero hasta su médico le había dicho que era el zumbido de la paz mi general, pues desde cuando lo encontraron muerto por
primera vez todas las cosas de la tierra y el cielo se
convirtieron cn cosas de la paz mi general, y él lo creía,
y tanto lo creía que volvió a subir en diciembre hasta
la casa de los acantilados a solazarse en la desgracia de
la hermandad de antiguos dictadores nostálgicos que in-
terrumpían la partida de dominó para contarle que yo
era por ejemplo el doble seis y digamos que los conservadores doctrinarios eran el doble tres, no más que yo
no tuve en cuenta la alianza clandestina de los masones y
los curas, a quién carajo se le iba a ocurrir, sin preocuparse de la sopa que se cuajaba en el plato mientras uno
de ellos explicaba que por ejemplo este azucarcro era
la casa presidencial, aquí, y el único cañón que le quedaba al enemigo tenía un alcance de cuatrocientos metros
con el viento a favor, aquí, de modo que si ustedes me
ven en este estado es apenas por una mala suerte de
ochenta y dos centímetros, es decir, y aun los más aco-
razados por la rémora del exilio malgastaban las esperanzas atisbando a los buques de su tierra en el horizonte, los conocían por el color del humo, por la herrum-
bre de las sirenas, se bajaban al puerto por entre la
llovizna de las primeras luces en busca de los periódicos
que los tripulantes habían usado para envolver la comida que sacaban del barco, los encontraban en los ca-

jones de la basura y los leían al derecho y al revés hasta
la última línea para pronosticar el porvenir de su patria a través de las noticias de quiénes se habían muerto, quiénes se habían casado, quiénes habían invitado
a quién y a quién no habían invitado a una fiesta de
cumpleaños, descifrando su destino según el rumbo de
un nubarrón providencial que iba a desempedrarse sobre su país en una tormenta de apocalipsis que iba a
desmadrar los ríos que iban a reventar los diques de
las represas que iban a devastar los campos y a propa-
gar la miseria y la peste en las ciudades, y aquí vendrán a suplicarme que los salve del desastre y la anarquía,
ya lo verán, pero mientras esperaban la hora grande
tenían que llamar aparte al desterrado más joven y le
pedían el favor de ensartarme la aguja para remendar
estos pantalones que no quiero echar en la basura por
su valor sentimental, lavaban la ropa a escondidas, afila-
ban las cuchillas de afeitar que habían usado los recién
venidos, se encerraban a comer en el cuarto para que
los otros no descubrieran que estaban viviendo de sobra,
para que no les vieran la vergüenza de los pantalones
embarrados por la incontinencia senil, y el jueves menos pensado le poníamos a uno las condecoraciones prendidas con alfileres en la última camisa, envolvíamos el
cuerpo en su bandera, le cantábamos su himno nacional
y lo mandaban a gobernar olvidos en el fondo de los
cantiles sin más lastre que el de su propio corazón ero-
sionado y sin dejar más vacíos en el mundo que una
silla de balneario en la terraza sin horizontes donde nos
sentábamos a jugarnos las cosas del muerto, si es que
algo dejaban, mi general, imagínese, qué vida de civiles
después de tanta gloria. En otro diciembre lejano, cuando se inauguró la casa, él había visto desde aquella terraza el reguero de islas alucinadas de las Antillas que al-

guien le iba mostrando con el dedo en la vitrina del mar,
había visto el volcán perfumado de la Martinica, allá mi
general, había visto su hospital de tísicos, el negro gigantesco con una blusa de encajes que les vendía macizos de gardenias a las esposas de los gobernadores en
el atrio de la basílica, había visto el mercado infernal
de Paramaribo, allá mi general, los cangrejos que se
salían del mar por los excusados y se trepaban en las
mesas de las heladerías, los diamantes incrustados en
los dientes de las abuelas negras que vendían cabezas
de indios y raíces de jengibre sentadas en sus nalgas in-
cólumes bajo la sopa de la lluvia, había visto las vacas de
oro macizo dormidas en la playa de Tanaguarena mi general, el ciego visionario de la Guayra que cobraba dos
reales por espantar la pava de la muerte con un violín
de una sola cuerda, había visto el agosto abrasante de
Trinidad, los automóviles caminando al revés, los hindúes
verdes que cagaban en plena calle frente a sus tiendas
de camisas de gusano vivo y mandarines tallados en el
colmillo entero del elefante, había visto la pesadilla de
Haití, sus perros azules, la carreta de bueyes que reco-
gía los muertos de la calle al amanecer, había visto re-
nacer los tulipanes holandeses en los tanques de gasolina de Curazao, las casas de molinos de viento con
techos para la nieve, el trasatlántico misterioso que atravesaba el centro de la ciudad por entre las cocinas de
los hoteles, había visto el corral de piedras de Cartagena
de Indias, su bahía cerrada con una cadena, la luz parada en los balcones, los caballos escuálidos de los coches
de punto que todavía bostezaban por el pienso de los
virreyes, su olor a mierda mi general, qué maravilla, dí-
game si no es grande el mundo entero, y lo era, en realidad, y no sólo grande sino también insidioso, pues si él
subía en diciembre hasta la casa de los arrecifes no era

por departir con aquellos prófugos que detestaba como a su propia imagen en el espejo de las desgracias sino por estar allí en el instante de milagro en que la luz de diciembre se saliera de madre y podía verse otra vez el universo completo de las Antillas desde Barbados hasta Veracruz, y entonces se olvidó de quién tenía la ficha del doble tres y se asomó al mirador para contemplar el reguero de islas lunáticas como caimanes dormidos en el estanque del mar, y contemplando las islas evocó otra vez y vivió de nuevo el histórico viernes de octubre en que salió de su cuarto al amanecer y se encontró con que todo el mundo en la casa presidencial tenía puesto un bonete colorado, que las concubinas nuevas barrían los salones y cambiaban el agua de las jaulas con bonetes colorados, que los ordeñadores en los establos, los centinelas en sus puestos, los paralíticos en las escaleras y los leprosos en los rosales se paseaban con bonetes colorados de domingo de carnaval, de modo que se dio a averiguar qué había ocurrido en el mundo mientras él dormía para que la gente de su casa y los habitantes de la ciudad anduvieran luciendo bonetes colorados y arrastrando por todas partes una ristra de cascabeles, y por fin encontró quién le contara la verdad mi general, que habían llegado unos forasteros que parloteaban en lengua ladina pues no decían el mar sino la mar y llamaban papagayos a las guacamayas, almadías a los cayucos y azagayas a los arpones, y que habiendo visto que salíamos a recibirlos nadando entorno de sus naves se encarapitaron en los palos de la arboladura y se gritaban unos a otros que mirad qué bien hechos, de muy fermosos cuerpos y muy buenas caras, y los cabellos gruesos y casi como sedas de caballos, y habiendo visto que estábamos pintados para no despellejarnos con el sol se alborotaron como cotorras mojadas gritando que mirad que de ellos se pintan de prieto, y ellos son de la color de

los canarios, ni blancos ni negros, y dellos de lo que
haya, y nosotros no entendíamos por qué carajo nos
hacían tanta burla mi general si estábamos tan naturales como nuestras madres nos parieron y en cambio
ellos estaban vestidos como la sota de bastos a pesar del
calor, que ellos dicen la calor como los contrabandistas
holandeses, y tienen el pelo arreglado como mujeres
aunque todos son hombres, que dellas no vimos ninguna,
y gritaban que no entendíamos en lengua de cristianos
cuando eran ellos los que no entendían lo que gritába-
mos, y después vinieron hacia nosotros con sus cayucos
que ellos llaman almadías, como dicho tenemos, y se ad-
miraban de que nuestros arpones tuvieran en la punta
una espina de sábalo que ellos llaman diente de pece,
y nos cambiaban todo lo que teníamos por estos bonetes colorados y estas sartas de pepitas de vidrio que nos
colgábamos en el pescuezo por hacerles gracia, y también
por estas sonajas de latón de las que valen un maravedí
y por bacinetas y espejuelos y otras mercerías de Flandes, de las más baratas mi general, y como vimos que
eran buenos servidores y de buen ingenio nos los fui-
mos llevando hacia la playa sin que se dieran cuenta, pero
la vaina fue que entre el cámbieme esto por aquello y
le cambio esto por esto otro se formó un cambalache de
la puta madre y al cabo rato todo el mundo estaba
cambalachando sus loros, su tabaco, sus bolas de chocolate, sus huevos de iguana, cuanto Dios crió, pues de
todo tomaban y daban de aquello que tenían de buena
voluntad, y hasta querían cambiar a uno de nosotros
por un jubón de terciopelo para mostrarnos en las Europas, imagínese usted mi general, qué despelote, pero él
estaba tan confundido que no acertó a comprender si
aquel asunto de lunáticos era de la incumbencia de su
gobierno, de modo que volvió al dormitorio, abrió la
ventana del mar por si acaso descubría una luz nueva

para entender el embrollo que le habían contado, y vio
el acorazado de siempre que los infantes de marina habían abandonado en el muelle, y más allá del acorazado,
fondeadas en el mar tenebroso, vio las tres carabelas.

L A segunda vez que lo encontraron carcomido por los gallinazos en la misma oficina, con la misma ropa y en la misma posición, ninguno de nosotros era bastante viejo para recordar lo que ocurrió la primera vez, pero sabíamos que ninguna evidencia de su muerte era terminante, pues siempre había otra verdad detrás de la verdad. Ni siquiera los menos prudentes nos conformábamos con las apariencias, porque muchas veces se había dado por hecho que estaba postrado de alferecía y se derrumbaba del trono en el curso de las audiencias torcido de convulsiones y echando espuma de hiel por la boca, que había perdido el habla de tanto hablar y tenía ventrílocuos traspuestos detrás de las cortinas para fingir que hablaba, que le estaban saliendo escamas de sábalo por todo el cuerpo como castigo por su perversión, que en la fresca de diciembre la potra le cantaba canciones de navegantes y sólo podía caminar con ayuda de una carretilla ortopédica en la que llevaba puesto el testículo herniado, que un furgón militar había metido a media noche por las puertas de servicio un ataúd con equinas de oro y vueltas de púrpura, y que alguien había visto a Leticia Nazareno desangrándose de llanto en el jardín de la lluvia, pero cuanto más ciertos parecían los rumores de su muerte más vivo y autoritario se le veía aparecer en la ocasión menos pensada para imponerle otros rumbos imprevisibles a nuestro destino. Habría sido muy fácil dejarse convencer por los indicios inmediatos del anillo del sello presidencial o el tamaño sobrenatural de sus pies de caminante implacable o la rara evidencia del testículo herniado que los gallinazos no se atrevieron a picar, pero siempre hubo alguien que tuviera recuerdos de otros indicios iguales en otros muertos menos graves del pasado. Tampoco el escrutinio meticuloso de la casa aportó ningún elemento válido para establecer su identidad. En el dormitorio de Bendición Alvarado, de quien apenas recordábamos la fábula de su canonización por decreto, encontramos algunas jaulas desportilladas con huesesitos de pájaros convertidos en piedra por los años, vimos un sillón de mimbre mordisqueado por las vacas, vimos estuches de pinturas de agua y vasos de pinceles de los que usaban las pajareras de los páramos para vender en las ferias a otros pájaros descoloridos haciéndolos pasar por oropéndolas, vimos una tinaja con una mata de toronjil que había seguido creciendo en el olvido cuyas ramas se trepaban por las paredes y se asomaban por los ojos de los retratos y se salieron por la ventana y habían terminado por embrollarse con la fronda montuna de los patios posteriores, pero no hallamos ni la rastra menos significativa de que él hubiera estado nunca en ese cuarto. En el dormitorio nupcial de Leticia Nazareno, de quien teníamos una imagen más nítida no solo porque había reinado en una época más reciente sino también por el estruendo de sus actos públicos, vimos una cama buena para desafueros de amor con el toldo de punto convertido en un nidal de gallinas, vimos en los arcones las sobras de las polillas de los cuellos de zorros azules, las armazones de alambres de los miriñaques, el polvo glacial de los pollerines, los corpiños de encajes de Bruselas, los botines de hombre

que usaban dentro de la casa y las zapatillas de raso con
tacón alto y trabilla que usaba para recibir, los balandra-
nes talares con violetas de fieltro y cintas de tafetán de
sus esplendores funerarios de primera dama y el hábito
de novicia de un lienzo basto como el cuero de un carnero del color de la ceniza con que la trajeron secues-
trada de Jamaica dentro de un cajón de cristalería de
fiesta para sentarla en su poltrona de presidenta escondida, pero tampoco en aquel cuarto hallamos ningún vestigio que permitiera establecer al menos si aquel secuestro de corsarios había sido inspirado por el amor. En el
dormitorio presidencial, que era el sitio de la casa donde
él pasó la mayor parte de sus últimos años, sólo encontramos una cama de cuartel sin usar, una letrina portátil
de las que sacaban los anticuarios de las mansiones abandonadas por los infantes de marina, un cofre de hierro
con sus noventa y dos condecoraciones y un vestido de
lienzo crudo sin insignias igual al que tenía el cadáver,
perforado por seis proyectiles de grueso calibre que habían hecho estragos de incendio al entrar por la espalda
y salir por el pecho, lo cual nos hizo pensar que era cierta
la leyenda corriente de que el plomo disparado a traición
lo atravesaba sin lastimarlo, que el disparado de frente
rebotaba en su cuerpo y se volvía contra el agresor, y
que sólo era vulnerable a las balas de piedad disparadas
por alguien que lo quisiera tanto como para morirse por
él. Ambos uniformes eran demasiado pequeños para el
cadáver, pero no por eso descartamos la posibilidad de
que fueran suyos, pues también se dijo en un tiempo que
él había seguido creciendo hasta los cien años y que a
los ciento cincuenta había tenido una tercera dentición,
aunque en verdad el cuerpo roto por los gallinazos no era
más grande que un hombre medio de nuestro tiempo y
tenía unos dientes sanos, pequeños y romos que parecían
dientes de leche, y tenía un pellejo color de hiel puntea-

do de lunares de decrepitud sin una sola cicatriz y con
bolsas vacías por todas partes como si hubiera sido muy
gordo en otra época, le quedaban apenas las cuencas de-
socupadas de los ojos que habían sido taciturnos, y lo
único que no parecía de acuerdo con sus proporciones,
salvo el testículo herniado, eran los pies enormes, cuadrados y planos con uñas rocallosas y torcidas de gavi-
lán. Al contrario de la ropa, las descripciones de sus his-
toriadores le quedaban grandes, pues los textos oficiales
de los parvularios lo referían como un patriarca de tamaño descomunal que nunca salía de su casa porque no
cabía por las puertas, que amaba a los niños y a las golondrinas, que conocía el lenguaje de algunos animales,
que tenía la virtud de anticiparse a los designios de la
naturaleza, que adivinaba el pensamiento con sólo mirar
a los ojos y conocía el secreto de una sal de virtud para
sanar las lacras de los leprosos y hacer caminar a los
paralíticos. Aunque todo rastro de su origen había desa-
parecido de los textos, se pensaba que era un hombre
de los páramos por su apetito desmesurado de poder, por
la naturaleza de su gobierno, por su conducta lúgubre,
por la inconcebible maldad del corazón con que le ven-
dió el mar a un poder extranjero y nos condenó a vivir
frente a esta llanura sin horizonte de áspero polvo lunar
cuyos crepúsculos sin fundamento nos dolían en el alma.
Se estimaba que en el transcurso de su vida debió tener
más de cinco mil hijos, todos sietemesinos, con las incontables amantes sin amor que se sucedieron en su serrallo
hasta que él estuvo en condiciones de complacerse con
ellas, pero ninguno llevó su nombre ni su apellido, salvo
el que tuvo con Leticia Nazareno que fue nombrado general de división con jurisdicción y mando en el momento de nacer, porque él consideraba que nadie era hijo
de nadie más que de su madre, y sólo de ella. Esta certidumbre parecía válida inclusive para él, pues se sabía que

era un hombre sin padre como los déspotas más ilustres
de la historia, que el único pariente que se le conoció y
tal vez el único que tuvo fue su madre de mi alma Bendición Alvarado a quien los textos escolares atribuían el
prodigio de haberlo concebido sin concurso de varón y
de haber recibido en un sueño las claves herméticas de
su destino mesiánico, y a quien él proclamó por decreto
matriarca de la patria con el argumento simple de que
madre no hay sino una, la mía, una rara mujer de origen
incierto cuya simpleza de alma había sido el escándalo
de los fanáticos de la dignidad presidencial en los orígenes de su régimen, porque no podían admitir que la madre del jefe del estado se colgaba en el cuello una almoha-
dilla de alcanfor para preservarse de todo contagio y
trataba de ensartar el caviar con el tenedor y caminaba
como una tanga con las zapatillas de charol, ni podían
aceptar que tuviera un colmenar en la terraza de la sala
de música, o criara pavos y pájaros pintados con aguas
de colores en las oficinas públicas o pusiera a secar las
sábanas en el balcón de los discursos, ni podían soportar
que había dicho en una fiesta diplomática que estoy can-
sada de rogarle a Dios que tumben a mi hijo, porque
esto de vivir en la casa presidencial es como estar a toda
hora con la luz prendida, señor, y lo había dicho con la
misma verdad natural con que un día de la patria se abrió
paso por entre las guardias de honor con una canasta de
botellas vacías y alcanzó la limusina presidencial que
iniciaba el desfile del jubileo en el estruendo de las ovaciones y los himnos marciales y las tormentas de flores,
y metió la canasta por la ventana del coche y le gritó a
su hijo que ya que vas a pasar por ahí aprovecha para
devolver estas botellas en la tienda de la esquina, pobre
madre. Aquella falta de sentido histórico había de tener
su noche de esplendor en el banquete de gala con que
celebramos el desembarco de los infantes de marina al

mando del almirante Higgingson, cuando Bendición Alvarado vio a su hijo en uniforme de etiqueta con las medallas de oro y los guantes de raso que siguió usando por el resto de su vida y no pudo reprimir el impulso de su orgullo materno y exclamó en voz alta ante el cuerpo diplomático en pleno que si yo hubiera sabido que mi hijo iba a ser presidente de la república lo hubiera mandado a la escuela, señor, cómo sería la vergüenza que desde entonces la desterraron en la mansión de los suburbios, un palacio de once cuartos que él se había ganado en una buena noche de dados cuando los caudillos de la guerra federal se repartieron en la mesa de juego el espléndido barrio residencial de los conservadores fugitivos, sólo que Bendición Alvarado despreció los ornamentos imperiales que me hacen sentir como si fuera la esposa del Sumo Pontífice y prefirió las habitaciones de servicio junto a las seis criadas descalzas que le habían asignado, se instaló con su máquina de coser y sus jaulas de pájaros pintorreteados en un camaranchón de olvido a donde nunca llegaba el calor y era más fácil espantar a los mosquitos de las seis, se sentaba a coser frente a la luz ociosa del patio grande y el aire de medicina de los tamarindos ·mientras las gallinas andaban extraviadas por los salones y los soldados de la guardia acechaban a las camareras en los aposentos vacíos, se sentaba a pintar oropéndolas con aguas de colores y a lamentarse con las sirvientas de la desgracia de mi pobre hijo a quien los infantes de marina tenían traspuesto en la casa presidencial, tan lejos de su madre, señor, sin una esposa solícita que lo asistiera a media noche si lo despertaba un dolor, y·envainado con ese empleo de presidente de la república por un sueldo rastrero de trescientos pesos mensuales, pobre hijo. Ella sabía bien lo que decía, porque él la visitaba a diario mientras la ciudad chapaleaba en el légamo de la siesta, le llevaba las

frutas azucaradas que tanto le gustaban y se valía de la
ocasión para desahogarse con ella de su condición amarga de calanchín de infantes, le contaba que debía esca-
motear en las servilletas las naranjas de azúcar y los
higos de almíbar porque las autoridades de ocupación
tenían contabilistas que anotaban en sus libros hasta las
sobras de los almuerzos, se lamentaba de que el otro día
vino a la casa presidencial el comandante del acorazado
con unos como astrónomos de tierra firme que tomaron
medidas de todo y ni siquiera se dignaron saludarme sino
que me pasaban la cinta métrica por encima de la cabeza
mientras hacían sus cálculos en inglés y me gritaban con
el intérprete que te apartes de ahí, y él se apartaba, que
se quitara de la claridad, se quitaba, que te pongas donde
no estorbes, carajo, y él no sabía dónde ponerse sin es-
torbar porque había medidores midiendo hasta el tamaño de la luz de los balcones, pero aquello no había
sido lo peor, madre, sino que le pusieron en la calle a
las dos últimas concubinas raquíticas que le quedaban
porque el almirante había dicho que no eran dignas de
un presidente, y andaba de veras tan escaso de mujer que
algunas tardes hacía como que se iba de la mansión de
los suburbios pero su madre lo sentía correteando a las
sirvientas en la penumbra de los dormitorios, y era tanta
su pena que alborotaba a los pájaros en las jaulas para
que nadie se diera cuenta de las penurias del hijo, los
hacía cantar a la fuerza para que los vecinos no sintieran
los ruidos del asalto, el oprobio del forcejeo, las amenazas reprimidas de que se quede quieto mi general o se
lo digo a su mamá, y estropeaba la siesta de los turpiales
obligándolos a reventar para que nadie oyera su resuello
sin alma de marido urgente, su desgracia de amante vestido, su llantito de perro, sus lágrimas solitarias que se
iban como anocheciendo, como pudriéndose de lástima
con el cacareo de las gallinas alborotadas en los dormi-

torios por aquellos amores de emergencia en el aire de
vidrio líquido y el agosto sin dios de las tres de la tarde,
pobre hijo mío. Aquel estado de escasez había de durar
hasta que las fuerzas de ocupación abandonaran el país
espantadas por una peste cuando todavía faltaban muchos años para que se cumplieran los términos del desembarco, desbarataron en piezas numeradas y metieron
en cajones de tablas las residencias de los oficiales,
arrancaron enteros los prados azules y se los llevaron
enrollados como si fueran alfombras, envolvieron las
cisternas de hule de las aguas estériles que les mandaban
de su tierra para que no se los comieran por dentro los
gusarapos de nuestros afluentes, desmantelaron sus hospitales blancos, dinamitaron los cuarteles para que nadie supiera cómo estuvieron construidos, abandonaron
en el muelle el viejo acorazado de desembarco por cuya
cubierta se paseaba en noches de junio el espanto de un
almirante perdido en la borrasca, pero antes de llevarse
en sus trenes voladores aquel paraíso de guerras portátiles le impusieron a él la medalla de la buena vecindad,
le rindieron honores de jefe de estado y le dijeron en
voz alta para que todo el mundo lo oyera que ahí te dejamos con tu burdel de negros a ver cómo te las compones sin nosotros, pero se fueron, madre, qué carajo, se
habían ido, y por primera vez desde sus tiempos cabiz-
bajos de buey de ocupación él subió las escaleras gobernando de viva voz y de cuerpo presente a través de un
tumulto de súplicas de que restableciera las peleas de
gallo, y él mandaba, de acuerdo, que permitiera otra vez
el vuelo de las cometas y otras tantas diversiones de pobres que habían prohibido los infantes, y él mandaba, de
acuerdo, tan convencido de ser el dueño de todo su poder
que invirtió los colores de la bandera y cambió el gorro
frigio del escudo por el dragón vencido del invasor, porque al fin somos perros de nosotros mismos, madre, viva

la peste. Bendición Alvarado se acordaría toda la vida
de aquellos sobresaltos del poder y de otros más antiguos y amargos de la miseria, pero nunca los evocó con
tanta pesadumbre como después de la farsa de la muerte
cuando él andaba chapaleando en el pantano de la pros-
peridad mientras ella seguía lamentándose con quien
quisiera oírla de que no vale la pena ser la mamá del
presidente y no tener en el mundo nada más que esta
triste máquina de coser, se lamentaba de que ahí donde
ustedes lo ven con su carroza de entorchados mi pobre
hijo no tenía ni un hoyo en la tierra para caerse muerto
después de tantos y tantos años de servirle a la patria,
señor, no es justo, y no seguía lamentándose por costumbre ni por engaño sino porque él ya no la hacía partícipe
de sus quebrantos ni se precipitaba como antes a compartir con ella los mejores secretos del poder, y había cambiado tanto desde los tiempos de los infantes que a Bendición Alvarado le parecía que él estaba más viejo que
ella, que la había dejado atrás en el tiempo, lo sentía
trastabillar en las palabras, se le enredaban las cuentas
de la realidad, a veces babeaba, y la había asaltado una
compasión que no era de madre sino de hija cuando lo
vio llegar a la mansión de los suburbios cargado de pa-
quetes que se desesperaba por abrir todos al mismo tiempo, reventaba los cáñamos con los dientes, se le rompían
las uñas con los sunchos antes de que ella encontrara
las tijeras en el canasto de costura, sacaba todo a manos llenas del matorral de ripios ahogándose en las ansias
de su vuelo, mire qué buenas vainas, madre, decía, una
sirena viva en un acuario, un ángel de cuerda de tamaño
natural que volaba por los aposentos dando la hora con
una campana, un caracol gigante en cuyo interior no se
escuchaba el oleaje y el viento de los mares sino la música del himno nacional, qué vainas tan berracas, madre,
ya ve qué bueno es no ser pobre, decía, pero ella no le alen-

taba el entusiasmo sino que se ponía a mordisquear los
pinceles de pintar oropéndolas para que el hijo no notara
que el corazón se le desmigajaba de lástima evocando un
pasado que nadie conocía como ella, recordando cuánto
le había costado a él quedarse en la silla en que estaba
sentado, y no en estos tiempos de ahora, señor, no en
estos tiempos fáciles en que el poder era una materia
tangible y única, una bolita de vidrio en la palma de
la mano, como él decía, sino cuando era un sábalo fugitivo que nadaba sin dios ni ley en un palacio de vecindad, perseguido por la cáfila voraz de los últimos caudillos de la guerra federal que me habían ayudado a derribar al general y poeta Lautaro Muñoz, un déspota
ilustrado a quien Dios tenga en su santa gloria con sus
misales de Suetonio en latín y sus cuarenta y dos caballos de sangre azul, pero a cambio de sus servicios de
armas se habían apoderado de las haciendas y ganados
de los antiguos señores proscritos y se habían repartido
el país en provincias autónomas con el argumento inapelable de que esto es el federalismo mi general, por. esto
hemos derramado la sangre de nuestras venas, y eran
reyes absolutos en sus tierras, con sus leyes propias, sus
fiestas patrias personales, su papel moneda firmado por
ellos mismos, sus uniformes de gala con sables guarne-
cidos de piedras preciosas y dormanes de alamares de
oro y tricornios con penachos de colas de pavorreales
copiados de antiguos cromos de virreyes de la patria
antes de él, y eran montunos y sentimentales, señor, entraban en la casa presidencial por la puerta grande sin
permiso de nadie pues la patria es de todos mi general,
por eso le hemos sacrificado la vida, acampaban en la
sala de fiestas con sus serrallos paridos y los animales
de granja de los tributos de paz que exigían a su paso
por todas partes para que nunca les faltara de comer,
llevaban una escolta personal de mercenarios bárbaros

que en vez de botas se envolvían los pies en piltrafas de trapos y apenas si sabían expresarse en lengua cristiana pero eran sabios en trampas de dados y feroces y diestros en el manejo de las armas de guerra, de modo que la casa del poder parecía un campamento de gitanos, señor, tenía un olor denso de creciente de río, los oficiales del estado mayor se habían llevado para sus haciendas los muebles de la república, se jugaban al dominó los privilegios del gobierno indiferentes a las súplicas de su madre Bendición Alvarado que no tenía un instante de reposo tratando de barrer tanta basura de feria, tratando de poner aunque fuera un poco de orden en el naufragio, pues ella era la única que había intentado resistir al envilecimiento irredimible de la gesta liberal, sólo ella había intentado expulsarlos a escobazos cuando vio la casa pervertida por aquellos réprobos de mal vivir que se disputaban las poltronas del mando supremo en altercados de naipes, los vio haciendo negocios de sodomía detrás del piano, los vio cagándose en las ánforas de alabastro a pesar de que ella les advirtió que no, señor, que no eran excusados portátiles sino ánforas rescatadas de los mares de Pantelaria, pero ellos insistían en que eran micas de ricos, señor, no hubo poder humano capaz de disuadirlos, ni hubo poder divino capaz de impedir que el general Adriano Guzmán asistiera a la fiesta diplomática de los diez años de mi ascenso al poder, aunque nadie hubiera podido imaginar lo que nos esperaba cuando apareció en la sala de baile con un austero uniforme de lino blanco escogido para la ocasión, apareció sin armas, tal como me lo había prometido bajo palabra de militar, con su escolta de prófugos franceses vestidos de civil y cargados de anturios de Cayena que el general Adriano Guzmán repartió uno por uno entre las esposas de los embajadores y ministros después de solicitar con una reverencia el permiso de sus maridos, pues así le

habían dicho sus mercenarios que era de buen recibo
en Versalles y así lo había cumplido con un raro ingenio
de caballero, y luego permaneció sentado en un rincón
de la fiesta con la atención fija en el baile y aprobando
con la cabeza, muy bien, decía, bailan bien estos cachacos
de las europas, decía, a cada quién lo suyo, decía, tan olvidado en su poltrona que sólo yo me di cuenta de que
uno de sus edecanes le volvía a llenar la copa de champaña después de cada sorbo, y a medida que pasaban las
horas se volvía más tenso y sanguíneo de lo que era al
natural, se soltaba un botón de la guerrera ensopada de
sudor cada vez que la presión de un eructo reprimido
se le subía hasta los ojos, sollozaba de sopor, madre, y de
pronto se levantó a duras penas en una pausa del baile y
acabó de soltarse los botones de la guerrera y luego se
soltó los de la bragueta y quedó abierto en canal esper-
jando los descotes perfumados de las señoras de embajadores y ministros con su mustia manguera de zopilote,
ensopaba con su agrio orín de borracho de guerra los tier-
nos regazos de muselina, los corpiños de brocados de
oro, los abanicos de avestruz, cantando impasible en medio del pánico que soy el amante desairado que riega las
rosas de tu vergel, oh rosas primorosas, cantaba, sin que
nadie se atreviera a someterlo, ni siquiera él, porque yo
me sabía con más poder que cada uno de ellos pero con
mucho menos que dos de ellos confabulados, todavía inconsciente de que él veía a los otros como eran mientras
los otros no lograron vislumbrar jamás el pensamiento
oculto del anciano de granito cuya serenidad era apenas
semejante a su prudencia sin escollos y a su inconmen-
surable disposición para esperar, sólo veíamos los ojos
lúgubres, los labios yertos, la mano de doncella púdi-
ca que ni siquiera se estremeció en el pomo del sable
el mediodía de horror en que le vinieron con la novedad
mi general de que el comandante Narciso López enfer-

mo de grifa verde y de aguardiente de anís se le metió
en el retrete a un dragoneante de la guardia presidencial y lo calentó a su gusto con recursos de mujer brava
y después lo obligó a que me lo metas todo, carajo, es
una orden, todo, mi amor, hasta tus peloticas de oro,
llorando de dolor, llorando de rabia, hasta que se encontró consigo mismo vomitando de humillación en cuatro
patas con la cabeza metida en los vapores fétidos del
excusado, y entonces levantó en vilo al dragoneante adó-
nico y lo clavó con una lanza llanera como una maripo-
sa en el gobelino primaveral de la sala de audiencias sin
que nadie se atreviera a desclavarlo en tres días, pobre
hombre, porque él no hacía nada más que vigilar a sus
antiguos compañeros de armas para que no se confabularan pero sin atravesarse en sus vidas, convencido de
que ellos mismos se iban a exterminar entre sí antes de
que le vinieron con la novedad mi general de que al general Jesucristo Sánchez lo habían tenido que matar a
silletazos los miembros de su escolta cuando le dio un
ataque de mal rabia por una mordedura de gato, pobre
hombre, apenas si descuidó la partida de dominó cuando le soplaron al oído la novedad mi general de que el
general Lotario Sereno se había ahogado porque el caballo se le murió de repente cuando vadeaba un río,
pobre hombre, apenas si parpadeó cuando le vinieron
con la novedad mi general de que el general Narciso López se metió un taco de dinamita en el culo y se voló las
entrañas por la vergüenza de su pederastia invencible,
y él decía pobre hombre como si nada tuviera que ver
con aquellas muertes infames y para todos ordenaba el
mismo decreto de honores póstumos, los proclamaba
mártires caídos en actos de servicio y los enterraba con
funerales magníficos a la misma altura en el panteón nacional porque una patria sin héroes es una casa sin puertas, decía, y cuando no quedaban más de seis generales

de guerra en todo el país los invitó a celebrar su cumpleaños con una parranda de camaradas en el palacio presidencial, a todos juntos, señor, inclusive al general Jacinto Algarabía que era el más oscuro y matrero, que se preciaba de tener un hijo con su propia madre y sólo bebía alcohol de madera con pólvora, sin nadie más que nosotros en la sala de fiestas como en los buenos tiempos mi general, todos sin armas como hermanos de leche pero con los hombres de las escoltas apelotonados en la sala contigua, todos cargados de regalos magníficos para el único de nosotros que ha sabido comprendernos a todos, decían, queriendo decir que era el único que había sabido manejarlos, el único que consiguió desentrañar de su remota guarida de los páramos al legendario general Saturno Santos, un indio puro, incierto, que andaba siempre como mi puta madre me parió con la pata en el suelo mi general porque los hombres bragados no podemos respirar si no sentimos la tierra, había llegado envuelto en una manta estampada con animales raros de colores intensos, llegó solo, como andaba siempre, sin escolta, precedido por una aura sombría, sin más armas que el machete de zafra que se negó a quitarse del cinto porque no era un arma de guerra sino de labor, y me trajo de regalo un águila amaestrada para pelear en guerras de hombres, y trajo el arpa, madre, el instrumento sagrado cuyas notas conjuraban la tempestad y apresuraban los ciclos de las cosechas y que el general Saturno Santos pulsaba con un arte del corazón que despertó en todos nosotros la nostalgia de las noches de horror de la guerra, madre, nos alborotó el olor a sarna de perro de la guerra, nos revolvió en el alma la canción de la guerra de la barca de oro que debe conducirnos, la cantaban a coro con toda el alma, madre, del puente me devolví bañado en lágrimas, cantaban, mientras se comieron un pavo con ciruelas y medio lechón, y bebía cada uno de su botella personal, cada uno de su alcohol propio, todos menos él y el general Saturno Santos que no probaron una gota de licor en toda su vida, ni fumaron, ni comieron más de lo indispensable para vivir, cantaron a coro en mi honor la canción de las mañanitas que cantaba el rey David, cantaron llorando todas las canciones de felicitación de cumpleaños que se cantaban antes de que el cónsul Hanemann nos viniera con la novelería mi general del fonógrafo de bocina con el cilindro del happy birthday, cantaban medio dormidos, medio muertos de la borrachera, sin preocuparse más del anciano taciturno que al golpe de las doce descolgó la lámpara y se fue a revisar la casa antes de acostarse de acuerdo con su costumbre de cuartel y vio por última vez al pasar de regreso por la sala de fiesta a los seis generales apelotonados en el suelo, los vio abrazados, inertes y plácidos, al amparo de las cinco escoltas que se vigilaban entre sí, porque aun dormidos y abrazados se temían unos a otros casi tanto como cada uno de ellos le temía a él y como él les temía a dos de ellos confabulados, y él volvió a colgar la lámpara en el dintel y pasó los tres cerrojos, los tres pestillos, las tres aldabas de su dormitorio, y se tiró en el suelo, bocabajo, con el brazo derecho en lugar de la almohada, en el instante en que los estribos de la casa se remecieron con la explosión compacta de todas las armas de las escoltas disparadas al mismo tiempo, una vez, carajo, sin un ruido intermedio, sin un lamento, y otra vez, carajo, y ya está, se acabó la vaina, sólo quedó un relente de pólvora en el silencio del mundo, sólo quedó él a salvo para siempre de la zozobra del poder cuando vio en las primeras malvas del nuevo día los ordenanzas del servicio chapaleando en el pantano de sangre de la sala de fiestas, vio a su madre Bendición Alvarado estremecida por un vértigo de horror al comprobar que las paredes rezumaban sangre

por más que las secaran con cal y ceniza, señor, que las
alfombras seguían chorreando sangre por mucho que las
torcieran, y más sangre manaba a torrentes por corredores y oficinas cuanto más se desesperaban por lavarla
para disimular el tamaño de la masacre de los últimos
herederos de nuestra guerra que según el bando oficial
fueron asesinados por sus propias escoltas enloquecidas,
y cuyos cuerpos envueltos en la bandera de la patria
saturaron el panteón de los próceres en funerales de
obispo, pues ni siquiera un hombre de la escolta había
escapado vivo de la encerrona sangrienta, nadie mi general, salvo el general Saturno Santos que estaba acorazado con sus ristras de escapularios y conocía secretos
de indios para cambiar de naturaleza según su voluntad,
maldita sea, podía volverse armadillo o estanque mi general, podía volverse trueno, y él supo que era cierto porque sus baquianos más astutos le habían perdido el rastro desde la última Navidad, los perros tigreros mejor
entrenados lo buscaban en sentido contrario, lo había
visto encarnado por el rey de espadas en los naipes de
sus pitonisas, y estaba vivo, durmiendo de día y viajando
de noche por desfiladeros de tierra y de agua, pero iba
dejando un rastro de oraciones que trastornaba el criterio de sus perseguidores y fatigaban la voluntad de sus
enemigos, pero él no renunció a la búsqueda ni un instante del día y de la noche durante años y años hasta
muchos años después en que vio por la ventanilla del
tren presidencial una muchedumbre de hombres y mujeres con sus niños y sus animales y sus trastos de cocinar como había visto tantas detrás de las tropas de
la guerra, los vio desfilar bajo la lluvia llevando sus enfermos en hamacas colgadas de un palo detrás de un
hombre muy pálido con una túnica de cañamazo que
dice ser un enviado mi general, y él se dio una palmada
en la frente y se dijo ahí está, carajo, y ahí estaba el

general Saturno Santos mendigando la caridad de los
peregrinos con los hechizos de su arpa descordada, estaba miserable y sombrío, con un sombrero de fieltro
gastado y un poncho en piltrafas, pero aun en aquel estado de misericordia no fue tan fácil de matar como él
pensaba sino que había descabezado con el machete a
tres de sus hombres mejores, se había enfrentado a los
más fieros con tanto valor y tanta habilidad que él ordenó parar el tren frente al triste cementerio del páramo
donde predicaba el enviado, y todo el mundo se apartó
en estampida cuando los hombres de la guardia presidencial saltaron del vagón pintado con los colores de la bandera con las armas listas para disparar, no quedó nadie
a la vista, salvo el general Saturno Santos junto a su arpa
mítica con la mano crispada en la cacha del machete,
y estaba como fascinado por la visión del enemigo mortal que apareció en el pescante del vagón con el vestido
de lienzo sin insignias, sin armas, más viejo y más remoto que si tuviéramos cien años de no vernos mi general, me pareció cansado y solo, con la piel amarillenta
del hígado malo y los ojos propensos a las lágrimas, pero
tenía el resplandor lívido de quien no sólo era dueño
de su poder sino también del poder disputado a sus
muertos, así que me dispuse a morir sin resistir porque
le pareció inútil contrariar a un anciano que venía de
tan lejos sin más razones ni más méritos que el apetito
bárbaro de mandar, pero él le mostró la palma de la
mano de mantarraya y dijo Dios te salve, macho, la patria te merece, pues sabía desde siempre que contra un
hombre invencible no había más armas que la amistad,
y el general Saturno Santos besó la tierra que él había
pisado y le suplicó la gracia de permitirme que le sirva
como usted mande mi general mientras tenga virtud en
estas manos para hacer cantar el machete, y él aceptó,
de acuerdo, lo hizo su guardaespaldas con la única condi-

ción de que nunca te me pongas detrás, lo convirtió en
su cómplice de dominó y entre ambos despeluzaron a
cuatro manos a muchos déspotas en desgracia, lo subía
descalzo en la carroza presidencial y lo llevaba a las recepciones diplomáticas con aquel aliento de tigre que alborotaba a los perros y les causaba vértigo a las esposas
de los embajadores, lo puso a dormir atravesado frente a
la puerta de su dormitorio para aliviarse el miedo de dormir cuando la vida se volvió tan áspera que él temblaba
ante la idea de encontrarse solo entre la gente de los
sueños, lo mantuvo a diez palmos de su confianza durante muchos años hasta que el ácido úrico le engarrotó la
virtud de hacer cantar el machete y le pidió el favor de
que me mate usted mismo mi general para no darle a
otro el gusto de matarme sin ningún derecho, pero él lo
mandó a morir con una pensión de buen retiro y una medalla de gratitud en la vareda de cuatreros del páramo
donde había nacido y no pudo reprimir las lágrimas
cuando el general Saturno Santos puso de lado el pudor
para decirle ahogándose de llanto que ya ve usted mi
general que hasta a los machos más bragados se nos llega
la hora de ser maricones, qué vaina. De modo que nadie comprendía mejor que Bendición Alvarado el alborozo pueril con que él se desquitaba de los malos tiempos y la falta de sentido con que despilfarraba las ga-
nancias del poder para tener de viejo lo que le hizo
falta de niño, pero le daba rabia que abusaran de su
inocencia prematura para venderle aquellos cherembe-
cos de gringos que no eran tan baratos ni requerían
tanto ingenio como los pájaros de burla que ella no conseguía vender a más de cuatro, está bien que la goces,
decía, pero piensa en el futuro, que no te quiero ver pi-
diendo la caridad con un sombrero en la puerta de una
iglesia si mañana o más tarde no lo permita Dios te
quitan de la silla en que estás sentado, si al menos su-

pieras cantar, o si fueras arzobispo, o navegante, pero
tú no eres más que general, así que no sirves para nada
sino para mandar, le aconsejaba que entierres en un
sitio seguro la plata que te sobra del gobierno, donde
nadie más que él pudiera encontrarla, por si se daba el
caso de salir corriendo como esos pobres presidentes de
ninguna parte que pastoreaban el olvido mendigando
adioses de barcos en la casa de los arrecifes, mírate en
ese espejo, le decía, pero él no le hacía caso sino que le
postraba el desconsuelo con la fórmula mágica de esté
tranquila madre, esta gente me quiere. Bendición Alvarado había de vivir muchos años lamentándose de la pobreza, peleando con las sirvientas por las cuentas del mercado y hasta saltando almuerzos para economizar, sin que
nadie se atreviera a revelarle que era una de las mujeres más ricas de la tierra, que todo lo que él acumulaba
con los negocios del gobierno lo registraba a nombre
de ella, que no sólo era dueña de tierras desmedidas y
ganados sin cuento sino también de los tranvías locales, y del correo y el telégrafo y de las aguas de la nación,
de modo que cada barco que navegaba por los afluentes
amazónicos o los mares territoriales tenía que pagarle
un derecho de alquiler que ella ignoró hasta la muerte,
como ignoró durante muchos años que su hijo no andaba tan desvalido como ella suponía cuando llegaba a
la mansión de los suburbios sofocándose en la maravilla
de los juguetes de la vejez, pues además del impuesto
personal que percibía por cada res que se beneficiaba
en el país, además del pago de sus favores y de los regalos de interés que le mandaban sus partidarios, había
concebido y lo estaba explotando desde hacía mucho
tiempo un sistema infalible para ganarse la lotería. Eran
los tiempos que sucedieron a su falsa muerte, los tiempos del ruido, señor, que no se llamaron así como muchos creíamos por el estruendo subterráneo que se sin-

tió en la patria entera una noche del mártir San He-
raclio y del cual no se tuvo nunca una explicación
cierta, sino por el estrépito perpetuo de las obras em-
prendidas que se anunciaban desde sus cimientos como
las más grandes del mundo y sin embargo no se llevaban
a término, una época mansa en que él convocaba a los
consejos de gobierno mientras hacía la siesta en la mansión de los suburbios, se acostaba en la hamaca abanicándose con el sombrero bajo los ramazones dulces de
los tamarindos, escuchaba con los ojos cerrados a los
doctores de palabra suelta y bigotes engomados que se
sentaban a discutir alrededor de la hamaca, pálidos de
calor dentro de sus levitas de paño y sus cuellos de celuloide, los ministros civiles que tanto detestaba pero
que había vuelto a nombrar por conveniencia y a quienes oía discutir asuntos de estado entre el escándalo de
los gallos que correteaban a las gallinas en el patio, y el
pito continuo de las chicharras y el gramófono insomne
que cantaba en el vecindario la canción de Susana ven Susana, se callaban de pronto, silencio, el general se había
dormido, pero él bramaba sin abrir los ojos, sin dejar de
roncar, no estoy dormido pendejos, continúen, continuaban, hasta que él salía tantaleando de entre las telarañas de la siesta y sentenció que entre tantas pendejadas
el único que tiene la razón es mi compadre el ministro de
la salud, qué carajo, se acabó la vaina, se acababa, conversaba con sus ayudantes personales llevándolos de un
lado para otro mientras comía caminando con el plato
en una mano y la cuchara en la otra, los despachaba en
la escalera con una displicencia de hagan ustedes lo
que quieran que al fin y al cabo yo soy el que manda, qué carajo, se le pasó la ventolera de preguntar si lo
querían o si no lo querían, qué carajo, cortaba cintas
inaugurales, se mostraba en público de cuerpo entero
asumiendo los riesgos del poder como no lo había hecho

en épocas más plácidas, qué carajo, jugaba partidas interminables de dominó con mi compadre de toda la vida
el general Rodrigo de Aguilar y mi compadre el ministro de la salud que eran los únicos que tenían bastante confianza con él para pedirle la libertad de un
preso o el perdón de un condenado a muerte, y los únicos
que se atrevieron a pedirle que recibiera en audiencia
especial a la reina de la belleza de los pobres, una criatura increíble de ese charco de miserias que llamábamos
el barrio de las peleas de perro porque todos los perros del barrio estaban peleando en la calle desde hacía
muchos años sin un instante de tregua, un reducto mortí-
fero donde no entraban las patrullas de la guardia nacional porque las dejaban en cueros y desarmaban los
coches en sus piezas originales con un solo pase de manos, donde los pobres burros perdidos entraban caminando por un extremo de la calle y salían por el otro en un
saco de huesos, se comían asados a los hijos de los ricos
mi general, los vendían en el mercado convertidos en
longanizas, imagínese, pues allí había nacido y allí vivía
Manuela Sánchez de mi mala suerte, una caléndula de
muladar cuya belleza inverosímil era el asombro de la
patria mi general, y él se sintió tan intrigado con la revelación que si todo eso es verdad como ustedes dicen no
sólo la recibo en audiencia especial sino que bailo con
ella el primer valse, qué carajo, que lo escriban en los
periódicos, ordenó, esas vainas les encantan a los pobres. Sin embargo, la noche después de la audiencia,
mientras jugaban al dominó, le comentó con una amargura cierta al general Rodrigo de Aguilar que la reina
de los pobres no valía ni el trabajo de bailar con ella,
que era tan ordinaria como tantas Manuelas Sánchez de
barriada con su traje de ninfa de volantes de muselina
y la corona dorada con joyas de artificio y una rosa en
la mano bajo la vigilancia de una madre que la cuida-

ba como si fuera de oro, así que él le había concedido
todo cuanto quería que no era más que la luz eléctrica
y el agua corriente para su barrio de las peleas de
perro, pero advirtió que era la última vez que recibo
una misión de súplicas, qué carajo, no vuelvo a hablar con pobres, dijo, sin terminar la partida, dio un
portazo, se fue, oyó los golpes de metal de las ocho, les
puso el pienso a las vacas en los establos, hizo subir
las bostas de boñiga, revisó la casa completa mientras
comía caminando con el plato en la mano, comía carne
guisada con frijoles, arroz blanco y tajadas de plátano
verde, contó los centinelas desde el portón de entrada
hasta los dormitorios, estaban completos y en su puesto,
catorce, vio el resto de su guardia personal jugando dominó en el retén del primer patio, vio los leprosos acos-
tados entre los rosales, los paralíticos en las escaleras,
eran las nueve, puso en una ventana el plato de comida
sin terminar y se encontró manoteando en la atmósfera
de fango de las barracas de las concubinas que dormían
hasta tres con sus sietemesinos en una misma cama, se
acaballó sobre un montón oloroso a guiso de ayer y
apartó para acá dos cabezas y para allá seis piernas y
tres brazos sin preguntarse si alguna vez sabría quién era
quién ni cuál fue la que al fin lo amamantó sin despertar, sin soñar con él, ni de quién había sido la voz que
murmuró dormida desde otra cama que no se apure
tanto general que se asustan los niños, regresó al interior de la casa, revisó las fallebas de las veintitrés ventanas, encendió las plastas de boñiga cada cinco metros
desde el vestíbulo hasta las habitaciones privadas, sintió
el olor del humo, se acordó de una infancia improbable
que podía ser la suya que sólo recordaba en aquel instante cuando empezaba el humo y la olvidaba para siempre, regresó apagando las luces al revés desde los dormitorios hasta el vestíbulo y tapando las jaulas de los

pájaros dormidos que contaba antes de taparlos con pedazos de lienzo, cuarenta y ocho, otra vez recorrió la casa completa con una lámpara en la mano, se vio a sí mismo uno por uno hasta catorce generales caminando con la lámpara encendida en los espejos, eran las diez, todo en orden, volvió a los dormitorios de la guardia presidencial, les apagó la luz, buenas noches señores, registró las oficinas públicas de la planta baja, las antesalas, los retretes, detrás de las cortinas, debajo de las mesas, no había nadie, sacó el mazo de llaves que era capaz de distinguir al tacto una por una, cerró las oficinas, subió a la planta principal registrando los cuartos cuarto por cuarto y cerrando las puertas con llave, sacó el frasco de miel de abejas de su escondite detrás de un cuadro y tomó las dos cucharadas de antes de acostarse, pensó en su madre dormida en la mansión de los suburbios, Bendición Alvarado en su sopor de adioses entre el toronjil y el orégano con una mano de pajarera exangüe pintora de oropéndolas como una madre muerta de costado, que pase buena noche, madre, dijo, muy buenas noches hijo le contestó dormida Bendición Alvarado en la mansión de los suburbios, colgó frente a su dormitorio la lámpara de gancho que él dejaba colgada en la puerta mientras dormía con la orden terminante de que no la apaguen nunca porque ésa era la luz para salir corriendo, dieron las once, inspeccionó la casa una última vez, a oscuras, por si alguien se hubiera infiltrado creyéndolo dormido, iba dejando el rastro de polvo del reguero de estrellas de la espuela de oro en las albas fugaces de ráfagas verdes de las aspas de luz de las vueltas del faro, vio entre dos instantes de lumbre un leproso sin rumbo que caminaba dormido, le cerró el paso, lo llevó por la sombra sin tocarlo alumbrándole el camino con las luces de su vigilia, lo puso en los rosales, volvió a contar los centinelas en la oscuridad, regresó al dormitorio, iba

viendo al pasar frente a las ventanas un mar igual en
cada ventana, el Caribe en abril, lo contempló veintitrés
veces sin detenerse y era siempre como siempre en abril
como una ciénaga dorada, oyó las doce, con el último
golpe de los martillos de la catedral sintió la torcedura
de los silbidos tenues del horror de la hernia, no había
más ruido en el mundo, él solo era la patria, pasó las
tres aldabas, los tres cerrojos, los tres pestillos del dormitorio, orinó sentado en la letrina portátil, orinó dos
gotas, cuatro gotas, siete gotas arduas, se tumbó bocabajo en el suelo, se durmió en el acto, no soñó, eran las
tres menos cuarto cuando se despertó empapado en sudor, estremecido por la certidumbre de que alguien lo
había mirado mientras dormía, alguien que había tenido la virtud de meterse sin quitar las aldabas, quién vive,
preguntó, no era nadie, cerró los ojos, volvió a sentir que
lo miraban, abrió los ojos para ver, asustado, y entonces
vio, carajo, era Manuela Sánchez que andaba por el cuarto sin quitar los cerrojos porque entraba y salía según
su voluntad atravesando las paredes, Manuela Sánchez de
mi mala hora con el vestido de muselina y la brasa de
la rosa en la mano y el olor natural de regaliz de su respiración, dime que no es de verdad este delirio, decía,
dime que no eres tú, dime que este vahído de muerte no
es el marasmo de regaliz de tu respiración, pero era ella,
era su rosa, era su aliento cálido que perfumaba el clima
del dormitorio como un bajo obstinado con más dominio
y más antigüedad que el resuello del mar, Manuela Sánchez de mi desastre que no estabas escrita en la palma
de mi mano, ni en el asiento de mi café, ni siquiera en
las aguas de mi muerte de los lebrillos, no te gastes mi
aire de respirar, mi sueño de dormir, el ámbito de la
oscuridad de este cuarto donde nunca había entrado ni
había de entrar una mujer, apágame esa rosa, gemía,
mientras gateaba en busca de la llave de la luz y encon-

traba a Manuela Sánchez de mi locura en lugar de la luz,
carajo, por qué te tengo que encontrar si no te me has
perdido, si quieres llévate mi casa, la patria entera con
su dragón, pero déjame encender la luz, alacrán de mis
noches, Manuela Sánchez de mi potra, hija de puta, gritó,
creyendo que la luz lo liberaba del hechizo, gritando que
la saquen, que la dejen sin mí, que la echen en los cantiles con un ancla en el cuello para que nadie vuelva a
padecer el fulgor de su rosa, se iba desgañitando de pavor por los corredores, chapaleando en las tortas de
boñiga de la oscuridad, preguntándose aturdido qué pasaba en el mundo que van a ser las ocho y todos duermen en esta casa de malandrines, levántense, cabrones,
gritaba, se encendieron las luces, tocaron diana a las tres,
la repitieron en la fortaleza del puerto, en la guarnición
de San Jerónimo, en los cuarteles del país, y había un
estrépito de armas asustadas, de rosas que se abrieron
cuando aún faltaban dos horas para el sereno, de concubinas sonámbulas que sacudían alfombras bajo las estrellas y destapaban las jaulas de los pájaros dormidos y
cambiaban por flores de anoche las flores trasnochadas
de los floreros, y había un tropel de albañiles que cons-
truían paredes de emergencia y desorientaban a los girasoles pegando soles de papel dorado en los vidrios de
las ventanas para que no se viera que todavía era noche
en el cielo y era domingo veinticinco en la casa y era
abril en el mar, y había un escándalo de chinos lavan-
deros que echaban de las camas a los últimos dormidos
para llevarse las sábanas, ciegos premonitorios que anunciaban amor amor donde no estaba, funcionarios vicio-
sos que encontraban gallinas poniendo los huevos del
lunes cuando estaban todavía los de ayer en las gavetas
de los archivos, y había un bullicio de muchedumbres
aturdidas y peleas de perros en los consejos de gobierno
convocados de urgencia mientras él se abría paso deslum-

brado por el día repentino entre los aduladores impávidos que lo proclamaban descompositor de la madrugada, comandante del tiempo y depositario de la luz, hasta que un oficial del mando supremo se atrevió a detenerlo en el vestíbulo y se cuadró frente a él con la novedad mi general de que apenas son las dos y cinco, otra voz, las tres y cinco de la madrugada mi general, y él le cruzó la cara con el revés feroz de la mano y aulló con todo el pecho asustado para que lo escucharan en el mundo entero, son las ocho, carajo, las ocho, dije, orden de Dios. Bendición Alvarado le preguntó al verlo entrar en la mansión de los suburbios de dónde vienes con ese semblante que pareces picado de tarántula, qué haces con esa mano en el corazón, le dijo, pero él se derrumbó en la poltrona de mimbre sin contestarle, cambió la mano de lugar, había vuelto a olvidarla cuando su madre lo apuntó con el pincel de pintar oropéndolas y preguntó asombrada si de veras se creía el Corazón de Jesús con esos ojos lánguidos y esa mano en el pecho, y él la escondió ofuscado, mierda madre, dio un portazo, se fue, se quedó dando vueltas en la casa con las manos en los bolsillos para que no se le pusieran por su cuenta donde no debían, contemplaba la lluvia por la ventana, vio resbalar el agua por las estrellas de papel de galletitas y las lunas de metal plateado que habían puesto en los cristales para que parecieran las ocho de la noche a las tres de la tarde, vio los soldados de la guardia ateridos en el patio, vio el mar triste, la lluvia de Manuela Sánchez en tu ciudad sin ella, el terrible salón vacío, las sillas puestas al revés sobre las mesas, la soledad irreparable de las primeras sombras de otro sábado efímero de otra noche sin ella, carajo, si al menos me quitaran lo bailado que es lo que más me duele, suspiró, sintió vergüenza de su estado, repasó los sitios del cuerpo donde poner la mano errante que no fuera en el corazón, se la

puso por fin en la potra apaciguada por la lluvia, era
igual, tenía la misma forma, el mismo peso, dolía lo
mismo, pero era todavía más atroz como tener el propio
corazón en carne viva en la palma de la mano, y sólo entonces entendió lo que tantas gentes de otros tiempos le
habían dicho que el corazón es el tercer cojón mi general, carajo, se apartó de la ventana, dio vueltas en la
sala de audiencias con la ansiedad sin recursos de un
presidente eterno con una espina de pescado atravesada
en el alma, se encontró en la sala del consejo de ministros oyendo como siempre sin entender, sin oír, padeciendo un informe soporífero sobre la situación fiscal, de
pronto algo ocurrió en el aire, se calló el ministro de
hacienda, los otros lo miraban a él por las rendijas de una
coraza agrietada por el dolor, se vio a sí mismo inerme
y solo en el extremo de la mesa de nogal con el semblante
trémulo por haber sido descubierto a plena luz en su
estado de lástima de presidente vitalicio con la mano en
el pecho, se le quemó la vida en las brasas glaciales de
los minuciosos ojos de orfebre de mi compadre el ministro de la salud que parecían examinarlo por dentro mientras le daba vueltas a la leontina del relojito de oro del
chaleco, cuidado, dijo alguien, debe ser una punzada, pero
ya él había puesto su mano de sirena endurecida de rabia
en la mesa de nogal, recobró el color, escupió con las palabras una ráfaga mortífera de autoridad, ya quisieran
ustedes que fuera una punzada, cabrones, continúen, con-
tinuaron, pero hablaban sin oírse pensando que algo
grave debía pasarle a él si tenía tanta rabia, lo cuchi-
chearon, corrió el rumor, lo señalaban, mírenlo cómo
está de acontecido que tiene que agarrarse el corazón, se
le rompieron las costuras, murmuraban, se propaló la
versión de que había hecho llamar de urgencia al ministro de la salud y que éste lo encontró con el brazo derecho puesto como una pata de cordero sobre la mesa de

nogal y le ordenó que me lo corte, compadre, humillado
por su triste condición de presidente bañado en lágrimas,
pero el ministro le contestó que no, general, esa orden
no la cumplo aunque me fusile, le dijo, es un asunto de
justicia, general, yo valgo menos que su brazo. Éstas y
muchas otras versiones de su estado se iban haciendo
cada vez más intensas mientras él medía en los establos
la leche para los cuarteles viendo cómo se alzaba en el
cielo el martes de ceniza de Manuela Sánchez, hacía sacar
a los leprosos de los rosales para que no apestaran las
rosas de tu rosa, buscaba los lugares solitarios de la casa
para cantar sin ser oído tu primer valse de reina, para
que no me olvides, cantaba, para que sientas que te mueres si me olvidas, cantaba, se sumergía en el cieno de los
cuartos de las concubinas tratando de encontrar alivio
para su tormento, y por primera vez en su larga vida de
amante fugaz se le desenfrenaban los instintos, se demoraba en pormenores, les desentrañaba los suspiros a las
mujeres más mezquinas, una vez y otra vez, y las hacía
reír de asombro en las tinieblas no le da pena general, a
sus años, pero él sabía de sobra que aquella voluntad de
resistir eran engaños que se hacía a sí mismo para perder el tiempo, que cada tranco de su soledad, cada tropiezo de su respiración lo acercaban sin remedio a la
canícula de las dos de la tarde ineludible en que se fue
a suplicar por el amor de Dios el amor de Manuela Sánchez en el palacio del muladar de tu reino feroz de tu
barrio de las peleas de perro, se fue vestido de civil, sin
escolta, en un automóvil de servicio público que se esca-
bulló petardeando por el vapor de gasolina rancia de
la ciudad postrada en el letargo de la siesta, eludió el
fragor asiático de los vericuetos del comercio, vio la mar
grande de Manuela Sánchez de mi perdición con un alca-
traz solitario en el horizonte, vio los tranvías decrépitos
que van hasta tu casa y ordenó que los cambien por tran

vías amarillos de vidrios nublados con un trono de terciopelo para Manuela Sánchez, vio los balnearios desiertos de tus domingos de mar y ordenó que pusieran casetas de vestirse y una bandera de color distinto según los humores del tiempo y una malla de acero en una playa reservada para Manuela Sánchez, vio las quintas con terrazas de mármol y prados pensativos de las catorce familias que él había enriquecido con sus favores, vio una quinta más grande con surtidores giratorios y vitrales en los balcones donde te quiero ver viviendo para mí, y la expropiaron por asalto, decidiendo la suerte del mundo mientras soñaba con los ojos abiertos en el asiento posterior del coche de latas sueltas hasta que se acabó la brisa del mar y se acabó la ciudad y se metió por las troneras de las ventanas el fragor luciferino de tu barrio de las peleas de perro donde él se vio y no se creyó pensando madre mía Bendición Alvarado mírame dónde estoy sin ti, favoréceme, pero nadie reconoció en el tumulto los ojos desolados, los labios débiles, la mano lánguida en el pecho, la voz de hablar dormido del bisabuelo asomado por los vidrios rotos con un vestido de lino blanco y un sombrero de capataz que andaba averiguando dónde vive Manuela Sánchez de mi vergüenza, la reina de los pobres, señora, la de la rosa en la mano, preguntándose asustado dónde podías vivir en aquella tropelía de nudos de espinazos erizados de miradas satánicas de colmillos sangrientos del reguero de aullidos fugitivos con el rabo entre las patas de la carnicería de perros que se descuartizaban a mordiscos en los barrizales, dónde estará el olor de regaliz de tu respiración en este trueno continuo de altavoces de hija de puta serás tu tormento de mi vida de los borrachos sacados a patadas del matadero de las cantinas, dónde te habrás perdido en la parranda sin término del maranguango y la burundanga y el gordolobo y la manta de bandera y el tremendo salchichón de hoyito y el centavo negro de ñapa en el delirio perpetuo del paraíso mítico del Negro Adán y Juancito Trucupey, carajo, cuál es tu casa de vivir en este estruendo de paredes descascaradas de color amarillo de ahuyama con cenefas moradas de balandrán de obispo con ventanas de verde cotorra con tabiques de azul de pelotica con pilares rosados de tu rosa en la mano, qué hora será en tu vida si estos desmerecidos desconocen mis órdenes de que ahora sean las tres y no las ocho de la noche de ayer como parece en este infierno, cuál eres tú de estas mujeres que cabecean en las salas vacías ventilándose con la falda despatarradas en los mecedores respirando de calor por entre las piernas mientras él preguntaba a través de los huecos de la ventana dónde vive Manuela Sánchez de mi rabia, la del traje de espuma con luces de diamantes y la diadema de oro macizo que él le había regalado en el primer aniversario de la coronación, ya sé quién es, señor, dijo alguien en el tumulto, una tetona nalgoncita que se cree la mamá de la gorila, vive ahí, señor, ahí, en una casa como todas, pintada a gritos, con la huella fresca de alguien que había resbalado en una plasta de porquería de perro en el sardinel de mosaicos, una casa de pobre tan diferente de Manuela Sánchez en la poltrona de los virreyes que costaba trabajo creer que fuera ésa, pero era ésa, madre mía Bendición Alvarado de mis entrañas, dame tu fuerza para entrar, madre, porque era ésa, había dado diez vueltas a la manzana mientras recobraba el aliento, había llamado a la puerta con tres golpes de los nudillos que parecieron tres súplicas, había esperado en la sombra ardiente del saledizo sin saber si el mal aire que respiraba estaba pervertido por la resolana o la ansiedad, esperó sin pensar siquiera en su propio estado hasta que la madre de Manuela Sánchez lo hizo entrar en la fresca penumbra olorosa a residuos de pescado de la sala amplia y

escueta de una casa dormida que era más grande por
dentro que por fuera, examinaba el ámbito de su frustra-
ción desde el taburete de cuero en que se había sentado
mientras la madre de Manuela Sánchez la despertaba de
la siesta, vio las paredes chorreadas de goteras de lluvias
viejas, un sofá roto, otros dos taburetes con fondos de
cuero, un piano sin cuerdas en el rincón, nada más, carajo, tanto sufrir para esta vaina, suspiraba, cuando la madre de Manuela Sánchez regresó con una canastilla de
labor y se sentó a tejer encajes mientras Manuela Sánchez se vestía, se peinaba, se ponía sus mejores zapatos
para atender con la debida dignidad al anciano imprevisto que se preguntaba perplejo dónde estarás Manuela Sánchez de mi infortunio que te vengo a buscar y no
te encuentro en esta casa de mendigos, dónde estará tu
olor de regaliz en esta peste de sobras de almuerzo, dónde estará tu rosa, dónde tu amor, sácame del calabozo
de estas dudas de perro, suspiraba, cuando la vio aparecer en la puerta interior como la imagen de un sueño
reflejada en el espejo de otro sueño con un traje de eta-
mina de a cuartillo la yarda, el cabello amarrado de
prisa con una peineta, los zapatos rotos, pero era la mujer más hermosa y más altiva de la tierra con la rosa
encendida en la mano, una visión tan deslumbrante que
él apenas si tuvo dominio para inclinarse cuando ella
lo saludó con la cabeza levantada Dios guarde a su excelencia, y se sentó en el sofá, enfrente de él, donde no
la alcanzaron los efluvios de su grajo fétido, y entonces
me atreví a mirarlo de frente por primera vez haciendo
girar con dos dedos la brasa de la rosa para que no se me
notara el terror, escruté sin piedad los labios de murciélago, los ojos mudos que parecían mirarme desde el
fondo de un estanque, el pellejo lampiño de terrones de
tierra amasados con aceite de hiel que se hacía más ti-
rante e intenso en la mano derecha del anillo del sello

presidencial exhausta en la rodilla, su traje de lino escuálido como si dentro no estuviera nadie, sus enormes zapatos de muerto, su pensamiento invisible, su poder oculto, el anciano más antiguo de la tierra, el más temible, el más aborrecido y el menos compadecido de la patria que se abanicaba con el sombrero de capataz contemplándome en silencio desde su otra orilla, Dios mío, qué hombre tan triste, pensé asustada, y preguntó sin compasión en qué puedo servirle excelencia, y él contestó con un aire solemne que sólo vengo a pedirle un favor, majestad, que me reciba esta visita. La visitó sin alivio durante meses y meses, todos los días en las horas muertas del calor en que solía visitar a su madre para que los servicios de seguridad creyeran que estaba en la mansión de los suburbios, porque sólo él ignoraba lo que todo el mundo sabía que los fusileros del general Rodrigo de Aguilar lo protegían agazapados en las azoteas, endemoniaban el tránsito, desocupaban a culatazos las calles por donde él tenía que pasar, las mantenían vedadas para que parecieran desiertas desde las dos hasta las cinco con orden de tirar a matar si alguien trataba de asomarse en los balcones, pero hasta los menos curiosos se las arreglaban para aguaitar el paso fugitivo de la limusina presidencial pintada de automóvil de servicio público con el anciano canicular escondido de civil dentro del traje de lino inocente, veían su palidez de huérfano, su semblante de haber visto amanecer muchos días, de haber llorado escondido, de no importarle ya lo que pensaran de la mano en el pecho, el arcaico animal taciturno que iba dejando un rastro de ilusiones de mírenlo cómo va que ya no puede con su alma en el aire vidriado de calor de las calles prohibidas, hasta que las suposiciones de enfermedades raras se hicieron tan ruidosas y múltiples que terminaron por tropezar con la verdad de que él no estaba en casa de su madre sino en la sala en penumbra del

remanso secreto de Manuela Sánchez bajo la vigilancia
implacable de la madre que tricotaba sin respirar, pues
era para ella que compraba las máquinas de ingenio que
tanto entristecían a Bendición Alvarado, trataba de sedu-
cirla con el misterio de las agujas magnéticas, las tormentas de nieve del enero cautivo de los pisapapeles de
cuarzo, los aparatos de astrónomos y boticarios, los piró-
grafos, manómetros, metrónomos y giróscopos que él continuaba comprando a quien quisiera vendérselos contra
el criterio de su madre, contra su propia avaricia de
hierro, y sólo por la dicha de gozarlos con Manuela Sánchez, le ponía en el oído la caracola patriótica que no
tenía dentro el resuello del mar sino las marchas militares que exaltaban su régimen, les acercaba la llama del
fósforo a los termómetros para que veas subir y bajar
el azogue opresivo de lo que pienso por dentro, contemplaba a Manuela Sánchez sin pedirle nada, sin expresarle
sus intenciones, sino que la abrumaba en silencio con
aquellos regalos dementes para tratar de decirle con ellos
lo que él no era capaz de decir, pues sólo sabía manifes-
tar sus anhelos más íntimos con los símbolos visibles de
su poder descomunal como el día del cumpleaños de Manuela Sánchez en que le había pedido que abriera la
ventana y ella la abrió y me quedé petrificada de pavor
al ver lo que habían hecho de mi pobre barrio de las
peleas de perro, vi las blancas casas de madera con ventanas de anjeo y terrazas de flores, los prados azules con
surtidores de aguas giratorias, los pavorreales, el viento de insecticida glacial, una réplica infame de las antiguas residencias de los oficiales de ocupación que habían
sido calcadas de noche y en silencio, habían degollado a
los perros, habían sacado de sus casas a los antiguos
habitantes que no tenían derecho a ser vecinos de una
reina y los habían mandado a pudrirse en otro muladar,
y así habían construido en muchas noches furtivas el

nuevo barrio de Manuela Sánchez para que tú lo vieras
desde tu ventana el día de tu onomástico, ahí lo tienes,
reina, para que cumplas muchos años felices, para ver si
estos alardes de poder conseguían ablandar tu conducta
cortés pero invencible de no se acerque demasiado, excelencia, que ahí está mi mamá con las aldabas de mi
honra, y él se ahogaba en sus anhelos, se comía la rabia,
tomaba a sorbos lentos de abuelo el agua de guanábana
fresca de piedad que ella le preparaba para darle de beber
al sediento, soportaba la punzada del hielo en la sien para
que no le descubrieran los desperfectos de la edad,
para que no me quieras por lástima después de haber
agotado todos los recursos para que lo quisiera por
amor, lo dejaba tan sólo cuando estoy contigo que no
me quedan ánimos ni para estar, agonizando por rozar-
la así fuera con el aliento antes de que el arcángel de
tamaño humano volara dentro de la casa tocando la campana de mi hora mortal, y él se ganaba un último sorbo
de la visita mientras guardaba los juguetes en los estuches originales para que no los haga polvo la carcoma
del mar, sólo un minuto, reina, se levantaba desde ahora
hasta mañana, toda una vida, qué vaina, apenas si le sobraba un instante para mirar por última vez a la doncella inasible que al paso del arcángel se había quedado
inmóvil con la rosa muerta en el regazo mientras él se
iba, se escabullía entre las primeras sombras tratando
de ocultar una vergüenza de dominio público que todo
el mundo comentaba en la calle, la propalaba una canción
anónima que el país entero conocía menos él, hasta los
loros cantaban en los patios apártense mujeres que ahí
viene el general llorando verde con la mano en el pecho,
mírenlo cómo va que ya no puede con su poder, que está
gobernando dormido, que tiene una herida que no se le
cierra, la aprendieron los loros cimarrones de tanto oír-
sela cantar a los loros cautivos, se la aprendieron las

cotorras y los arrendajos y se la llevaron en bandadas
hasta más allá de los confines de su desmesurado reino
de pesadumbre, y en todos los cielos de la patria se oyó
al atardecer aquella voz unánime de multitudes fugitivas
que cantaban que ahí viene el general de mis amores
echando caca por la boca y echando leyes por la popa,
una canción sin término a la que todo el mundo hasta
los loros le agregaban estrofas para burlar a los servicios
de seguridad del estado que trataban de capturarla, las
patrullas militares apertrechadas para la guerra rompían
portillos en los patios y fusilaban a los loros subversivos
en las estacas, les echaban puñados de pericos vivos a
los perros, declararon el estado de sitio tratando de ex-
tirpar la canción enemiga para que nadie descubriera lo
que todo el mundo sabía que era él quien se deslizaba
como un prófugo del atardecer por las puertas de servicio de la casa presidencial, atravesaba las cocinas y
desaparecía entre el humo de las bostas de las habitaciones privadas hasta mañana a las cuatro, reina, hasta
todos los días a la misma hora en que llegaba a la casa
de Manuela Sánchez cargado de tantos regalos insólitos
que habían tenido que apoderarse de las casas vecinas y
derribar paredes medianeras para tener donde ponerlos,
así que la sala original quedó convertida en un galpón
inmenso y sombrío donde había incontables relojes de
todas las épocas, había toda clase de gramáfonos desde
los primitivos de cilindro hasta los de diafragma de espejo, había numerosas máquinas de coser de manivela,
de pedal, de motor, dormitorios enteros de galvanóme-
tros, boticas homeopáticas, cajas de música, aparatos de
ilusiones ópticas, vitrinas de mariposas disecadas, herbarios asiáticos, laboratorios de fisioterapia y educación
corporal, máquinas de astronomía, ortopedia y ciencias
naturales, y todo un mundo de muñecas con mecanis-
mos ocultos de virtudes humanas, habitaciones cancela-

das en las que nadie entraba ni siquiera para barrer porque las cosas se quedaban donde las habían puesto cuando las llevaron, nadie quería saber de ellas y Manuela Sánchez menos que nadie pues no quería saber nada de la vida desde el sábado negro en que me sucedió la desgracia de ser reina, aquella tarde se me acabó el mundo, sus antiguos pretendientes habían muerto uno después del otro fulminados por colapsos impunes y enfermedades inverosímiles, sus amigas desaparecían sin dejar rastros, se la habían llevado sin moverla de su casa para un barrio de extraños, estaba sola, vigilada en sus intenciones más ínfimas, cautiva de una trampa del destino en la que no tenía valor para decir que no ni tenía tampoco suficiente valor para decir que sí a un pretendiente abominable que la acechaba con un amor de asilo, que la contemplaba con una especie de estupor reverencial abanicándose con el sombrero blanco, ensopado en sudor, tan lejos de sí mismo que ella se había preguntado si de veras la veía o si era sólo una visión de espanto, lo había visto titubeando a plena luz, lo había visto masticar las aguas de frutas, lo había visto cabecear de sueño en la poltrona de mimbre con el vaso en la mano cuando el zumbido de cobre de las chicharras hacía más densa la penumbra de la sala, lo había visto roncar, cuidado excelencia, le dijo, él despertaba sobresaltado murmurando que no, reina, no me había dormido, sólo había cerrado los ojos, decía, sin darse cuenta de que ella le había quitado el vaso de la mano para que no se le cayera mientras dormía, lo había entretenido con astucias sutiles hasta la tarde increíble en que él llegó a la casa ahogándose con la noticia de que hoy te traigo el regalo más grande del universo, un prodigio del cielo que va a pasar esta noche a las once cero seis para que tú lo veas, reina, sólo para que tú lo veas, y era el cometa. Fue una de nuestras grandes fechas de desilusión, pues desde hacía

tiempo se había divulgado una especie como tantas otras
de que el horario de su vida no estaba sometido a las
normas del tiempo humano sino a los ciclos del cometa,
que él había sido concebido para verlo una vez pero
no había de verlo la segunda a pesar de los augurios
arrogantes de sus aduladores, así que habíamos esperado como quien esperaba la fecha de nacer la noche secular de noviembre en que se prepararon las músicas de
gozo, las campanas de júbilo, los cohetes de fiesta que
por primera vez en un siglo no estallaban para exaltar
su gloria sino para esperar los once golpes de metal
de las once que habían de señalar el término de sus años,
para celebrar un acontecimiento providencial que él esperó en la azotea de la casa de Manuela Sánchez, sentado
entre ella y su madre, respirando con fuerza para que
no le conocieran los apuros del corazón bajo un cielo
aterido de malos presagios, aspirando por primera vez el
aliento nocturno de Manuela Sánchez, la intensidad de
su intemperie, su aire libre, sintió en el horizonte los
tambores de conjuro que salían al encuentro del desastre,
escuchó lamentos lejanos, los rumores de limo volcánico de las muchedumbres que se prosternaban de terror
ante una criatura ajena a su poder que había precedido
y había de trascender los años de su edad, sintió el peso
del tiempo, padeció por un instante la desdicha de ser
mortal, y entonces lo vio, ahí está, dijo, y ahí estaba,
porque él lo conocía, lo había visto cuando pasó para el
otro lado del universo, era el mismo, reina, más antiguo
que el mundo, la doliente medusa de lumbre del tamaño
del cielo que a cada palmo de su trayectoria regresaba
un millón de años a su origen, oyeron el zumbido de
flecos de papel de estaño, vieron su rostro atribulado, sus
ojos anegados de lágrimas, el rastro de venenos helados
de su cabellera desgreñada por los vientos del espacio
que iba dejando en el mundo un reguero de polvo ra-

diante de escombros siderales y amaneceres demorados
por lunas de alquitrán y cenizas de cráteres de océanos
anteriores a los orígenes del tiempo de la tierra, ahí lo
tienes, reina, murmuró, míralo bien, que no volveremos
a verlo hasta dentro de un siglo, y ella se persignó ate-
rrada, más hermosa que nunca bajo el resplandor de
fósforo del cometa y con la cabeza nevada por la llovizna tenue de escombros astrales y sedimentos celestes, y
entonces fue cuando ocurrió, madre mía Bendición Alvarado, ocurrió que Manuela Sánchez había visto en el
cielo el abismo de la eternidad y tratando de agarrarse
de la vida tendió la mano en el vacío y el único asidero
que encontró fue la mano indeseable con el anillo presidencial, su cálida y tersa mano de rapiña cocinada al
rescoldo del fuego lento del poder. Fueron muy pocos
quienes se conmovieron con el transcurso bíblico de la
medusa de lumbre que espantó a los venados del cielo y
fumigó a la patria con un rastro de polvo radiante de
escombros siderales, pues aun los más incrédulos estábamos pendientes de aquella muerte descomunal que había de destruir los principios de la cristiandad e implan-
tar los orígenes del tercer testamento, esperamos en vano
hasta el amanecer, regresamos a casa más cansados de
esperar que de no dormir por las calles de fin de fiesta
donde las mujeres del alba barrían la basura celeste de
los residuos del cometa, y ni siquiera entonces nos resig-
nábamos a creer que fuera cierto que nada había pasado,
sino al contrario, que habíamos sido víctimas de un nuevo engaño histórico, pues los órganos oficiales procla-
maron el paso del cometa como una victoria del régimen
contra las fuerzas del mal, se aprovechó la ocasión para
desmentir las suposiciones de enfermedades raras con
actos inequívocos de la vitalidad del hombre del poder,
se renovaron las consignas, se hizo público un mensaje
solemne en que él había expresado mi decisión única y

soberana de que estaré en mi puesto al servicio de la patria cuando volviera a pasar el cometa, pero en cambio él oyó las músicas y los cohetes como si no fueran de su régimen, oyó sin conmoverse el clamor de la multitud concentrada en la Plaza de Armas con grandes letreros de gloria eterna al benemérito que ha de vivir para contarlo, no le importaban los estorbos del gobierno, delegaba su autoridad en funcionarios menores atormentado por el recuerdo de la brasa de la mano de Manuela Sánchez en su mano, soñando con vivir de nuevo aquel instante feliz aunque se torciera el rumbo de la naturaleza y se estropeara el universo, deseándolo con tanta intensidad que terminó por suplicar a sus astrónomos que le inventaran un cometa de pirotecnia, un lucero fugaz, un dragón de candela, cualquier ingenio sideral que fuera lo bastante terrorífico para causarle un vértigo de eternidad a una mujer hermosa, pero lo único que pudieron encontrar en sus cálculos fue un eclipse total de sol para el miércoles de la semana próxima a las cuatro de la tarde mi general, y él aceptó, de acuerdo, y fue una noche tan verídica a pleno día que se encendieron las estrellas, se marchitaron las flores, las gallinas se recogieron y se sobrecogieron los animales de mejor instinto premonitorio, mientras él aspiraba el aliento crepuscular de Manuela Sánchez que se le iba volviendo nocturno a medida que la rosa languidecía en su mano por el engaño de las sombras, ahí lo tienes, reina, le dijo, es tu eclipse, pero Manuela Sánchez no contestó, no le tocó la mano, no respiraba, parecía tan irreal que él no pudo soportar el anhelo y extendió la mano en la oscuridad para tocar su mano, pero no la encontró, la buscó con la yema de los dedos en el sitio donde había estado su olor, pero tampoco la encontró, siguió buscándola con las dos manos por la casa enorme, braceando con los ojos abiertos de sonámbulo en las tinieblas, preguntándose

dolorido dónde estarás Manuela Sánchez de mi desventura que te busco y no te encuentro en la noche desventu-
rada de tu eclipse, dónde estará tu mano inclemente,
dónde tu rosa, nadaba como un buzo extraviado en un
estanque de aguas invisibles en cuyos aposentos encontraba flotando las langostas prehistóricas de los galvanó-
metros, los cangrejos de los relojes de música, los boga-
vantes de tus máquinas de oficios ilusorios, pero en
cambio no encontraba ni el aliento de regaliz de tu
respiración, y a medida que se disipaban las sombras de
la noche efímera se iba encendiendo en su alma la luz de
la verdad y se sintió más viejo que Dios en la penumbra
del amanecer de las seis de la tarde de la casa desierta,
se sintió más triste, más solo que nunca en la soledad
eterna de este mundo sin ti, mi reina, perdida para siempre en el enigma del eclipse, para siempre jamás, porque
nunca en el resto de los larguísimos años de su poder
volvió a encontrar a Manuela Sánchez de mi perdición en
el laberinto de su casa, se esfumó en la noche del eclipse
mi general, le decían que la vieron en un baile de plenas
de Puerto Rico, allá donde cortaron a Elena mi general,
pero no era ella, que la vieron en la parranda del velorio
de Papá Montero, zumba, canalla rumbero, pero tampoco era ella, que la vieron en el tiquiquitaque de Barlo-
vento sobre la mina, en la cumbiamba de Aracataca, en
el bonito viento del tamborito de Panamá, pero ninguna
cra ella, mi general, se la llevó el carajo, y si entonces no
se abandonó al albedrío de la muerte no había sido porque le hiciera falta rabia para morir sino porque sabía
que estaba condenado sin remedio a no morir de amor,
lo sabía desde una tarde de los principios de su imperio
en que recurrió a una pitonisa para que le leyera en las
aguas de un lebrillo las claves del destino que no estaban
escritas en la palma de su mano, ni en las barajas, ni en
el asiento del café, ni en ningún otro medio de averigua-

ción, sólo en aquel espejo de aguas premonitorias donde
se vio a sí mismo muerto de muerte natural durante el
sueño en la oficina contigua a la sala de audiencias, y se
vio tirado bocabajo en el suelo como había dormido todas
las noches de la vida desde su nacimiento, con el uniforme de lienzo sin insignias, las polainas, la espuela de oro,
el brazo derecho doblado bajo la cabeza para que le sirviera de almohada, y a una edad indefinida entre los 107
y los 232 años.

Así lo encontraron en las vísperas de su otoño, cuando el cadáver era en realidad el de Patricio Aragonés, y así volvimos a encontrarlo muchos años más tarde en una época de tantas incertidumbres que nadie podía rendirse a la evidencia de que fuera suyo aquel cuerpo senil carcomido de gallinazos y plagado de parásitos de fondo de mar. En la mano amorcillada por la putrefacción no quedaba entonces ningún indicio de que hubiera estado alguna vez en el pecho por los desaires de una doncella improbable de los tiempos del ruido, ni habíamos encontrado rastro alguno de su vida que pudiera conducirnos al establecimiento inequívoco de su identidad. No nos parecía insólito, por supuesto, que esto ocurriera en nuestros años, si aun en los suyos de mayor gloria había motivos para dudar de su existencia, y si sus propios sicarios carecían de una noción exacta de su edad, pues hubo épocas de confusión en que parecía tener ochenta años en las tómbolas de beneficencia, sesenta en las audiencias civiles y hasta menos de cuarenta en las celebraciones de las fiestas públicas. El embajador Palmerston, uno de los últimos diplomáticos que le presentó las cartas credenciales, contaba en sus memorias prohibidas que era imposible concebir una vejez tan avanzada como la suya ni un estado de desor-

den y abandono como el de aquella casa de gobierno en
que tuvo que abrirse paso por entre un muladar de papeles rotos y cagadas de animales y restos de comidas
de perros dormidos en los corredores, nadie me dio razón
de nada en alcabalas y oficinas y tuve que valerme de los
leprosos y los paralíticos que ya habían invadido las
primeras habitaciones privadas y me indicaron el camino de la sala de audiencias donde las gallinas picoteaban los trigales ilusorios de los gobelinos y una vaca
desgarraba para comérselo el lienzo del retrato de un
arzobispo, y me di cuenta de inmediato que él estaba más
sordo que un trompo no sólo porque le preguntaba de
una cosa y me contestaba sobre otra sino también porque se dolía de que los pájaros no cantaran cuando en
realidad costaba trabajo respirar con aquel alboroto de
pájaros que era como atravesar un monte al amanecer,
y él interrumpió de pronto la ceremonia de las cartas
credenciales con la mirada lúcida y la mano en pantalla
detrás de la oreja señalando por la ventana la llanura
de polvo donde estuvo el mar y diciendo con una voz
de despertar dormidos que escuche ese tropel de mulos
que viene por allá, escuche mi querido Stetson, es el mar
que vuelve. Era difícil admitir que aquel anciano irreparable fuera el mismo hombre mesiánico que en los
orígenes de su régimen aparecía en los pueblos a la hora
menos pensada sin más escolta que un guajiro descalzo
con un machete de zafra y un reducido séquito de diputados y senadores que él mismo designaba con el dedo
según los impulsos de su digestión, se informaba sobre
el rendimiento de las cosechas y el estado de salud de
los animales y la conducta de la gente, se sentaba en un
mecedor de bejuco a la sombra de los palos de mango de
la plaza abanicándose con el sombrero de capataz que
entonces usaba, y aunque parecía adormilado por el calor no dejaba sin esclarecer un solo detalle de cuanto

conversaba con los hombres y mujeres que había con-
vocado en torno suyo llamándolos por sus nombres y
apellidos como si tuviera dentro de la cabeza un registro
escrito de los habitantes y las cifras y los problemas de
toda la nación, de modo que me llamó sin abrir los ojos,
ven acá Jacinta Morales, me dijo, cuéntame qué fue del
muchacho a quien él mismo había barbeado el año anterior para que se tomara un frasco de aceite de ricino, y
tú, Juan Prieto, me dijo, cómo está tu toro de siembra
que él mismo había tratado con oraciones de peste para
que se le cayeran los gusanos de las orejas, y tú Matilde
Peralta, a ver qué me das por devolverte entero al prófugo de tu marido, ahí lo tienes, arrastrado por el pescuezo con una cabuya y advertido por él en persona de
que se iba a pudrir en el cepo chino la próxima vez que
tratara de abandonar a la esposa legítima, y con el mismo
sentido del gobierno inmediato había ordenado a un
matarife que le cortara las manos en espectáculo público
a un tesorero pródigo, y arrancaba los tomates de un
huerto privado y se los comía con ínfulas de buen cono-
cedor en presencia de sus agrónomos diciendo que a
esta tierra le falta mucho cagajón de burro macho, que
se lo echen por cuenta del gobierno, ordenaba, e interrumpió el paseo cívico y me gritó por la ventana muerto
de risa ajá Lorenza López cómo va esa máquina de coser
que él me había ragalado veinte años antes, y yo le
contesté que ya rindió su alma a Dios, general, imagínese, las cosas y la gente no estamos hechas para durar
toda la vida, pero él replicó que al contrario, que el mundo es eterno, y entonces se puso a desarmar la máquina
con un destornillador y una alcuza indiferente a la co-
mitiva oficial que lo esperaba en medio de la calle, a
veces se le notaba la desesperación en los resuellos de
toro y se embadurnó hasta la cara de aceite de motor,
pero al cabo de casi tres horas la máquina volvió a coser

como nueva, pues en aquel entonces no había una contra-
riedad de la vida cotidiana por insignificante que fuera
que no tuviera para él tanta importancia como el más
grave de los asuntos de estado y creía de buen corazón
que era posible repartir la felicidad y sobornar a la
muerte con artimañas de soldado. Era difícil admitir que
aquel anciano irreparable fuera el único saldo de un
hombre cuyo poder había sido tan grande que alguna
vez preguntó qué horas son y le habían contestado las
que usted ordene mi general, y era cierto, pues no sólo
alteraba los tiempos del día como mejor conviniera a sus
negocios sino que cambiaba las fiestas de guardar de
acuerdo con sus planes para recorrer el país de feria en
feria con la sombra del indio descalzo y los senadores luc-
tuosos y los huacales de gallos espléndidos que enfrentaba
a los más bravos de cada plaza, él mismo casaba las
apuestas, hacía estremecer de risa los cimientos de la
gallera porque todos nos sentíamos obligados a reír cuando él soltaba sus extrañas carcajadas de redoblante que
resonaban por encima de la música y los cohetes, sufría-
mos cuando callaba, estallábamos en una ovación de alivio cuando sus gallos fulminaban a los nuestros que habían sido tan bien adiestrados para perder que ninguno
nos falló, salvo el gallo de la desgracia de Dionisio Iguarán
que fulminó al cenizo del poder en un asalto tan limpio y
certero que él fue el primero en cruzar la pista para estrechar la mano del vencedor, eres un macho, le dijo de
buen talante, agradecido de que alguien le hubiera hecho
por fin el favor de una derrota inocua, cuánto daría yo
por tener a ese colorado, le dijo, y Dionisio Iguarán le
contestó trémulo que es suyo general, a mucha honra, y
regresó a su casa entre los aplausos del pueblo alborotado y el estruendo de la música y los petardos mostrán-
dole a todo el mundo los seis gallos de raza que él le
había regalado a cambio del colorado invicto, pero aque-

lla noche se encerró en el dormitorio y se bebió solo un
calabazo de ron de caña y se ahorcó con la cabuya de
la hamaca, pobre hombre, pues él no era consciente del
reguero de desastres domésticos que provocaban sus
apariciones de júbilo, ni del rastro de muertos indesea-
dos que dejaba a su paso, ni de la condenación eterna
de los partidarios en desgracia a quienes llamó por un
nombre equivocado delante de sicarios solícitos que in-
terpretaban el error como un signo deliberado de desa-
fecto, andaba por todo el país con su raro andar de armadillo, con su rastro de sudor bravo, con la barba atrasada, aparecía sin ningún anuncio en una cocina cualquiera con aquel aire de abuelo inútil que hacía temblar de
pavor a la gente de la casa, tomaba agua de la tinaja con
la totuna de servir, comía en la misma olla de cocinar
sacando las presas con los dedos, demasiado jovial, demasiado simple, sin sospechar que aquella casa quedaba
marcada para siempre con el estigma de su visita, y no
se comportaba de esa manera por cálculo político ni por
necesidad de amor como sucedió en otros tiempos sino
porque ése era su modo de ser natural cuando el poder
no era todavía el légamo sin orillas de la plenitud del
otoño sino un torrente de fiebre que veíamos brotar ante
nuestros ojos de sus manantiales primarios, de modo que
bastaba con que él señalara con el dedo a los árboles
que debían dar frutos y a los animales que debían crecer
y a los hombres que debían prosperar, y había ordenado
que quitaran la lluvia de donde estorbaba las cosechas y
la pusieran en tierra de sequía, y así había sido, señor,
yo lo he visto, pues su leyenda había empezado mucho
antes de que él mismo se creyera dueño de todo su poder,
cuando todavía estaba a merced de los presagios y de
los intérpretes de sus pesadillas e interrumpía de pronto
un viaje recién iniciado porque oyó cantar la pigua sobre
su cabeza y cambiaba la fecha de una aparición pública

porque su madre Bendición Alvarado encontró un huevo
con dos yemas, y liquidó el séquito de senadores y diputados solícitos que lo acompañaban a todas partes y pro-
nunciaban por él los discursos que nunca se atrevió a pro-
nunciar, se quedó sin ellos porque se vio a sí mismo en
la casa grande y vacía de un mal sueño circundado por
unos hombres pálidos de levitas grises que lo punzaban
sonriendo con cuchillos de carnicero, lo acosaban con
tanta saña que adondequiera que él volviese la vista se
encontraba con un hierro dispuesto para herirlo en la
cara y en los ojos, se vio acorralado como una fiera por
los asesinos silenciosos y sonrientes que se disputaban
el privilegio de tomar parte en el sacrificio y de gozarse
en su sangre, pero él no sentía rabia ni miedo sino un
alivio inmenso que se iba haciendo más hondo a medida
que se le desaguaba la vida, se sentía ingrávido y puro,
de modo que él también sonreía mientras lo mataban,
sonreía por ellos y por él en el ámbito de la casa del
sueño cuyas paredes de cal viva se teñían de las salpica-
duras de mi sangre, hasta que alguien que era hijo suyo
en el sueño le dio un tajo en la ingle por donde se me
salió el último aire que me quedaba, y entonces se tapó
la cara con la manta empapada de su sangre para que
nadie le conociera muerto los que no habían podido
conocerle vivo y se derrumbó sacudido por los estertores de una agonía tan verídica que no pudo reprimir
la urgencia de contársela a mi compadre el ministro de
la salud y éste acabó de consternarlo con la revelación
de que aquella muerte había ocurrido ya una vez en la
historia de los hombres mi general, le leyó el relato del
episodio en uno de los mamotretos chamuscados del general Lautaro Muñoz, y era idéntico, madre, tanto que
en el curso de la lectura él recordó algo que había olvidado al despertar y era que mientras lo mataban se
abrieron de golpe y sin viento todas las ventanas de la

casa presidencial que en la realidad eran tantas cuantas
fueron las heridas del sueño, veintitrés, una coincidencia
terrorífica que culminó aquella semana con un asalto
de corsarios al senado y la corte de justicia ante la
indiferencia cómplice de las fuerzas armadas, arrancaron
de raíz la casa augusta de nuestros próceres originales
cuyas llamas se vieron hasta muy tarde en la noche desde el balcón presidencial, pero él no se inmutó con la
novedad mi general de que no habían dejado ni las piedras de los cimientos, nos prometió un castigo ejemplar
para los autores del atentado que no aparecieron nunca,
nos prometió reconstruir una réplica exacta de la casa
de los próceres cuyos escombros calcinados permanecie-
ron hasta nuestros días, no hizo nada para disimular el
terrible exorcismo del mal sueño sino que se valió de
la ocasión para liquidar el aparato legislativo y judicial
de la vieja república, abrumó de honores y fortuna a
los senadores y diputados y magistrados de cortes que
ya no le hacían falta para guardar las apariencias de
los orígenes de su régimen, los desterró en embajadas
felices y remotas y se quedó sin más séquito que la sombra solitaria del indio del machete que no lo abandonaba
un instante, probaba su comida y su agua, guardaba la
distancia, vigilaba la puerta mientras él permanecía en
mi casa alimentando la versión de que era mi amante
secreto cuando en verdad me visitaba hasta dos veces
por mes para hacerme consultas de naipes durante aquellos muchos años en que aún se creía mortal y tenía la
virtud de la duda y sabía equivocarse y confiaba más en
las barajas que en su instinto montuno, llegaba siempre
tan asustado y viejo como la primera vez en que se sentó
frente a mí y sin decir una palabra me tendió aquellas
manos cuyas palmas lisas y tensas como el vientre de un
sapo no había visto jamás ni había de ver otra vez en
mi muy larga vida de escrutadora de destinos ajenos,

puso las dos al mismo tiempo sobre la mesa casi como la
súplica muda de un desahuciado y me pareció tan ansioso y sin ilusiones que no me impresionaron tanto sus
palmas áridas como su melancolía sin alivio, la debilidad
de sus labios, su pobre corazón de anciano carcomido
por la incertidumbre cuyo destino no sólo era hermético
en sus manos sino en cuantos medios de averiguación
conocíamos entonces, pues tan pronto como él cortaba el
naipe las cartas se volvían pozos de aguas turbias, se
embrollaba el sedimento del café en el fondo de la taza
donde él había bebido, se borraban las claves de todo
cuanto tuviera que ver con su futuro personal, con su
felicidad y la fortuna de sus actos, pero en cambio eran
diáfanas sobre el destino de quienquiera que tuviera
algo que ver con él, de modo que vimos a su madre
Bendición Alvarado pintando pájaros de nombres forá-
neos a una edad tan avanzada que apenas si podía distinguir los colores a través de un aire enrarecido por
un vapor pestilente, pobre madre, vimos nuestra ciudad
devastada por un ciclón tan terrible que no merecía su
nombre de mujer, vimos un hombre con una máscara
verde y una espada en la mano y él preguntó angustia-
do en qué lugar del mundo estaba y las cartas contestaron que estaba todos los martes más cerca de él que los
otros días de la semana, y él dijo ajá, y preguntó de qué
color tiene los ojos, y las cartas contestaron que tenía
uno del color del guarapo de caña al trasluz y el otro en
las tinieblas, y él dijo ajá, y preguntó cuáles eran las intenciones de ese hombre, y aquélla fue la última vez en
que le revelé hasta el final la verdad de las barajas
porque le contesté que la máscara verde era de la perfidia
y la traición, y él dijo ajá, con un énfasis de victoria, ya
sé quién es, carajo, exclamó, y era el coronel Narciso
Miraval, uno de sus ayudantes más próximos que dos
días después se disparó un tiro de pistola en el oído sin

explicación alguna, pobre hombre, y así ordenaban la
suerte de la patria y se anticipaban a su historia de
acuerdo con las adivinanzas de las barajas hasta que él
oyó hablar de una vidente única que descifraba la muerte
en las aguas inequívocas de los lebrillos y se fue a buscarla en secreto por desfiladeros de mulas sin más testigos que el ángel del machete hasta el rancho del páramo
donde vivía con una bisnieta que tenía tres niños y estaba a punto de parir otro de un marido muerto el mes
anterior, la encontró tullida y medio ciega en el fondo
de una alcoba casi en tinieblas, pero cuando ella le pidió
que pusiera las manos sobre el lebrillo las aguas se iluminaron de una claridad interior suave y nítida, y entonces se vio a sí mismo, idéntico, acostado bocabajo en
el suelo, con el uniforme de lienzo sin insignias, las polainas y la espuela de oro, y preguntó qué lugar era ése,
y la mujer contestó examinando las aguas dormidas que
era una habitación no más grande que ésta con algo
que se ve aquí que parece una mesa de escribir y un
ventilador eléctrico y una ventana hacia el mar y estas
paredes blancas con cuadros de caballos y una bandera
con un dragón, y él volvió a decir ajá porque había
reconocido sin dudas la oficina contigua a la sala de
audiencias, y preguntó si había de ser de mala manera o
de mala enfermedad, y ella le contestó que no, que había
de ser durante el sueño y sin dolor, y él dijo ajá, y le
preguntó temblando que cuándo había de ser y ella le
contestó que durmiera con calma porque no había de ser
antes de que cumplas mi edad, que eran los 107 años,
pero tampoco después de 125 años más, y él dijo ajá, y
entonces asesinó a la anciana enferma en la hamaca para
que nadie más conociera las circunstancias de su muerte, la estranguló con la correa de la espuela de oro, sin
dolor, sin un suspiro, como un verdugo maestro, a pesar
de que fue el único ser de este mundo, humano o animal,

a quien le hizo el honor de matarlo de su propia mano en la paz o en la guerra, pobre mujer. Semejantes evocaciones de sus fastos de infamia no le torcían la conciencia en las noches del otoño, al contrario, le servían como fábulas ejemplares de lo que había debido ser y no era, sobre todo cuando Manuela Sánchez se esfumó en las sombras del eclipse y él quería sentirse otra vez en la flor de su barbarie para arrancarse la rabia de la burla que le cocinaba las tripas, se acostaba en la hamaca bajo los cascabeles del viento de los tamarindos a pensar en Manuela Sánchez con un rencor que le perturbaba el sueño mientras las fuerzas de tierra, mar y aire la buscaban sin hallar rastros hasta en los confines ignotos de los desiertos de salitre, dónde carajo te has metido, se preguntaba, dónde carajo te piensas meter que no te alcance mi brazo para que sepas quién es el que manda, el sombrero en el pecho le temblaba con los ímpetus del corazón, se quedaba extasiado de cólera sin hacerle caso a la insistencia de su madre que trataba de averiguar por qué no hablas desde la tarde del eclipse, por qué miras para adentro, pero él no contestaba, se fue, mierda madre, arrastraba sus patas de huérfano desangrándose a gotas de hiel con el orgullo herido por la amargura irredimible de que estas vainas me pasan por lo pendejo que me he vuelto, por no ser ya el árbitro de mi destino como lo era antes, por haber entrado en la casa de una guaricha con el permiso de su madre y no como había entrado en la hacienda fresca y callada de Francisca Linero en la vereda de los Santos Higuerones cuando todavía era él en persona y no Patricio Aragonés quien mostraba la cara visible del poder, había entrado sin siquiera tocar las aldabas de acuerdo con el gusto de su voluntad al compás de los dobles de las once en el reloj de péndulo y yo sentí el metal de la espuela de oro desde la terraza del patio y comprendí que aquellos

pasos de mano de pilón con tanta autoridad en los ladrillos del piso no podían ser otros que los suyos, lo
presentí de cuerpo entero antes de verlo aparecer en el
vano de la puerta de la terraza interior donde el alcara-
ván cantaba las once entre los geranios de oro, cantaba
el turpial aturdido por la acetona fragante de los racimos
de guineo colgados en el alar, se solazaba la luz del
aciago martes de agosto entre las hojas nuevas de los
platanales del patio y el cuerpo del venado joven que mi
marido Poncio Daza había cazado al amanecer y lo puso
a desangrar colgado por las patas junto a los racimos de
guineo atigrados por la miel interior, lo vi más grande
y más sombrío que en un sueño con las botas sucias de
barro y la chaqueta de caqui ensopada de sudor y sin
armas en la correa pero amparado por la sombra del
indio descalzo que permaneció inmóvil detrás de él con
la mano apoyada en la cacha del machete, vi los ojos
ineludibles, la mano de doncella dormida que arrancó un
guineo del racimo más cercano y se lo comió de ansiedad
y luego se comió otro y otro más, masticándolos de ansiedad con un ruido de pantano de toda la boca sin apartar la vista de la provocativa Francisca Linero que lo
miraba sin saber qué hacer con su pudor de recién casa-
da porque él había venido para darle gusto a su voluntad y no había otro poder mayor que el suyo para impedirlo, apenas si sentí la respiración de miedo de mi
marido que se sentó a mi lado y ambos permaneci-
mos inmóviles con las manos cogidas y los dos corazones de tarjeta postal asustados al unísono bajo la
mirada tenaz del anciano insondable que seguía a dos
pasos de la puerta comiéndose un guineo después del
otro y tirando las cáscaras en el patio por encima del
hombro sin haber pestañeado ni una vez desde que empezó a mirarme, y sólo cuando acabó de comerse el racimo entero y quedó el vástago pelado junto al venado

muerto le hizo una señal al indio descalzo y le ordenó a
Poncio Daza que se fuera un momento con mi compadre
el del machete que tiene que arreglar un negocio contigo,
y aunque yo estaba agonizando de miedo conservaba bastante lucidez para darme cuenta de que mi único recurso
de salvación era dejar que él hiciera conmigo todo lo que
quiso sobre el mesón de comer, más aún, lo ayudé a en-
contrarme entre los encajes de los pollerines después
de que me dejó sin resuello con su olor de amoníaco y
me desgarró las bragas de un zarpazo y me buscaba con
los dedos por donde no era mientras yo pensaba aturdida Santísimo Sacramento qué vergüenza, qué mala
suerte, porque aquella mañana no había tenido tiempo
de lavarme por estar pendiente del venado, así que él
hizo por fin su voluntad al cabo de tantos meses de ase-
dio, pero lo hizo de prisa y mal, como si hubiera sido
más viejo de lo que era, o mucho más joven, estaba tan
aturdido que apenas si me enteré de cuándo cumplió con
su deber como mejor pudo y se soltó a llorar con unas
lágrimas de orín caliente de huérfano grande y solo,
llorando con una aflicción tan honda que no sólo sentí
lástima por él sino por todos los hombres del mundo y
empecé a rascarle la cabeza con la yema de los dedos y a
consolarlo con que no era para tanto general, la vida es
larga, mientras el hombre del machete se llevó a Poncio
Daza al interior de los platanales y lo hizo tasajo en re-
banadas tan finas que fue imposible componer el cuerpo
disperso por los marranos, pobre hombre, pero no había
otro remedio, dijo él, porque iba a ser un enemigo mortal
para toda la vida. Eran imágenes de su poder que le
llegaban desde muy lejos y le exacerbaban la amargura
de cuánto le habían aguado la salmuera de su poder si
ni siquiera le servía para conjurar los maleficios de un
eclipse, lo estremecía un hilo de bilis negra en la mesa
de dominó ante el dominio helado del general Rodrigo

de Aguilar que era el único hombre de armas a quien
había confiado la vida desde que el ácido úrico le crista-
lizó las coyunturas al ángel del machete, y sin embargo
se preguntaba si tanta confianza y tanta autoridad dele-
gadas en una sola persona no habrían sido la causa de
su desventura, si no era mi compadre de toda la vida
quien lo había vuelto buey por tratar de quitarle la pe-
lambre natural de caudillo de vereda para convertirlo en
un inválido de palacio incapaz de concebir una orden
que no estuviera cumplida de antemano, por el invento
malsano de mostrar en público una cara que no era la
suya cuando el indio descalzo de los buenos tiempos se
bastaba y se sobraba solo para abrir una trocha a ma-
chetazos a través de las muchedumbres de la gente gritando apártense cabrones que aquí viene el que manda
sin poder distinguir en aquel matorral de ovaciones quiénes eran los buenos patriotas de la patria y quiénes eran
los matreros porque todavía no habíamos descubierto
que los más tenebrosos eran los que más gritaban que
viva el macho, carajo, que viva el general, y en cambio
ahora no le alcanzaba la autoridad de sus armas para
encontrar a la reina de mala muerte que había burlado
el cerco infranqueable de sus apetitos seniles, carajo,
tiró las fichas por los suelos, dejaba las partidas a medias sin motivo visible deprimido por la revelación instantánea de que todo acababa por encontrar su lugar en
el mundo, todo menos él, consciente por primera vez de
la camisa ensopada de sudor a una hora tan temprana,
consciente del hedor de carroña que subía con los vapores del mar y del dulce silbido de flauta de la potra torcida por la humedad del calor, es el bochorno, se dijo
sin convicción, tratando de descifrar desde la ventana el
raro estado de la luz de la ciudad inmóvil cuyos únicos
seres vivos parecían ser las bandadas de gallinazos que
huían despavoridas de las cornisas del hospital de pobres

y el ciego de la Plaza de Armas que presintió al anciano
trémulo en la ventana de la casa civil y le hizo una señal
apremiante con el báculo y le gritaba algo que él no logró
entender y que interpretó como un signo más en aquel
sentimiento opresivo de que algo estaba a punto de ocurrir, y sin embargo se repitió que no por segunda vez
al final del largo lunes de desaliento, es-el bochorno, se
dijo, y se durmió al instante, arrullado por los rasguños
de la llovizna en los vidrios de bruma de los filtros del
duermevela, pero de pronto despertó asustado, quién
vive, gritó, era su propio corazón oprimido por el silencio raro de los gallos al amanecer, sintió que el barco del
universo había llegado a un puerto mientras él dormía,
flotaba en un caldo de vapor, los animales de la tierra y
del cielo que tenían la facultad de vislumbrar la muerte
más allá de los presagios torpes y las ciencias mejor fun-
dadas de los hombres estaban mudos de terror, se acabó
el aire, el tiempo cambiaba de rumbo, y él sintió al in-
corporarse que el corazón se le hinchaba a cada paso y
se le reventaban los tímpanos y una materia hirviente se
le escurrió por las narices, es la muerte, pensó, con la
guerrera empapada de sangre, antes de tomar conciencia
de que no mi general, era el ciclón, el más devastador
de cuantos fragmentaron en un reguero de islas dispersas
el antiguo reino compacto del Caribe, una catástrofe tan
sigilosa que sólo él la había detectado con su instinto
premonitorio mucho antes de que empezara el pánico
de los perros y las gallinas, y tan intempestiva que apenas
si hubo tiempo de encontrarle un nombre de mujer en el
desorden de oficiales aterrorizados que me vinieron con
la novedad de que ahora sí fue cierto mi general, a este
país se lo llevó el carajo, pero él ordenó que afirmaran
puertas y ventanas con cuadernas de altura, amarraron
a los centinelas en los corredores, encerraron las gallinas
y las vacas en las oficinas del primer piso, clavaron cada

cosa en su lugar desde la Plaza de Armas hasta el último
lindero de su aterrorizado reino de pesadumbre, la patria
entera quedó anclada en su sitio con la orden inapelable
de que al primer síntoma de pánico disparen dos veces
al aire y a la tercera tiren a matar, y sin embargo nada
resistió al paso de la tremenda cuchilla de vientos giratorios que cortó de un tajo limpio los portones de acero
blindado de la entrada principal y se llevó mis vacas por
los aires, pero él no se dio cuenta en el hechizo del im-
pacto de dónde vino aquel estruendo de lluvias horizontales que dispersaban en su ámbito una granizada volcánica de escombros de balcones y bestias de las selvas del
fondo del mar, ni tuvo bastante lucidez para pensar en
las proporciones tremendas del cataclismo sino que andaba en medio del diluvio preguntándose con el sabor
de almizcle del rencor dónde estarás Manuela Sánchez
de mi mala saliva, carajo, dónde te habrás metido que
no te alcance este desastre de mi venganza. En la rebalsa
de placidez que sucedió al huracán se encontró solo con
sus ayudantes más próximos navegando en una barcaza
de remos en la sopa de destrozos de la sala de audiencias, salieron por la puerta de la cochera remando sin
tropiezos por entre los cabos de las palmeras y los faroles arrasados de la Plaza de Armas, entraron en la laguna
muerta de la catedral y él volvió a padecer por un instante el destello clarividente de que no había sido nunca
ni sería nunca el dueño de todo su poder, siguió morti-
ficado por el relente de aquella certidumbre amarga mientras la barcaza tropezaba con espacios de densidad distinta según los cambios de color de la luz de los vitrales
en la fronda de oro macizo y los racimos de esmeraldas
del altar mayor y las losas funerarias de virreyes enterrados vivos y arzobispos muertos de desencanto y el
promontorio de granito del mausoleo vacío del almirante
de la mar océana con el perfil de las tres carabelas que

él había hecho construir por si quería que sus huesos
reposaran entre nosotros, salimos por el canal del pres-
biterio hacia un patio interior convertido en un acuario
luminoso en cuyo fondo de azulejos erraban las cardú-
menes de mojarras entre las varas de nardos y los girasoles, surcamos los cauces tenebrosos de la clausura del
convento de las vizcaínas, vimos las celdas abandonadas,
vimos el clavicordio a la deriva en la alberca íntima de
la sala de canto, vimos en el fondo de las aguas dormidas
del refectorio a la comunidad completa de vírgenes ahogadas en sus puestos de comer frente a la larga mesa
servida, y vio al salir por los balcones el extenso espacio
lacustre bajo el cielo radiante donde había estado la ciudad y sólo entonces creyó que era cierta la novedad mi
general de que este desastre había ocurrido en el mundo
entero sólo para librarme del tormento de Manuela Sánchez, carajo, qué bárbaros que son los métodos de Dios
comparados con los nuestros, pensaba complacido, contemplando la ciénaga turbia donde había estado la ciudad y en cuya superficie sin límites flotaba todo un mundo de gallinas ahogadas y no sobresalían sino las torres
de la catedral, el foco del faro, las terrazas de sol de las
mansiones de cal y canto del barrio de los virreyes, las
islas dispersas de las colinas del antiguo puerto negrero donde estaban acampados los náufragos del huracán,
los últimos sobrevivientes incrédulos que contemplamos
el paso silencioso de la barcaza pintada con los colores
de la bandera por entre los sargazos de los cuerpos inertes
de las gallinas, vimos los ojos tristes, los labios mustios,
la mano pensativa que hacía señales de cruces de bendición para que cesaran las lluvias y brillara el sol, y de-
volvió la vida a las gallinas ahogadas, y ordenó que ba-
jaran las aguas y las aguas bajaron. En medio de las
campanas de júbilo, los cohetes de fiesta, las músicas de
gloria con que se celebró la primera piedra de la recons-

trucción, y en medio de los gritos de la muchedumbre
que se concentró en la Plaza de Armas para glorificar al
benemérito que puso en fuga al dragón del huracán, alguien lo agarró por el brazo para sacarlo al balcón pues
ahora más que nunca el pueblo necesita su palabra de
aliento, y antes de que pudiera evadirse sintió el clamor unánime que se le metió en las entrañas como un
viento de mala mar, que viva el macho, pues desde el primer día de su régimen conoció el desamparo de ser visto
por toda una ciudad al mismo tiempo, se le petrificaron
las palabras, comprendió en un destello de lucidez mortal que no tenía valor ni lo tendría jamás para asomarse
de cuerpo entero al abismo de las muchedumbres, de
modo que en la Plaza de Armas sólo percibimos la imagen efímera de siempre, el celaje de un anciano inasible
vestido de lienzo que impartió una bendición silenciosa
desde el balcón presidencial y desapareció al instante,
pero aquella visión fugaz nos bastaba para sustentar la
confianza de que él estaba ahí, velando nuestra vigilia y
nuestro sueño bajo los tamarindos históricos de la mansión de los suburbios, estaba absorto en el mecedor de
mimbre, con el vaso de limonada intacto en la mano
oyendo el ruido de los granos de maíz que su madre Bendición Alvarado venteaba en la totuma, viéndola a través de la reverberación del calor de las tres cuando agarró
una gallina cenicienta y se la metió debajo del brazo y le
torcía el pescuezo con una cierta ternura mientras me
decía con una voz de madre mirándome a los ojos que
te estás volviendo tísico de tanto pensar sin alimentarte
bien, quédate a comer esta noche, le suplicó, tratando de
seducirlo con la tentación de la gallina estrangulada que
sostenía con ambas manos para que no se le escapara
en los estertores de la agonía, y él dijo que está bien, madre, me quedo, se quedaba hasta el anochecer con los
ojos cerrados en el mecedor de mimbre, sin dormir, arru-

llado por el suave olor de la gallina hirviendo en la olla,
pendiente del curso de nuestras vidas, pues lo único que
nos daba seguridad sobre la tierra era la certidumbre
de que él estaba ahí, invulnerable a la peste y al ciclón,
invulnerable a la burla de Manuela Sánchez, invulnerable
al tiempo, consagrado a la dicha mesiánica de pensar
para nosotros, sabiendo que nosotros sabíamos que él
no había de tomar por nosotros ninguna determinación
que no tuviera nuestra medida, pues él no había sobrevivido a todo por su valor inconcebible ni por su infinita
prudencia sino porque era el único de nosotros que · conocía el tamaño real de nuestro destino, y hasta ahí había llegado, madre, se había sentado a descansar al término de un arduo viaje en la última piedra histórica de
la remota frontera oriental donde estaban esculpidos el
nombre y las fechas del último soldado muerto en defensa de la integridad de la patria, había visto la ciudad
lúgubre y glacial de la nación contigua, vio la llovizna
eterna, la bruma matinal con olor de hollín, los hombres
vestidos de etiqueta en los tranvías eléctricos, los entierros de alcurnia en las carrozas góticas de percherones
blancos con morriones de plumas, los niños durmiendo
envueltos en periódicos en el atrio de la catedral, carajo,
qué gente tan rara, exclamó, parecen poetas, pero no lo
eran, mi general, son los godos en el poder, le dijeron,
y había vuelto de aquel viaje exaltado por la revelación
de que no hay nada igual a este viento de guayabas podridas y este fragor de mercado y este hondo sentimiento de pesadumbre al atardecer de esta patria de miseria
cuyos linderos no había de trasponer jamás, y no porque
tuviera miedo de moverse de la silla en que estaba sentado, según decían sus enemigos, sino porque un hombre
es como un árbol del monte, madre, como los animales
del monte que no salen de la guarida sino para comer,
decía, evocando con la lucidez mortal del duermevela de la

siesta el soporífero jueves de agosto de hacía tantos años
en que se atrevió a confesar que conocía los límites de su
ambición, se lo había revelado a un guerrero de otras tierras y otra época a quien recibió a solas en la penumbra
ardiente de la oficina, era un joven tímido, aturdido por la
soberbia y señalado desde siempre por el estigma de la soledad, que había permanecido inmóvil en la puerta sin decidirse a franquearla hasta que sus ojos se acostumbraron
a la penumbra perfumada por un brasero de glicinas en el
calor y pudo distinguirlo a él sentado en la poltrona giratoria con el puño inmóvil en la mesa desnuda, tan cotidiano y descolorido que no tenía nada que ver con su imagen
pública, sin escolta y sin armas, con la camisa empapada
por un sudor de hombre mortal y con hojas de salvia
pegadas en las sienes para el dolor de cabeza, y sólo
cuando me convencí de la verdad increíble de que aquel
anciano herrumbroso era el mismo ídolo de nuestra niñez, la encarnación más pura de nuestros sueños de gloria, sólo entonces entró en el despacho y se presentó con
su nombre hablando con la voz clara y firme de quien espera ser reconocido por sus actos, y él me estrechó la
mano con una mano dulce y mezquina, una mano de obispo, y le prestó una atención asombrada a los sueños fabulosos del forastero que quería armas y solidaridad para
una causa que es también la suya, excelencia, quería asistencia logística y sustento político para una guerra sin
cuartel que barriera de una vez por todas con los regí-
menes conservadores desde Alaska hasta la Patagonia, y
él se sintió tan conmovido con su vehemencia que le
había preguntado por qué andas en esta vaina, carajo,
por qué te quieres morir, y el forastero le había respondido sin un vestigio de pudor que no hay gloria más alta
que morir por la patria, excelencia, y él le replicó sonriendo de lástima que no seas pendejo, muchacho, la
patria es estar vivo, le dijo, es esto, le dijo, y abrió el

puño que tenía apoyado en la mesa y le mostró en la palma de la mano esta bolita de vidrio que es algo que se tiene o no se tiene, pero que sólo el que la tiene la tiene, muchacho, esto es la patria, dijo, mientras lo despedía con palmaditas en la espalda sin darle nada, ni siquiera el consuelo de una promesa, y al edecán que le cerró la puerta le ordenó que no volvieran a molestar a ese hombre que acaba de salir, ni siquiera pierdan el tiempo vigilándolo, dijo, tiene fiebre en los cañones, no sirve. Nunca volvimos a oírle aquella frase hasta después del ciclón cuando proclamó una nueva amnistía para los presos políticos y autorizó el regreso de todos los desterrados salvo los hombres de letras, por supuesto, ésos nunca, dijo, tienen fiebre en los cañones como los gallos finos cuando están emplumando de modo que no sirven para nada sino cuando sirven para algo, dijo, son peores que los políticos, peores que los curas, imagínense, pero que vengan los demás sin distinción de color para que la reconstrucción de la patria sea una empresa de todos, para que nadie se quedara sin comprobar que él era otra vez el dueño de todo su poder con el apoyo feroz de unas fuerzas armadas que habían vuelto a ser las de antes desde que él repartió entre los miembros del mando supremo los cargamentos de vituallas y medicinas y los materiales de asistencia pública de la ayuda exterior, desde que las familias de sus ministros hacían domingos de playa en los hospitales desarmables y las tiendas de campaña de la Cruz Roja, le vendían al ministerio de la salud los cargamentos de plasma sanguíneo, las toneladas de leche en polvo que el ministerio de salud le volvía a vender por segunda vez a los hospitales de pobres, los oficiales del estado mayor cambiaron sus ambiciones por los contratos de las obras públicas y los programas de rehabilitación emprendidos con el empréstito de emergencia que concedió el embajador Warren a cambio del

derecho de pesca sin límites de las naves de su país en
nuestras aguas territoriales, qué carajo, sólo el que la
tiene la tiene, se decía, acordándose de la canica de colores que le mostró a aquel pobre soñador de quien nunca
se volvió a saber, tan exaltado con la empresa de la reconstrucción que se ocupaba de viva voz y de cuerpo presente hasta de los detalles más ínfimos como en los tiempos originales del poder, chapaleaba en los pantanos de
las calles con un sombrero y unas botas de cazador de
patos para que no se hiciera una ciudad distinta de la
que él había concebido para su gloria en sus sueños de
ahogado solitario, ordenaba a los ingenieros que me quiten esas casas de aquí y me las pongan allá donde no
estorben, las quitaban, que levanten esa torre dos metros
más para que puedan verse los barcos de altamar, la le-
vantaban, que me volteen al revés el curso de este río, lo
volteaban, sin un tropiezo, sin un vestigio de desaliento,
y andaba tan aturdido con aquella restauración febril,
tan absorto en su empeño y tan desentendido de otros
asuntos menores del estado que se dio de bruces contra
la realidad cuando un edecán distraído le comentó por
error el problema de los niños y él preguntó desde las
nebulosas que cuáles niños, los niños mi general, pero
cuáles carajo, porque hasta entonces le habían ocultado
que el ejército mantenía bajo custodia secreta a los niños
que sacaban los números de la lotería por temor de que
contaran por qué ganaba siempre el billete presidencial,
a los padres que reclamaban les contestaron que no era
cierto mientras concebían una respuesta mejor, les decían que eran infundios de apátridas, calumnias de la
oposición, y a los que se amotinaron frente a un cuartel
los rechazaron con cargas de mortero y hubo una matanza pública que también le habíamos ocultado para no
molestarlo mi general, pues la verdad es que los niños
estaban encerrados en las bóvedas de la fortaleza del

puerto, en las mejores condiciones, con un ánimo exce-
lente y muy buena salud, pero la vaina es que ahora no
sabemos qué hacer con ellos mi general, y eran como
dos mil. El método infalible para ganarse la lotería se le
había ocurrido a él sin buscarlo, observando los números
damasquinados de las bolas de billar, y había sido una
idea tan sencilla y deslumbrante que él mismo no podía
creerlo cuando vio la muchedumbre ansiosa que desbordaba la Plaza de Armas desde el mediodía sacando las
cuentas anticipadas del milagro bajo el sol abrasante con
clamores de gratitud y letreros pintados de gloria eterna
al magnánimo que reparte la felicidad, vinieron músicos
y maromeros, cantinas y fritangas, ruletas anacrónicas y
descoloridas loterías de animales, escombros de otros
mundos y otros tiempos que merodeaban en los contor-
nos de la fortuna tratando de medrar con las migajas
de tantas ilusiones, abrieron el balcón a las tres, hicieron
subir tres niños menores de siete años escogidos al azar
por la propia muchedumbre para que no hubiera dudas
de la honradez del método, le entregaban a cada niño un
talego de un color distinto después de comprobar ante
testigos calificados que había diez bolas de billar numeradas del uno al cero dentro de cada talego, atención,
señoras y señores, la multitud no respiraba, cada niño
con los ojos vendados va a sacar una bola de cada talego,
primero el niño del talego azul, luego el del rojo y por
último el del amarillo, uno después del otro los tres niños
metían la mano en su talego, sentían en el fondo nueve
bolas iguales y una bola helada, y cumpliendo la orden
que les habíamos dado en secreto cogían la bola helada,
se la mostraban a la muchedumbre, la cantaban, y así sacaban las tres bolas mantenidas en hielo durante varios
días con los tres números del billete que él se había
reservado, pero nunca pensamos que los niños podían
contarlo mi general, se nos había ocurrido tan tarde que

no tuvieron otro recurso que esconderlos de tres en tres, y luego de cinco en cinco, y luego de veinte en veinte, imagínese mi general, pues tirando del hilo del enredo él acabó por descubrir que todos los oficiales del mando supremo de las fuerzas de tierra mar y aire estaban implicados en la pesca milagrosa de la lotería nacional, se enteró de que los primeros niños subieron al balcón con la anuencia de sus padres e inclusive entrenados por ellos en la ciencia ilusoria de conocer al tacto los números damasquinados en marfil, pero que a los siguientes los hicieron subir a la fuerza porque se había divulgado el rumor de que los niños que subían una vez no volvían a bajar, sus padres los escondían, los sepultaban vivos mientras pasaban las patrullas de asalto que los buscaban a media noche, las tropas de emergencia no acordonaban la Plaza de Armas para encauzar el delirio público, como a él le decían, sino para tener a raya a las muchedumbres que arriaban como recuas de ganado con amenazas de muerte, los diplomáticos que habían solicitado audiencia para mediar en el conflicto tropezaron con el absurdo de que los propios funcionarios les daban como ciertas las leyendas de sus enfermedades raras, que él no podía recibirlos porque le habían proliferado sapos en la barriga, que no podía dormir sino de pie para no lastimarse con las crestas de iguana que le crecían en las vértebras, le habían escondido los mensajes de protestas y súplicas del mundo entero, le habían ocultado un telegrama del Sumo Pontífice en el que se expresaba nuestra angustia apostólica por el destino de los inocentes, no había espacio en las cárceles para más padres rebeldes mi general, no había más niños para el sorteo del lunes, carajo, en qué vaina nos hemos metido. Con todo, él no midió la verdadera profundidad del abismo mientras no vio a los niños atascados como reses de matadero en el patio interior de la fortaleza del puerto, los vio salir de

las bóvedas como una estampida de cabras ofuscadas por
el deslumbramiento solar después de tantos meses de
terror nocturno, se extraviaron en la luz, eran tantos al
mismo tiempo que él no los vio como dos mil criaturas
separadas sino como un inmenso animal sin forma que
exhalaba un tufo impersonal de pellejo asoleado y hacía
un rumor de aguas profundas y cuya naturaleza múltiple
lo ponía a salvo de la destrucción, porque no era posible
acabar con semejante cantidad de vida sin dejar un rastro de horror que había de darle la vuelta a la tierra,
carajo, no había nada que hacer, y con aquella convicción
reunió al mando supremo, catorce comandantes trémulos
que nunca fueron tan temibles porque nunca estuvieron
tan asustados, se tomó todo su tiempo para escrutar los
ojos de cada uno, uno por uno, y entonces comprendió
que estaba solo contra todos, así que permaneció con la
cabeza erguida, endureció la voz, los exhortó a la unidad
ahora más que nunca por el buen nombre y el honor de
las fuerzas armadas, los absolvió de toda culpa con el
puño cerrado sobre la mesa para que no le conocieran el
temblor de la incertidumbre y les ordenó en consecuencia que continuaran en sus puestos cumpliendo con sus
deberes con tanto celo y tanta autoridad como siempre
lo habían hecho, porque mi decisión superior e irrevocable es que aquí no ha pasado nada, se suspende la sesión,
yo respondo. Como simple medida de precaución sacó a
los niños de la fortaleza del puerto y los mandó en furgones nocturnos a las regiones menos habitadas del país
mientras él se enfrentaba al temporal desatado por la
declaración oficial y solemne de que no era cierto, no
sólo no había niños en poder de las autoridades sino que
no quedaba un solo preso de ninguna clase en las cárceles, el infundio del secuestro masivo era una infamia de
apátridas para turbar los ánimos, las puertas del país
están abiertas para que se establezca la verdad, que ven-

gan a buscarla, vinieron, vino una comisión de la Sociedad de Naciones que removió las piedras más ocultas
del país e interrogó como quiso a quienes quiso con tanta
minuciosidad que Bendición Alvarado había de preguntar
quiénes eran aquellos intrusos vestidos de espiritistas
que entraron en su casa buscando dos mil niños debajo
de las camas, en el canasto de la costura, en los frascos
de pinceles, y que al final dieron fe pública de que habían encontrado las cárceles clausuradas, la patria en
paz, cada cosa en su puesto, y no habían hallado ningún indicio para confirmar la suspicacia pública de que
se hubieran o se hubiese violado de intención o de obra
por acción u omisión los principios de los derechos humanos, duerma tranquilo, general, se fueron, él los despidió desde la ventana con un pañuelo de orillas bordadas y con la sensación de alivio de algo que terminaba
para siempre, adiós, pendejos, mar tranquilo y próspero
viaje, suspiró, se acabó la vaina, pero el general Rodrigo
de Aguilar le recordó que no, que la vaina no se había
acabado porque aún quedan los niños mi general, y él se
dio una palmada en la frente, carajo, lo había olvidado
por completo, qué hacemos con los niños. Tratando de
liberarse de aquel mal pensamiento mientras se le ocurría
una fórmula drástica había hecho que sacaran a los
niños del escondite de la selva y los llevaran en sentido
contrario a las provincias de las lluvias perpetuas donde
no hubiera vientos infidentes que divulgaran sus voces,
donde los animales de la tierra se pudrían caminando y
crecían lirios en las palabras y los pulpos nadaban entre
los árboles, había ordenado que los llevaran a las grutas
andinas de las nieblas perpetuas para que nadie supiera
dónde estaban, que los cambiaran de los turbios noviem-
bres de putrefacción a los febreros de días horizontales
para que nadie supiera cuándo estaban, les mandó perlas
de quinina y mantas de lana cuando supo que tiritaban

de calenturas porque estuvieron días y días escondidos
en los arrozales con el lodo al cuello para que no los
descubrieran los aeroplanos de la Cruz Roja, había hecho
teñir de colorado la claridad del sol y el resplandor de
las estrellas para curarles la escarlatina, los había hecho
fumigar desde el aire con polvos de insecticida para que
no se los comiera el pulgón de los platanales, les mandaba lluvias de caramelos y nevadas de helados de crema
desde los aviones y paracaídas cargados de juguetes de
Navidad para tenerlos contentos mientras se le ocurría
una solución mágica, y así se fue poniendo a salvo del
maleficio de su memoria, los olvidó, se sumergió en la
ciénaga desolada de incontables noches iguales de sus
insomnios domésticos, oyó los golpes de metal de las
nueve, sacó las gallinas que dormían en las cornisas de
la casa civil y las llevó al gallinero, no había acabado
de contar los animales dormidos en los andamios cuando entró una mulata de servicio a recoger los huevos,
sintió la resolana de su edad, el rumor de su corpiño, se
le echó encima, tenga cuidado general, murmuró ella,
temblando, se van a romper los huevos, que se rompan,
qué carajo, dijo él, la tumbó de un zarpazo sin desvestirla
ni desvestirse turbado por las ansias de fugarse de la
gloria inasible de este martes nevado de mierdas verdes
de animales dormidos, resbaló, se despeñó en el vértigo
ilusorio de un precipicio surcado por franjas lívidas de
evasión y efluvios de sudor y suspiros de mujer brava
y engañosas amenazas de olvido, iba dejando en la caída
la curva del retintineo anhelante de la estrella fugaz de
la espuela de oro, el rastro de caliche de su resuello de
marido urgente, su llantito de perro, su terror de existir
a través del destello y el trueno silencioso de la deflagración instantánea de la centella de la muerte, pero en el
fondo del precipicio estaban otra vez los rastrojos caga-
dos, el sueño insomne de las gallinas, la aflicción de

la mulata que se incorporó con el traje embarrado de la
melaza amarilla de las yemas lamentándose de que ya ve
lo que le dije general, se rompieron los huevos, y él re-
zongó tratando de domar la rabia de otro amor sin amor,
apunta cuántos eran, le dijo, te los descuento de tu sueldo, se fue, eran las diez, examinó una por una las encías
de las vacas en los establos, vio a una de sus mujeres
descuartizada de dolor en el suelo de su barraca y vio
a la comadrona que le sacó de las entrañas una criatura
humeante con el cordón umbilical enrollado en el cuello,
era un varón, qué nombre le ponemos mi general, el que
les dé la gana, contestó, eran las once, como todas las
noches de su régimen contó los centinelas, revisó las cerraduras, tapó las jaulas de los pájaros, apagó las luces,
eran las doce, la patria estaba en paz, el mundo dormía,
se dirigió al dormitorio por la casa en tinieblas a través
de las aspas de luz de los amaneceres fugaces de las vueltas del faro, colgó la lámpara de salir corriendo, pasó
las tres aldabas, los tres cerrojos, los tres pestillos, se
sentó en la letrina portátil y mientras exprimía su orina
exigua acariciaba al niño inclemente del testículo herniado hasta que se le enderezó la torcedura, se le durmió en
la mano, cesó el dolor, pero volvió al instante con un relámpago de pánico cuando entró por la ventana el ramala-
zo de un viento de más allá de los confines de los desiertos
de salitre y esparció en el dormitorio el aserrín de una
canción de muchedumbres tiernas que preguntaban por
un caballero que se fue a la guerra que suspiraban qué
dolor qué pena que se subieron a una torre para ver que
viniera que lo vieron volver que ya volvió que bueno en
una caja de terciopelo qué dolor qué duelo, y era un coro
de voces tan numerosas y distantes que él se hubiera
dormido con la ilusión de que estaban cantando las estrellas, pero se incorporó iracundo, ya no más, carajo, gritó,
o ellos o yo, gritó, y fueron ellos, pues antes del amanecer

ordenó que metieran a los niños en una barcaza cargada
de cemento, los llevaron cantando hasta los límites de las
aguas territoriales, los hicieran volar con una carga de
dinamita sin darles tiempo de sufrir mientras seguían
cantando, y cuando los tres oficiales que ejecutaron el
crimen se cuadraron frente a él con la novedad mi general
de que su orden había sido cumplida, los ascendió dos
grados y les impuso la medalla de la lealtad, pero luego
los hizo fusilar sin honor como a delincuentes comunes
porque hay órdenes que se pueden dar pero no se pueden
cumplir, carajo, pobres criaturas. Experiencias tan duras
como ésa confirmaban su muy antigua certidumbre de
que el enemigo más temible estaba dentro de uno mismo
en la confianza del corazón, que los propios hombres que
él armaba y engrandecía para que sustentaran su régimen
acaban tarde o temprano por escupir la mano que les
daba de comer, él los aniquilaba de un zarpazo, sacaba
a otros de la nada, los ascendía a los grados más altos señalándolos con el dedo según los impulsos de su inspiración, tú a capitán, tú a coronel, tú a general, y todos los
demás a tenientes, qué carajo, los veía crecer dentro del
uniforme hasta reventar las costuras, los perdía de vista,
y una casualidad como el descubrimiento de dos mil niños
secuestrados le permitía descubrir que no era sólo un
hombre el que le había fallado sino todo el mando supremo de unas fuerzas armadas que nada más me sirven
para aumentar el gasto de leche y a la hora de las vainas
se cagan en el plato en que acaban de comer, yo que los
parí a todos, carajo, me los saqué de las costillas, había
conquistado para ellos el respeto y el pan, y sin embargo
no tenía un instante de sosiego tratando de ponerse a salvo de su ambición, a los más peligrosos los mantenía más
cerca para vigilarlos mejor, a los menos audaces los mandaba a guarniciones de frontera, por ellos había aceptado
la ocupación de los infantes de marina, madre, y no para

combatir la fiebre amarilla como había escrito el embajador Thompson en el comunicado oficial, ni para que lo
protegieran de la inconformidad pública, como decían
los políticos desterrados, sino para que enseñaran a ser
gente decente a nuestros militares, y así fue, madre, a
cada quien lo suyo, ellos los enseñaron a caminar con
zapatos, a limpiarse con papel, a usar preservativos, fueron ellos quienes me enseñaron el secreto de mantener
servicios paralelos para fomentar rivalidades de distrac-
ción entre la gente de armas, me inventaron la oficina de
seguridad del estado, la agencia general de investigación,
el departamento nacional de orden público y tantas otras
vainas que ni yo mismo las recordaba, organismos iguales
que él hacía aparecer como distintos para reinar con mayor sosiego en medio de la tormenta haciéndoles creer a
unos que estaban vigilados por los otros, revolviéndoles
con arena de playa la pólvora de los cuarteles y embro-
llando la verdad de sus intenciones con simulacros de la
verdad contraria, y sin embargo se alzaban, él irrumpía
en los cuarteles masticando espumarajos de bilis, gritando que se aparten cabrones que aquí viene el que
manda ante el espanto de los oficiales que hacían pruebas
de puntería con mis retratos, que los desarmen, ordenó
sin detenerse pero con tanta autoridad de rabia en la voz
que ellos mismos se desarmaron, que se quiten esa ropa
de hombres, ordenó, se la quitaron, se alzó la base de
San Jerónimo mi general, él entró por la puerta grande
arrastrando sus grandes patas de anciano dolorido a través de una doble fila de guardias insurrectos que le rindieron honores de general jefe supremo, apareció en la
sala del comando rebelde, sin escolta, sin un arma, pero
gritando con una deflagración de poder que se tiren bocabajo en el suelo que aquí llegó el que todo lo puede, a
tierra, malparidos, diecinueve oficiales de estado mayor
se tiraron en el suelo, bocabajo, los pasearon comiendo

tierra por los pueblos del litoral para que vean cuánto
vale un militar sin uniforme, hijos de puta, oyó por encima de los otros gritos del cuartel alborotado sus propias
órdenes inapelables de que fusilen por la espalda a los
promotores de la rebelión, exhibieron los cadáveres colgados por los tobillos a sol y sereno para que nadie se
quedara sin saber cómo terminan los que escupen a Dios,
matreros, pero la vaina no se acababa con esas purgas
sangrientas porque al menor descuido se volvía a encon-
'trar con la amenaza de aquella parásita tentacular que
creía haber arrancado de raíz y que volvía a proliferar
en las galernas de su poder, a la sombra de los privilegios
forzosos y las migajas de autoridad y la confianza de interés que debía acordarles a los oficiales más bravos aun
contra su propia voluntad porque le era imposible mantenerse sin ellos pero también con ellos, condenado para
siempre a vivir respirando el mismo aire que lo asfixiaba,
carajo, no era justo, como tampoco era posible vivir con
el sobresalto perpetuo de la pureza de mi compadre el
general Rodrigo de Aguilar que había entrado en mi oficina con una cara de muerto ansioso de saber qué pasó con
aquellos dos mil niños de mi premio mayor que todo el
mundo dice que los hemos ahogado en el mar, y él dijo
sin inmutarse que no creyera en infundios de apátridas,
compadre, los niños están creciendo en paz de Dios, le
dijo, todas las noches los oigo cantar por ahí, dijo, señalando con un círculo amplio de la mano un lugar indefi-
nido del universo, y al propio embajador Evans lo dejó
envuelto en un aura de incertidumbre cuando le contestó
impasible que no sé de qué niños me está hablando si
el propio delegado de su país ante la Sociedad de Naciones había dado fe pública de que estaban completos y sanos los niños en las escuelas, qué carajo, se acabó la
vaina, y sin embargo no pudo impedir que lo despertaran
a media noche con la novedad mi general de que se ha-

bían alzado las dos guarniciones más grandes del país
y además el cuartel del Conde a dos cuadras de la casa
presidencial, una insurrección de las más temibles enca-
bezada por el general Bonivento Barboza que se había
atrincherado con mil quinientos hombres de tropa muy
bien armados y bien abastecidos con pertrechos compra-
dos de contrabando a través de cónsules adictos a los
políticos de oposición, de modo que las cosas no están
para chuparse el dedo mi general, ahora sí nos llevó el
carajo. En otra época, aquella subversión volcánica habría sido un estímulo para su pasión por el riesgo, pero
él sabía mejor que nadie cuál era el peso verdadero de su
edad, que apenas si le alcanzaba la voluntad para resistir
a los estragos de su mundo secreto, que en las noches
de invierno no conseguía dormir sin antes aplacar en el
cuenco de la mano con un arrullo de ternura de duér-
mete mi cielo al niño de silbidos de dolor del testículo
herniado, que se le iban los ánimos sentado en el retrete
empujando su alma gota a gota como a través de un filtro
entorpecido por el verdín de tantas noches de orinar solitario, que se le descosían los recuerdos, que no acer-
taba a ciencia cierta a conocer quién era quién, ni de
parte de quién, a merced de un destino ineludible en
aquella casa de lástima que hace tiempo hubiera cambiado por otra, lejos de aquí, en cualquier moridero de
indios donde nadie supiera que había sido presidente único de la patria durante tantos y tan largos años que ni
él mismo los había contado, y sin embargo, cuando el
general Rodrigo de Aguilar se ofreció como mediador
para negociar un compromiso decoroso con la subversión no se encontró con el anciano lelo que se quedaba
dormido en las audiencias sino con el antiguo carácter
de bisonte que sin pensarlo un instante contestó que ni
de vainas, que no se iba, aunque no era cuestión de irse
o de no irse sino que todo está contra nosotros mi gene-

ral, hasta la iglesia, pero él dijo que no, la iglesia está
con el que manda, dijo, los generales del mando supremo reunidos desde hacía 48 horas no habían logrado
ponerse de acuerdo, no importa dijo él, ya verás cómo
se deciden cuando sepan quién les paga más, los dirigen-
tes de la oposición civil habían dado por fin la cara y
conspiraban en plena calle, mejor, dijo él, cuelga uno en
cada farol de la Plaza de Armas para que sepan quién es
el que todo lo puede, no hay caso mi general, la gente está
con ellos, mentira, dijo él, la gente está conmigo, de modo
que de aquí no me sacan sino muerto, decidió, golpeando
la mesa con su ruda mano de doncella como sólo lo hacía
en las decisiones finales, y se durmió hasta la hora del
ordeño en que encontró la sala de audiencia convertida
en un muladar, pues los insurrectos del cuartel del Conde
habían catapultado piedras que no dejaron un vidrio intacto en la galería oriental y pelotas de candela que se
metían por las ventanas rotas y mantuvieron la población de la casa en situación de pánico durante la noche
entera, si usted lo hubiera visto mi general, no hemos
pegado el ojo corriendo de un lado para otro con mantas
y galones de agua para sofocar los pozos de fuego que
se prendían en los rincones menos pensados, pero él apenas si ponía atención, ya les dije que no les hagan caso,
decía, arrastrando sus patas de tumba por los corredores de cenizas y piltrafas de alfombras y gobelinos chamuscados, pero van a seguir, le decían, habían mandado a decir que las bolas en llamas eran sólo una advertencia, que después vendrán las explosiones mi general,
pero él atravesó el jardín sin hacer caso de nadie, aspiró
en las últimas sombras el rumor de las rosas acabadas
de nacer, el desorden de los gallos en el viento del mar,
qué hacemos general, ya les dije que no les hagan caso,
carajo, y se fue como todos los días a esa hora a vigilar
el ordeño, de modo que los insurrectos del cuartel del

Conde vieron aparecer como todos los días a esa hora la
carreta de mulas con los seis toneles de leche del establo
presidencial, y estaba en el pescante el mismo carretero
de toda la vida con el mensaje hablado de que aquí les
manda esta leche mi general aunque sigan escupiendo
la mano que les da de comer, lo gritó con tanta inocencia que el general Bonivento Barboza ordenó recibir la
leche con la condición de que antes la probara el carretero para estar seguros de que no estaba envenenada, y
entonces se abrieron los portones de hierro y los mil
quinientos rebeldes asomados a los balcones interiores
vieron entrar la carreta hasta el centro del patio empe-
drado, vieron el ordenanza que subió al pescante con un
jarro y un cucharón para darle a probar la leche al carretero, lo vieron destapar el primer tonel, lo vieron flotando en el remanso efímero de una deflagración deslumbrante, y no vieron nada más por los siglos de los siglos
en el calor volcánico del lúgubre edificio de argamasa
amarilla en el que no hubo jamás una flor, cuyos escombros quedaron suspendidos un instante en el aire por la
explosión tremenda de los seis toneles de dinamita. Ya
está, suspiró él en la casa presidencial, estremecido por
el aliento sísmico que desbarató cuatro casas más alrededor del cuartel y rompió la cristalería nupcial de las ala-
cenas hasta en los extramuros de la ciudad, ya está, suspiró, cuando los furgones de la basura sacaron de los
patios de la fortaleza del puerto los cadáveres de dieciocho oficiales que fueron fusilados de dos en fondo para
economizar munición, ya está, suspiró, cuando el comandante Rodrigo de Aguilar se cuadró frente a él con la
novedad mi general de que no quedaba otra vez en las
cárceles un espacio más para presos políticos, ya está,
suspiró, cuando empezaron las campanas de júbilo, los
cohetes de fiesta, las músicas de gloria que anunciaron
el advenimiento de otros cien años de paz, ya está, cara-

jo, se acabó la vaina, dijo, y se quedó tan convencido, tan descuidado de sí mismo, tan negligente de su seguridad personal que una mañana atravesaba el patio de regreso del ordeño y le falló el instinto para ver a tiempo al falso leproso de aparición que se alzó de entre los rosales para cerrarle el paso en la lenta llovizna de octubre y sólo vio demasiado tarde el destello instantáneo del revólver pavonado, el índice trémulo que empezó a apretar el gatillo cuando él gritó con los brazos abiertos ofreciéndole el pecho, atrévete cabrón, atrévete, deslumbrado por el asombro de que su hora había llegado contra las premoniciones más lúcidas de los lebrillos, dispara si es que tienes cojones, gritó, en el instante imperceptible de vacilación en que se encendió una estrella lívida en el cielo de los ojos del agresor, se marchitaron sus labios, le tembló la voluntad, y entonces él le descargó los dos puños de mazos en los tímpanos, lo tumbó en seco, lo aturdió en el suelo con una patada de mano de pilón en la mandíbula, oyó desde otro mundo el alboroto de la guardia que acudió a sus gritos, pasó a través de la deflagración azul del trueno continuo de las cinco explosiones del falso leproso retorcido en un charco de sangre que se había disparado en el vientre las cinco balas del revólver para que no lo agarraran vivo los interrogadores temibles de la guardia presidencial, oyó sobre los otros gritos de la casa alborotada sus propias órdenes inapelables de que descuartizaran el cadáver para escarmiento, lo hicieron tasajo, exhibieron la cabeza macerada con sal de piedra en la Plaza de Armas, la pierna derecha en el confín oriental de Santa María del Altar, la izquierda en el occidente sin límites de los desiertos de salitre, un brazo en los páramos, el otro en la selva, los pedazos del tronco fritos en manteca de cerdo y expuestos a sol y sereno hasta que se quedaron en el hueso pelado a todo lo ancho y a todo lo azaroso y difícil de este

burdel de negros para que nadie se quedara sin saber
cómo terminan los que levantan la mano contra su padre, y todavía verde de rabia se fue por entre los rosales
que la guardia presidencial expulgaba de leprosos a punta de bayoneta para ver si por fin dan la cara, matreros,
subió a la planta principal apartando a patadas a los
paralíticos a ver si al fin aprenden quién fue el que les
puso a parir sus madres, hijos de puta, atravesó los corredores gritando que se quiten carajo que aquí viene el
que manda por entre el pánico de los oficinistas y los
aduladores impávidos que lo proclamaban el eterno, dejó
a lo largo de la casa el rastro del reguero de piedras de
su resuello de horno, desapareció en la sala de audiencias como un relámpago fugitivo hacia los aposentos privados, entró en el dormitorio, cerró las tres aldabas, los
tres pestillos, los tres cerrojos, y se quitó con la punta
de los dedos los pantalones que llevaba puestos ensopados de mierda. No conoció un instante de descanso
husmeando en su contorno para encontrar al enemigo
oculto que había armado al falso leproso, pues sentía que
era alguien al alcance de su mano, alguien tan próximo
a su vida que conocía los escondrijos de su miel de abejas, que tenía ojos en las cerraduras y oídos en las paredes a toda hora y en todas partes como mis retratos, una
presencia voluble que silbaba en los alisios de enero y lo
reconocía desde el rescoldo de los jazmines en las noches
de calor, que lo persiguió durante meses y meses en el
espanto de los insomnios arrastrando sus pavorosas patas de aparecido por los cuartos mejor traspuestos de la
casa en tinieblas, hasta una noche de dominó en que vio
el presagio materializado en una mano pensativa que
cerró el juego con el doble cinco, y fue como si una voz
interior le hubiera revelado que aquella mano era la
mano de la traición, carajo, éste es, se dijo perplejo, y
entonces levantó la vista a través del chorro de luz de la

lámpara colgada en el centro de la mesa y se encontró
con los hermosos ojos de artillero de mi compadre del
alma el general Rodrigo de Aguilar, qué vaina, su brazo
fuerte, su cómplice sagrado, no era posible, pensaba, tanto más dolorido cuanto más a fondo descifraba la urdimbre de las falsas verdades con que lo habían entretenido
durante tantos años para ocultar la verdad brutal de que
mi compadre de toda la vida estaba al servicio de los
políticos de fortuna que él había sacado por conveniencia
de los trasfondos más oscuros de la guerra federal y los
había enriquecido y abrumado de privilegios fabulosos,
se había dejado usar por ellos, les había tolerado que se
sirvieran de él para encumbrarse hasta donde no lo soñó
la antigua aristocracia barrida por el aliento irresistible
de la ventolera liberal, y todavía querían más, carajo,
querían el sitio de elegido de Dios que él se había reservado, querían ser yo, malparidos, con el camino alumbrado por la lucidez glacial y la prudencia infinita del
hombre que más confianza y más autoridad había logrado acumular bajo su régimen valiéndose de la privanza
de ser la única persona de quien él aceptaba papeles para
firmar, lo hacía leer en voz alta las órdenes ejecutivas y
las leyes ministeriales que sólo yo podía expedir, le indicaba las enmiendas, firmaba con la huella del pulgar y
ponía debajo el sello del anillo que entonces guardaba en
una caja fuerte cuya combinación no conocía nadie más
que él, a su salud, compadre, le decía siempre al entre-
garle los papeles firmados, ahí tiene para que se limpie,
le decía riendo, y era así como el general Rodrigo de
Aguilar había logrado establecer otro sistema de poder
dentro del poder tan dilatado y fructífero como el mío, y
no contento con eso había promovido en la sombra la
insurrección del cuartel del Conde con la complicidad y
la asistencia sin reservas del embajador Norton, su compinche de putas holandesas, su maestro de esgrima, que

había pasado la munición de contrabando en barriles de bacalao de Noruega amparados por la franquicia diplomática mientras me embalsamaba en la mesa de dominó con las velas de incienso de que no había gobierno más amigo, ni más justo y ejemplar que el mío, y eran también ellos quienes habían puesto el revólver en la mano del falso leproso junto con estos cincuenta mil pesos en billetes cortados por la mitad que encontramos enterrados en la casa del agresor, y cuyas otras mitades le serían entregadas después del crimen por mi propio compadre de toda la vida, madre, mire qué vaina tan amarga, y sin embargo no se resignaban al fracaso sino que habían terminado por concebir el golpe perfecto sin derramar una gota de sangre, ni siquiera de la suya mi general, pues el general Rodrigo de Aguilar había acumulado testimonios del mayor crédito de que yo me pasaba las noches sin dormir conversando con los floreros y los óleos de los próceres y los arzobispos de la casa en tinieblas, que les ponía el termómetro a las vacas y les daba de comer fenacetina para bajarles la fiebre, que había hecho construir una tumba de honor para un almirante de la mar océana que no existía sino en mi imaginación febril cuando yo mismo vi con estos mis ojos misericordiosos las tres carabelas fondeadas frente a mi ventana, que había despilfarrado los fondos públicos en el vicio irreprimible de comprar aparatos de ingenio y hasta había pretendido que los astrónomos perturbaran el sistema solar para complacer a una reina de la belleza que sólo había existido en las visiones de su delirio, y que en un ataque de demencia senil había ordenado meter a dos mil niños en una barcaza cargada de cemento que fue dinamitada en el mar, madre, imagínese usted, qué hijos de puta, y era con base en aquellos testimonios solemnes que el general Rodrigo de Aguilar y el estado mayor de las guardias presidenciales en pleno habían decidido internarlo en el

asilo de ancianos ilustres de los acantilados en la media
noche del primero de marzo próximo durante la cena
anual del Santo Ángel Custodio, patrono de los guardaespaldas, o sea dentro de tres días mi general, imagínese,
pero a pesar de la inminencia y el tamaño de la conspi-
ración él no hizo ningún gesto que pudiera suscitar la
sospecha de que la había descubierto, sino que a la hora
prevista recibió como todos los años a los invitados de
su guardia personal y los hizo sentar a la mesa del banquete a tomar los aperitivos mientras llegaba el general
Rodrigo de Aguilar a hacer el brindis de honor, depar-
tió con ellos, se rió con ellos, uno tras otro, en dis-
tracciones furtivas, los oficiales miraban sus relojes, se
los ponían en el oído, les daban cuerda, eran las doce
menos cinco pero el general Rodrigo de Aguilar no lle-
ba, había un calor de caldera de barco perfumado de flores, olía a gladiolos y tulipanes, olía a rosas vivas en la
sala cerrada, alguien abrió una ventana, respiramos, mira-
mos los relojes, sentimos una ráfaga tenue del mar con un
olor de guiso tierno de comida de bodas, todos sudaban
menos él, todos padecimos el bochorno del instante bajo
la lumbre intacta del animal vetusto que parpadeaba
con los ojos abiertos en un espacio propio reservado en
otra edad del mundo, salud, dijo, la mano inapelable de
lirio lánguido volvió a levantar la copa con que había
brindado toda la noche sin beber, se oyeron los ruidos
viscerales de las máquinas de los relojes en el silencio
de un abismo final, eran las doce, pero el general Rodrigo
de Aguilar no llegaba, alguien trató de levantárse, por
favor, dijo, él lo petrificó con la mirada mortal de que
nadie se mueva, nadie respire, nadie viva sin mi permiso
hasta que terminaron de sonar las doce, y entonces se
abrieron las cortinas y entró el egregio general de división Rodrigo de Aguilar en bandeja de plata puesto cuan
largo fue sobre una guarnición de coliflores y laureles,

macerado en especias, dorado al horno, aderezado con el uniforme de cinco almendras de oro de las ocasiones solemnes y las presillas del valor sin límites en la manga del medio brazo, catorce libras de medallas en el pecho y una ramita de perejil en la boca, listo para ser servido en banquete de compañeros por los destazadores oficiales ante la petrificación de horror de los invitados que presenciamos sin respirar la exquisita ceremonia del descuartizamiento y el reparto, y cuando hubo en cada plato una ración igual de ministro de la defensa con relleno de piñones y hierbas de olor, él dio la orden de empezar, buen provecho señores.

Había sorteado tantos escollos de desórdenes telúricos, tantos eclipses aciagos, tantas bolas de candela en el cielo, que parecía imposible que alguien de nuestro tiempo confiara todavía en pronósticos de barajas referidos a su destino. Sin embargo, mientras se adelantaban los trámites para componer y embalsamar el cuerpo, hasta los menos cándidos esperábamos sin confesarlo el cumplimiento de predicciones antiguas, como que el día de su muerte el lodo de los cenegales había de regresar por sus afluentes hasta las cabeceras, que había de llover sangre, que las gallinas pondrían huevos pentagonales, y que el silencio y las tinieblas se volverían a establecer en el universo porque aquél había de ser el término de la creación. Era imposible no creerlo, si los pocos periódicos que aún se publicaban seguían consagrados a proclamar su eternidad y a falsificar su esplendor con materiales de archivo, nos lo mostraban a diario en el tiempo estático de la primera plana con el uniforme tenaz de cinco soles tristes de sus tiempos de gloria, con más autoridad y diligencia y mejor salud que nunca a pesar de que hacía muchos años que habíamos perdido la cuenta de sus años, volvía a inaugurar en los retratos de siempre los monumentos conocidos o instalaciones de servicio público que nadie conocía en la vida real, presidía actos solemnes que se decían de ayer y que en realidad se habían celebrado en el siglo anterior, aunque sabíamos que no era cierto, que nadie lo había visto en público desde la muerte atroz de Leticia Nazareno cuando se quedó solo en aquella casa de nadie mientras los asuntos del gobierno cotidiano seguían andando solos y sólo por la inercia de su poder inmenso de tantos años, se encerró hasta la muerte en el palacio destartalado desde cuyas ventanas más altas contemplábamos con el corazón oprimido el mismo anochecer lúgubre que él debió ver tantas veces desde su trono de ilusiones, veíamos la luz intermitente del faro que inundaba de sus aguas verdes y lánguidas los salones en ruinas, veíamos las lámparas de pobres dentro del cascarón de los que fueron antes los arrecifes de vidrios solares de los ministerios que habían sido invadidos por hordas de pobres cuando las barracas de colores de las colinas del puerto fueron desbaratadas por otro de nuestros tantos ciclones, veíamos abajo la ciudad dispersa y humeante, el horizonte instantáneo de relámpagos pálidos del cráter de ceniza del mar vendido, la primera noche sin él, su vasto imperio lacustre de anémonas de paludismo, sus pueblos de calor en los deltas de los afluentes de lodo, las ávidas cercas de alambre de púa de sus provincias privadas donde proliferaba sin cuento ni medida una especie nueva de vacas magníficas que nacían con la marca hereditaria del hierro presidencial. No solo habíamos terminado por creer de veras que él estaba concebido para sobrevivir al tercer cometa, sino que esa convicción nos había infundido una seguridad y un sosiego que creíamos disimular con toda clase de chistes sobre la vejez, le atribuíamos a él las virtudes seniles de las tortugas y los hábitos de los elefantes, contábamos en las cantinas que alguien había anunciado al consejo de gobierno que él había muerto y que todos los ministros se miraron asustados y se preguntaron asus-

tados que ahora quién se lo va a decir a él, ja, ja, ja, cuando la verdad era que a él no le hubiera importado saberlo
ni hubiera estado muy seguro él mismo de si aquel chiste
callejero era cierto o falso, pues entonces nadie sabía
sino él que sólo le quedaban en las troneras de la memoria unas cuantas piltrafas sueltas de los vestigios del pasado, estaba solo en el mundo, sordo como un espejo,
arrastrando sus densas patas decrépitas por oficinas som-
brías donde alguien de levita y cuello de almidón le había
hecho una seña enigmática con un pañuelo blanco, adiós,
le dijo él, el equívoco se convirtió en ley, los oficinistas de
la casa presidencial tenían que ponerse de pie con un pañuelo blanco cuando él pasaba, los centinelas en los corredores, los leprosos en los rosales lo despedían al pasar
con un pañuelo blanco, adiós mi general, adiós, pero él
no oía, no oía nada desde los lutos crepusculares de Leticia Nazareno cuando pensaba que a los pájaros de sus
jaulas se les estaba gastando la voz de tanto cantar y les
daba de comer de su propia miel de abejas para que cantaran más alto, les echaba gotas de cantorina en el pico
con un gotero, les cantaba canciones de otra época, fúlgida luna del mes de enero, cantaba, pues no se daba cuenta de que no eran los pájaros que estuvieran perdiendo la
fuerza de la voz sino que era él que oía cada vez menos, y
una noche el zumbido de los tímpanos se rompió en pedazos, se acabó, se quedó convertido en un aire de argamasa
por donde pasaban apenas los lamentos de adioses de los
buques ilusorios de las tinieblas del poder, pasaban vientos imaginarios, bullarangas de pájaros interiores que
acabaron por consolarlo del abismo del silencio de los
pájaros de la realidad. Las pocas personas que entonces
tenían acceso a la casa civil lo veían en el mecedor de
mimbre sobrellevando el bochorno de las dos de la tarde
bajo el cobertizo de trinitarias, se había desabotonado
la guerrera, se había quitado el sable con el cinturón de

los colores de la patria, se había quitado las botas pero
se dejaba puestas las medias de púrpura de las doce doce-
nas que le mandó el Sumo Pontífice de sus calceteros privados, las niñas de un colegio vecino que se encaramaban
por las tapias traseras donde la guardia era menos rígida
lo habían sorprendido muchas veces en aquel sopor insomne, pálido, con hojas de medicina pegadas en las sienes, atigrado por los charcos de luz del cobertizo en un
éxtasis de mantarraya bocarriba en el fondo de un estanque, viejo guanábano, le gritaban, él las veía distor-
sionadas por la bruma de la reverberación del calor, les
sonreía, las saludaba con la mano sin el guante de raso,
pero no las oía, sentía el tufo de lodo de camarones de
la brisa del mar, sentía el picoteo de las gallinas en los
dedos de los pies, pero no sentía el trueno luminoso de las
chicharras, no oía a las niñas, no oía nada. Sus únicos
contactos con la realidad de este mundo eran entonces
unas cuantas piltrafas sueltas de sus recuerdos más grandes, sólo ellos lo mantuvieron vivo después de que se
despojó de los asuntos del gobierno y se quedó nadando
en el estado de inocencia del limbo del poder, sólo con
ellos se enfrentaba al soplo devastador de sus años exce-
sivos cuando deambulaba al anochecer por la casa desierta, se escondía en las oficinas apagadas, arrancaba los
márgenes de los memoriales y en ellos escribía con su
letra florida los residuos sobrantes de los últimos recuerdos que lo preservaban de la muerte, una noche había
escrito que me llamo Zacarías, lo había vuelto a leer bajo
el resplandor fugitivo del faro, lo había leído otra vez
muchas veces y el nombre tantas veces repetido terminó
por parecerle remoto y ajeno, qué carajo, se dijo, haciendo trizas la tira de papel, yo soy yo, se dijo, y escribió
en otra tira que había cumplido cien años por los tiempos en que volvió a pasar el cometa aunque entonces no
estaba seguro de cuántas veces lo había visto pasar, y

escribió de memoria en otra tira más larga honor al
herido y honor a los fieles soldados que muerte encontraron por mano extranjera, pues hubo épocas en que
escribía todo lo que pensaba, todo lo que sabía, escribió
en un cartón y lo clavó con alfileres en la puerta de un
retrete que estaba prohibido haser porcerías en los escu-
sados porque había abierto esa puerta por error y había
sorprendido a un oficial de alto rango masturbándose en
cuclillas sobre la letrina, escribía las pocas cosas que recordaba para estar seguro de no olvidarlas nunca, Leticia Nazareno, escribía, mi única y legítima esposa que lo
había enseñado a leer y escribir en la plenitud de la
vejez, hacía esfuerzos por evocar su imagen pública, quería volver a verla con la sombrilla de tafetán con los colores de la bandera y su cuello de colas de zorros pla-
teados de primera dama, pero sólo conseguía recordarla
desnuda a las dos de la tarde bajo la luz de harina del
mosquitero, se acordaba del lento reposo de tu cuerpo
manso y lívido en el zumbido del ventilador eléctrico,
sentía tus tetas vivas, tu olor de perra, el humor corro-
sivo de tus manos feroces de novicia que cortaban la leche
y oxidaban el oro y marchitaban las flores, pero eran
buenas manos para el amor, porque sólo ella había al-
canzado el triunfo inconcebible de que te quites las botas
que me ensucias mis sábanas de bramante, y él se las
quitaba, que te quites los arneses que me lastimas el
corazón con las hebillas, y él se los quitaba, que te quites
el sable, y el braguero, y las polainas, que te quites todo
mi vida que no te siento, y él se quitaba todo para ti
como no lo había hecho antes ni había de hacerlo nunca
con ninguna mujer después de Leticia Nazareno, mi único
y legítimo amor, suspiraba, escribía los suspiros en las
tiras de memoriales amarillentos que enrollaba como
cigarrillos para esconderlos en los resquicios menos
pensados de la casa donde sólo él pudiera encontrarlos

para acordarse de quién era él mismo cuando ya no pudiera acordarse de nada, donde nadie los encontró jamás cuando inclusive la imagen de Leticia Nazareno acabó de escurrirse por los desaguaderos de la memoria y sólo quedó el recuerdo indestructible de su madre Bendición Alvarado en las tardes de adioses de la mansión de los suburbios, su madre moribunda que convocaba a las gallinas haciendo sonar los granos de maíz en una totuma para que él no advirtiera que se estaba muriendo, que le seguía llevando las aguas de frutas a la hamaca colgada entre los tamarindos para que él no sospechara que apenas si podía respirar de dolor, su madre que lo había concebido sola, que lo había parido sola, que se estuvo pudriendo sola hasta que el sufrimiento solitario se hizo tan intenso que fue más fuerte que el orgullo y tuvo que pedirle al hijo que me mires la espalda para ver por qué siento este fulgor de brasas que no me deja vivir, y se quitó la camisola, se volvió, y él contempló con un horror callado las espaldas maceradas por las úlceras humeantes en cuya pestilencia de pulpa de guayaba se reventaban las burbujas minúsculas de las primeras larvas de los gusanos. Malos tiempos aquellos mi general, no había secretos de estado que no fueran de dominio público, no había orden que se cumpliera a ciencia cierta desde que fue servido en mesa de gala el cadáver exquisito del general Rodrigo de Aguilar, pero a él no le importaba, no le importaron los tropiezos del poder durante los meses amargos en que su madre se pudrió a fuego lento en un dormitorio contiguo al suyo después de que los médicos más entendidos en flagelos asiáticos dictaminaron que su enfermedad no era la peste, ni la sarna, ni el pian, ni ninguna otra plaga de Oriente sino algún maleficio de indios que sólo podía ser curado por quien lo hubiera infundido, y él comprendió que era la muerte y se encerró a ocuparse de su madre con una ab-

negación de madre, se quedó a pudrirse con ella para
que nadie la viera cocinándose en su caldo de larvas, ordenó que le llevaran sus gallinas a la casa civil, le llevaron
los pavorreales, los pájaros pintados que andaban a su
antojo por salones y oficinas para que su madre no fuera
a extrañar los trajines campestres de la mansión de los
suburbios, él mismo quemaba los troncos de bija en el
dormitorio para que nadie percibiera el tufo de mortecina
de la madre moribunda, él mismo consolaba con mante-
cas germicidas el cuerpo colorado del mercurio cromo,
amarillo del pícrico, azul del metileno, él mismo embadurnaba de bálsamos turcos las úlceras humeantes contra el
criterio del ministro de la salud que tenía horror de los
maleficios, qué carajo, madre, mejor si nos morimos juntos, decía, pero Bendición Alvarado era consciente de ser
la única que se estaba muriendo y trataba de revelarle
al hijo los secretos de familia que no quería llevarse a la
tumba, le contaba cómo le echaron su placenta a los
cochinos, señor, como fue que nunca pude establecer
cuál de tantos fugitivos de vereda había sido tu padre,
trataba de decirle para la historia que lo había engen-
drado de pie y sin quitarse el sombrero por el tormento
de las moscas metálicas de los pellejos de melaza fer-
mentada de una trastienda de cantina, lo había parido
mal en un amanecer de agosto en el zaguán de un monasterio, lo había reconocido a la luz de las arpas melancólicas de los geranios y tenía el testículo derecho del tamaño de un higo y se vaciaba como un fuelle y exhalaba
un suspiro de gaita con la respiración, lo desenvolvía de
los trapos que le regalaron las novicias y lo mostraba en
las plazas de feria por si acaso encontraba alguien que
conociera algún remedio mejor y sobre todo más barato
que la miel de abejas que era lo único que le recomen-
daban para su mala formación, la entretenían con fórmulas de consuelo, que no hay que anticiparse al destino, le

decían, que al fin y al cabo el niño era bueno para todo
menos para tocar instrumentos de viento, le decían, y
sólo una adivina de circo cayó en la cuenta de que el
recién nacido no tenía líneas en la palma de la mano y
eso quería decir que había nacido para rey, y así era,
pero él no le ponía atención, le suplicaba que se durmiera sin escarbar en el pasado porque le resultaba más
cómodo creer que aquellos tropiezos de la historia patria
eran delirios de la fiebre, duérmase, madre, le suplicaba,
la envolvía de pies a cabeza con una sábana de lino de
las muchas que había hecho fabricar a propósito para no
lastimar sus llagas, la ponía a dormir de costado con la
mano en el corazón, la consolaba con que no se acuerde
de vainas tristes, madre, de todos modos yo soy yo, duerma despacio. Habían sido inútiles las muchas y arduas
diligencias oficiales para aplacar el ruido público de que
la matriarca de la patria se estaba pudriendo en vida, di-
vulgaban cédulas médicas inventadas, pero los propios
estafetas de los bandos confirmaban que era cierto lo que
ellos mismos desmentían, que los vapores de la corrupción eran tan intensos en el dormitorio de la moribunda
que habían espantado hasta a los leprosos, que degolla-
ban carneros para bañarla con la sangre viva, que sacaban sábanas ensopadas de una materia tornasol que fluía
de sus llagas y por mucho que las lavaran no conseguían
devolverles su esplendor original, que nadie había vuelto
a verlo a él en los establos de ordeño ni en los cuartos
de las concubinas donde siempre lo habían visto al amanecer aun en los tiempos peores, el propio arzobispo primado se había ofrecido para administrar los últimos sacramentos a la moribunda pero él lo había plantado en
la puerta, nadie se está muriendo, padre, no crea en rumores, le dijo, compartía la comida con su madre en el
mismo plato con la misma cuchara a pesar del aire de
dispensario de peste que se respiraba en el cuarto, la

bañaba antes de acostarla con el jabón del perro agradecido mientras el corazón se le paraba de lástima por las instrucciones que ella impartía con sus últimas hilachas de voz sobre el cuidado de los animales después de su muerte, que no desplumaran a los pavorreales para hacer sombreros, sí madre, decía él, y le daba una mano de creolina por todo el cuerpo, que no obliguen a cantar a los pájaros en las fiestas, sí madre, y la envolvía en la sábana de dormir, que saquen las gallinas de los nidos cuando esté tronando para que no empollen basiliscos, sí madre, y la acostaba con la mano en el corazón, sí madre, duerma despacio, la besaba en la frente, dormía las pocas horas que le quedaban tirado bocabajo junto a la cama, pendiente de las derivas de su sueño, pendiente de los delirios interminables que se iban haciendo más lúcidos a medida que se acercaban a la muerte, aprendiendo con sus rabias acumuladas de cada noche a soportar la rabia inmensa del lunes de dolor en que lo despertó el silencio terrible del mundo al amanecer y era que su madre de mi vida Bendición Alvarado había acabado de respirar, y entonces desenvolvió el cuerpo nauseabundo y vio en el resplandor tenue de los primeros gallos que había otro cuerpo idéntico con la mano en el corazón pintado de perfil en la sábana, y vio que el cuerpo pintado no tenía grietas de peste ni estragos de vejez sino que era macizo y terso como pintado al óleo por ambos lados del sudario y exhalaba una fragancia natural de flores tiernas que purificó el ámbito de hospital del dormitorio y por mucho que lo restregaron con caliche y lo hirvieron en lejía no consiguieron borrarlo de la sábana porque estaba integrado por el derecho y por el revés con la propia materia del lino, y era lino eterno, pero él no había tenido serenidad para medir el tamaño de aquel prodigio sino que abandonó el dormitorio con un portazo de rabia que sonó como un disparo en el ámbito de la casa, y en-

tonces empezaron las campanas de duelo en la catedral
y después las de todas las iglesias y después las de toda la
nación que doblaron sin pausas durante cien días, y quienes despertaron por las campanas comprendieron sin ilusiones que él era otra vez el dueño de todo su poder y
que el enigma de su corazón oprimido por la rabia de la
muerte se levantaba con más fuerza que nunca contra
las veleidades de la razón y la dignidad y la indulgencia,
porque su madre de mi vida Bendición Alvarado había
muerto en aquella madrugada del lunes veintitrés de
febrero y un nuevo siglo de confusión y de escándalo empezaba en el mundo. Ninguno de nosotros era bastante
viejo para dar testimonio de aquella muerte, pero el estruendo de los funerales había llegado hasta nuestro
tiempo y teníamos noticias verídicas de que él no volvió
a ser el mismo de antes por el resto de su vida, nadie
tuvo el derecho de perturbar sus insomnios de huérfano
durante mucho más de los cien días del luto oficial, no
se le volvió a ver en la casa de dolor cuyo ámbito había
sido desbordado por las resonancias inmensas de las campanas fúnebres, no se daban más horas que las de su
duelo, se hablaba con suspiros, la guardia doméstica andaba descalza como en los años originales de su régimen
y sólo las gallinas pudieron hacer lo que quisieron en la
casa prohibida cuyo monarca se había vuelto invisible,
se desangraba de rabia en el mecedor de mimbre mientras su madre de mi alma Bendición Alvarado andaba
por esos peladeros de calor y miseria dentro de un ataúd
lleno de aserrín y hielo picado para que no se pudriera
más de lo que estuvo en vida, pues se habían llevado el
cuerpo en procesión solemne hasta los confines menos
explorados de su reino para que nadie se quedara sin el
privilegio de honrar su memoria, se lo llevaron con himnos de vientos de crespones oscuros hasta las estaciones
de los páramos donde lo recibieron con las mismas mú-

sicas lúgubres las mismas muchedumbres taciturnas que
en otros tiempos de gloria habían venido a conocer el
poder oculto en la penumbra del vagón presidencial, exhibieron el cuerpo en el monasterio de caridad donde una
pajarera nómada en el principio de los tiempos había parido mal a un hijo de nadie que llegó a ser rey, abrieron
los portones del santuario por primera vez en un siglo,
soldados de a caballo hacían redadas de indios en los
pueblos, los arriaban secuestrados, los metían a culatazos en la vasta nave afligida por los soles helados de los
vitrales donde nueve obispos de pontifical cantaban oficios de tinieblas, duerme en paz en tu gloria, cantaban
los diáconos, los acólitos, descansa en tus cenizas, cantaban, afuera llovía en los geranios, las novicias repartieron guarapo con panes de difuntos, vendieron costillas de cerdo, camándulas, frascos de agua bendita bajo
las arcadas de piedra de los patios, había música en las
cantinas de las veredas, había pólvora, se bailaba en los
zaguanes, era domingo, ahora y siempre, eran años de
fiesta en las trochas de prófugos y los desfiladeros de
niebla por donde su madre de mi muerte Bendición Alvarado había pasado en vida persiguiendo al hijo embullado
con la ventolera federal, pues ella lo había cuidado en la
guerra, había impedido que le caminaran encima las
mulas de la tropa cuando se derrumbaba por los suelos
enrollado en una manta, sin sentido, hablando disparates
por la calentura de las tercianas, ella le había tratado de
inculcar su miedo ancestral por los peligros que acechan
a la gente de los páramos en las ciudades del mar tenebroso, tenía miedo de los virreyes, de las estatuas, de
los cangrejos que se bebían las lágrimas de los recién
nacidos, había temblado de pavor ante la majestad de la
casa del poder que conoció a través de la lluvia la noche
del asalto sin haber imaginado entonces que era la casa
donde había de morir, la casa de soledad donde él estaba,

donde se preguntaba con el calor de la rabia tirado bocabajo en el suelo dónde carajo te has metido, madre,
en qué manglar de tarulla se habrá enredado tu cuerpo,
quién te espanta las mariposas de la cara, suspiraba, postrado de dolor, mientras su madre Bendición Alvarado
navegaba bajo un palio de hojas de plátano entre los vapores nauseabundos de los cenagales para ser exhibida
en las escuelas públicas de vereda, en los cuarteles de los
desiertos de salitre, en los corrales de indios, la mostraban en las casas principales junto con un retrato de cuando era joven, era lánguida, era hermosa, se había puesto
una diadema en la frente, se había puesto una gola de encajes contra su voluntad, se había dejado poner talco en
la cara y carmín en los labios por esa única vez, le pusieron un tulipán de seda en la mano para que lo tuviera
así, así no, señora, así, descuidado en el regazo, cuando
el fotógrafo veneciano de los monarcas europeos le tomó
el retrato oficial de primera dama que mostraban junto
con el cadáver como una prueba final contra cualquier
sospecha de suplantación, y eran idénticos, pues no se
había dejado nada al azar, el cuerpo iba siendo recons-
truido en diligencias secretas a medida que se le des-
barataba el cosmético y la piel agrietada de parafina se
le derretía con el calor, le quitaban el musgo de los
párpados en las épocas de lluvia, las costureras militares
mantenían el vestido de muerta como si hubiera sido
puesto ayer y conservaban en estado de gracia la corona
de azahares y el velo de novia virgen que nunca tuvo en
vida, para que nadie en este burdel de idólatras se atreviera a repetir nunca que eres distinta de tu retrato, madre, para que nadie olvide quién es el que manda por
los siglos de los siglos hasta en los caseríos más indigen-
tes de los médanos de la selva donde al cabo de tantos
años de olvido vieron volver a media noche el vetusto
buque fluvial de rueda de madera con todas las luces en-

cendidas y lo recibieron con tambores pascuales creyendo
que habían vuelto los tiempos de gloria, que viva el macho, gritaban, bendito el que viene en nombre de la
verdad, gritaban, se echaban al agua con los armadillos
cebados, con una ahuyama del tamaño de un buey, se
encaramaban por los barandales de encajes de madera
para brindarle tributos de sumisión al poder invisible
cuyos dados decidían el azar de la patria y se quedaban
sin aliento ante el catafalco de hielo picado y sal de piedra repetido en las lunas atónitas de los espejos del comedor presidencial, expuesto al juicio público bajo los
ventiladores de aspas del arcaico buque de placer que
anduvo meses y meses por entre las islas efímeras de
los afluentes ecuatoriales hasta que se extravió en una
edad de pesadilla en que las gardenias tenían uso de razón
y las iguanas volaban en las tinieblas, se terminó el mundo, la rueda de madera encalló en arenales de oro, se
rompió, se fundió el hielo, se corrompió la sal, el cuerpo
tumefacto quedó flotando a la deriva en una sopa de aserrín, y sin embargo no se pudrió, sino todo lo contrario
mi general, pues entonces la vimos abrir los ojos y vimos
que sus pupilas eran diáfanas y tenían el color del acónito
en enero y su misma virtud de piedra lunar, y aun los
más incrédulos habíamos visto empañarse la cubierta de
vidrio del catafalco con el vapor de su aliento y habíamos visto que de sus poros manaba un sudor vivo y
fragante, y la vimos sonreír. Usted no puede imaginarse
como fue aquello mi general, fue el despelote, hemos
visto parir a las mulas, hemos visto crecer flores en el
salitre, hemos visto a los sordomudos aturdidos por el
prodigio de sus propios gritos de milagro, milagro, milagro, hicieron polvo los vidrios del ataúd mi general y por
poco no volvieron tasajo el cadáver para repartirse las
reliquias, así que hemos tenido que disponer de un ba-
tallón de granaderos contra el fervor de las muchedum-

bres frenéticas que estaban llegando en tumulto desde
el semillero de islas del Caribe cautivadas por la noticia
de que el alma de su madre Bendición Alvarado había
obtenido de Dios la facultad de contrariar las leyes de
la naturaleza, vendían hilos de la mortaja, vendían escapularios, aguas de su costado, estampitas con su retrato
de reina, pero era una turbamulta tan descomunal y
atolondrada que más bien parecía un torrente de bueyes
indómitos cuyas pezuñas devastaban cuanto encontraban
a su paso y hacían un estruendo de temblor de tierra
que hasta usted mismo puede oírlo desde aquí si escucha
con atención mi general, óigalo, y él se puso la mano en
pantalla detrás de la oreja que le zumbaba menos, escuchó con atención, y entonces oyó, madre mía Bendición Alvarado, oyó el trueno sin término, vio la ciénaga
en ebullición de la vasta muchedumbre dilatada hasta
el horizonte del mar, vio el torrente de velas encendidas
que arrastraban otro día más radiante dentro de la claridad radiante del mediodía, pues su madre de mi alma
Bendición Alvarado regresaba a la ciudad de sus antiguos
terrores como había llegado la primera vez con la marabunta de la guerra, con el olor a carne cruda de la
guerra, pero liberada para siempre de los riesgos del
mundo porque él había hecho arrancar de las cartillas
de las escuelas las páginas sobre los virreyes para que
no existieran en la historia, había prohibido las estatuas
que te perturbaban el sueño, madre, de modo que ahora
regresaba sin sus miedos congénitos en hombros de una
muchedumbre de paz, regresaba sin ataúd, a cielo abierto, en un aire vedado a las mariposas, abrumada por el
peso del oro de los exvotos que le habían colgado en el
viaje interminable desde los confines de la selva a través
de su vasto y convulsionado reino de pesadumbre, escondida bajo el montón de muletitas de oro que le colgaban
los paralíticos restaurados, las estrellas de oro de los

náufragos, los niños de oro de las estériles incrédulas
que habían tenido que parir de urgencia detrás de los matorrales, como en la guerra, mi general, navegando al garete en el centro del torrente arrasador de la mudanza
bíblica de toda una nación que no encontraba dónde poner sus chécheres de cocina, sus animales, los restos de
una vida sin más esperanzas de redención que las mismas
oraciones secretas que Bendición Alvarado rezaba durante los combates para torcer el rumbo de las balas que dis-
paraban contra su hijo, como había venido él en el tumulto de la guerra con un trapo colorado en la cabeza
gritando en las treguas de los delirios de las calenturas
que viva el partido liberal carajo, viva el federalismo
triunfante, godos de mierda, aunque arrastrado en realidad por la curiosidad atávica de conocer el mar, sólo que
la muchedumbre de miseria que había invadido la ciudad
con el cuerpo de su madre era mucho más turbulenta y
frenética que cuantas devastaron el país en la aventura
de la guerra federal, más voraz que la marabunta, más
terrible que el pánico, la más tremenda que habían visto
mis ojos en todos los días de los años innumerables de su
poder, el mundo entero mi general, mire, qué maravilla.
Convencido por la evidencia, él salió al fin de las brumas
de su duelo, salió pálido, duro, con una banda negra
en el brazo, resuelto a utilizar todos los recursos de su
autoridad para conseguir la canonización de su madre
Bendición Alvarado con base en las pruebas abrumado-
ras de sus virtudes de santa, mandó a Roma a sus ministros de letras, volvió a invitar al nuncio apostólico a
tomar chocolate con galletitas en los pozos de luz de
cobertizo de trinitarias, lo recibió en familia, él acostado
en la hamaca, sin camisa, abanicándose con el sombrero
blanco, y el nuncio sentado frente a él con la taza de
chocolate ardiente, inmune al calor y al polvo dentro
del aura de espliego de la sotana dominical, inmune al

desaliento del trópico, inmune a las cagadas de los pájaros de la madre muerta que volaban sueltos en los pozos
de agua solar del cobertizo, tomaba a sorbos contados
el chocolate de vainilla, masticaba las galletitas con un
pudor de novia tratando de demorar el veneno ineludible
del último sorbo, rígido en la poltrona de mimbre que él
no le concedía a nadie, sólo a usted, padre, como en
aquellas tardes malvas de los tiempos de gloria en que
otro nuncio viejo y cándido trataba de convertirlo a la
fe de Cristo con acertijos escolásticos de Tomás de Aqui-
no, no más que ahora soy yo el que lo llama a usted
para convertirlo, padre, las vueltas que da el mundo,
porque ahora creo, dijo, y lo repitió sin pestañear, ahora
creo, aunque en realidad no creía nada de este mundo ni
de ningún otro salvo que su madre de mi vida tenía derecho a la gloria de los altares por los méritos propios
de su vocación de sacrificio y su modestia ejemplar,
tanto que él no fundaba su solicitud en los aspavien-
tos públicos de que la ˙estrella polar se movía en el
sentido del cortejo fúnebre y los instrumentos de cuerda
se tocaban solos dentro de los armarios cuando sentían
pasar el cadáver sino que la fundaba en la virtud de
esta sábana que desplegó a toda vela en el esplendor de
agosto para que el nuncio viera lo que en efecto vio impreso en la textura del lino, vio la imagen de su madre
Bendición Alvarado sin trazas de vejez ni estragos de
peste acostada de perfil con la mano en el corazón, sintió
en los dedos la humedad del sudor eterno, aspiró la fragancia de flores vivas en medio del escándalo de los
pájaros alborotados por el soplo del prodigio, ya ve qué
maravilla, padre, decía él, mostrando la sábana al derecho y al revés, hasta los pájaros la conocen, pero el
nuncio estaba absorto en el lienzo con una atención in-
cisiva que había sido capaz de descubrir impurezas de
ceniza volcánica en la materia trabajada por los grandes

maestros de la cristiandad, había conocido las grietas
de un carácter y hasta las dudas de una fe por la intensidad de un color, había padecido el éxtasis de la redon-
dez de la tierra tendido bocarriba bajo la cúpula de una
capilla solitaria de una ciudad irreal donde el tiempo
no trascurría sino que flotaba, hasta que tuvo valor para
apartar los ojos de la sábana al cabo de una contemplación profunda y dictaminó con un tono dulce pero irreparable que el cuerpo estampado en el lino no era un
recurso de la Divina Providencia para darnos una prueba
más de su misericordia infinita, ni eso ni mucho menos,
excelencia, era la obra de un pintor muy diestro en las
buenas y en las malas artes que había abusado de la
grandeza de corazón de su excelencia, porque aquello no
era óleo sino pintura doméstica de la más indigna, sapolín de pintar ventanas, excelencia, debajo del aroma
de las resinas naturales que habían disuelto en la pintura quedaba todavía el relente bastardo de la trementina, quedaban costras de yeso, quedaba una humedad
persistente que no era el sudor del último escalofrío de
la muerte como le habían hecho creer a él sino la humedad de artificio del lino saturado de aceite de linaza y
escondido en lugares oscuros, créame que lo lamento,
concluyó el nuncio con un pesar legítimo, pero no acertó
a decir más ante el anciano granítico que lo observaba sin
parpadear desde la hamaca, que lo había escuchado desde el limo de sus lúgubres silencios asiáticos sin mover
siquiera la boca para contradecirlo a pesar de que nadie
conocía mejor que él la verdad del prodigio secreto de
la sábana en que yo mismo te envolví con mis propias
manos, madre, yo me asusté con el primer silencio de tu
muerte que fue como si el mundo hubiera amanecido
en el fondo del mar, yo vi el milagro, carajo, pero a pesar
de su certidumbre no interrumpió el veredicto del nuncio, apenas parpadeó dos veces sin cerrar los ojos como

las iguanas, apenas sonrió, está bien, padre, suspiró al fin, será como usted dice, pero le advierto que usted carga con el peso de sus palabras, se lo repito letra por letra para que no lo olvide en el resto de su larga vida que usted carga con el peso de sus palabras, padre, yo no respondo. El mundo permaneció en un sopor durante aquella semana de malos presagios en que él no se levantó de la hamaca ni para comer, se espantaba con el abanico a los pájaros amaestrados que se le paraban en el cuerpo, se espantaba los lamparones de luz de las trinitarias creyendo que eran pájaros amaestrados, no recibió a nadie, no dio una orden, pero la fuerza pública se mantuvo impasible cuando las turbas de fanáticos a sueldo asaltaron el palacio de la Nunciatura Apostólica, saquearon el museo de reliquias históricas, sorprendieron al nuncio haciendo la siesta a la intemperie en el remanso del jardín interior, lo sacaron desnudo a la calle, se le cagaron encima mi general, imagínese, pero él no se movió de la hamaca, ni siquiera parpadeó cuando le vinieron con la novedad mi general de que al nuncio lo estaban paseando en un burro por las calles del comercio bajo un chaparrón de lavazas de cocina que le vaciaban desde los balcones, le gritaban mano pancha, miss vaticano, dejad que los niños vengan a mí, y sólo cuando lo abandonaron medio muerto en el muladar del mercado público él se incorporó de la hamaca apartándose los pájaros a manotadas, apareció en la sala de audiencias apartando a manotadas las telarañas del duelo con el brazal de luto y los ojos abotagados de mal dormir, y entonces dio la orden de que pusieran al nuncio en una balsa de náufrago con provisiones para tres días y lo dejaran al garete en la ruta de los cruceros de Europa para que todo el mundo sepa cómo terminan los forasteros que levantan la mano contra la majestad de la patria, y que hasta el papa aprenda desde ahora y para siempre que podrá ser muy papa en Roma con su anillo al dedo en su poltrona de oro, pero que aquí yo soy el que soy yo, carajo, pollerones de mierda. Fue un recurso eficaz, pues antes del fin de aquel año se instauró el proceso de canonización de su madre Bendición Alvarado cuyo cuerpo incorrupto fue expuesto a la veneración pública en la nave mayor de la basílica primada, cantaron gloria en los altares, se derogó el estado de guerra que él había proclamado contra la Santa Sede, viva la paz, gritaban las muchedumbres en la Plaza de Armas, viva Dios, gritaban, mientras él recibía en audiencia solemne al auditor de la Sagrada Congregación del Rito y promotor y postulador de la fe, monseñor Demetrio Aldous, conocido como el eritreno, a quien se había encomendado la misión de escudriñar la vida de Bendición Alvarado hasta que no quedara ni el menor rastro de duda en la evidencia de su santidad, hasta donde usted quiera, padre, le dijo él, reteniendo su mano entre la suya, pues había experimentado una confianza inmediata en aquel abisinio cetrino que amaba la vida por encima de todas las cosas, comía huevos de iguana, mi general, le encantaban las peleas de gallo, el humor de las mulatas, la cumbia, como a nosotros mi general, la misma vaina, así que las puertas mejor guardadas se abrieron sin reservas por orden suya para que el escrutinio del abogado del diablo no encontrara tropiezos de ninguna índole, porque nada había oculto como nada había invisible en su desmesurado reino de pesadumbre que no fuera una prueba irrefutable de que su madre de mi alma Bendición Alvarado estaba predestinada a la gloria de los altares, la patria es suya, padre, ahí la tiene, y ahí la tuvo, por supuesto, la tropa armada impuso el orden en el palacio de la Nunciatura Apostólica frente al cual amanecían las filas incontables de lazarinos restaurados que vinieron a mostrar la piel recién nacida sobre

las llagas, los antiguos inválidos de San Vito vinieron a
ensartar agujas ante los incrédulos, vinieron a mostrar
su fortuna los que se habían enriquecido en la ruleta
porque Bendición Alvarado les revelaba los números en
el sueño, los que tuvieron noticias de sus perdidos, los
que encontraron a sus ahogados, los que nada habían
tenido y ahora lo tenían todo, vinieron, desfilaron sin
tregua por la ardiente oficina decorada con los arcabuces
de matar caníbales y las tortugas prehistóricas de Sir
Walter Raleigh donde el eritreno incansable escuchaba
a todos sin preguntar, sin intervenir, ensopado en sudor,
ajeno a la peste de humanidad en descomposición que
se iba acumulando en la oficina enrarecida por el humo
de sus cigarros de los más ordinarios, tomaba notas
minuciosas de las declaraciones de los testigos y los
hacía firmar aquí, con el nombre completo, o con una
cruz, o como usted mi general con la huella del dedo,
como fuera, pero firmaban, entraba el siguiente, igual
que el anterior, yo estaba tísico, padre, decía, yo estaba
tísico, escribía el eritreno, y ahora oiga como canto, yo
era impotente, padre, y ahora míreme como ando todo
el día, yo era impotente, escribía con tinta indeleble para
que su escritura rigurosa estuviera a salvo de enmiendas hasta el término de la humanidad, yo tenía un animal vivo dentro de la barriga, padre, yo tenía un animal
vivo, escribía sin piedad, intoxicado de café cerrero, envenenado del tabaco rancio del cigarro que encendía con
el cabo del anterior, despechugado como un boga mi general, qué cura tan macho, sí señor, decía él, muy macho,
a cada quien lo suyo, trabajando sin tregua, sin comer
nada para no perder el tiempo hasta bien entrada la noche, pero aun entonces no se daba al descanso sino que
aparecía recién bañado en las fondas del muelle con la
sotana de lienzo remendada con parches cuadrados, llegaba muerto de hambre, se sentaba en el largo mesón de

tablas a compartir el sancocho de bocachico con los esti-
badores, descuartizaba el pescado con los dedos, trituraba
hasta los huesos con aquellos dientes luciferinos que tenían su propia lumbre en la oscuridad, se tomaba la sopa
por el borde del plato como los coralibes mi general, si
usted lo viera, confundido con el paraco humano de los
veleros astrosos que zarpaban cargados de marimondas y
guineo verde, cargados de remesas de putas biches para
los hoteles de vidrio de Curazao, para Guantánamo, padre,
para Santiago de los Caballeros que ni siquiera tiene mar
para llegar, padre, para las islas más bellas y más tristes del mundo con que seguíamos soñando hasta los
primeros resplandores del alba, padre, acuérdese qué
distintos nos quedábamos cuando las goletas se iban,
acuérdese del loro que adivinaba el porvenir en la casa
de Matilde Arenales, las jaibas que se salían caminando
de los platos de sopa, el viento de tiburones, los tambores remotos, la vida, padre, la cabrona vida, muchachos,
porque habla como nosotros mi general, como si hubiera
nacido en el barrio de las peleas de perro, jugaba a la
pelota en la playa, aprendió a tocar el acordeón mejor
que los vallenatos, cantaba mejor que ellos, aprendió la
lengua florida de los vaporinos, les mamaba gallo en
latín, se emborrachaba con ellos en los tugurios de maricas del mercado, se peleó con uno de ellos porque habló
mal de Dios, se fajaron a trompadas mi general, qué hacemos, y él ordenó que nadie los separe, les hicieron
rueda, ganó, ganó el cura mi general, yo lo sabía, dijo
él, complacido, es un macho, y menos frívolo de lo que
todo el mundo se imaginaba, pues en aquellas noches
turbulentas averiguó tantas verdades como en las jorna-
das agotadoras del palacio de la Nunciatura Apostólica,
muchas más que en la tenebrosa mansión de los suburbios que había explorado sin permiso una tarde de lluvias grandes en que creyó burlar la vigilancia insomne

de los servicios de la seguridad presidencial, la escudriñó
hasta el último resquicio ensopado por la lluvia interior
de las goteras del techo, atrapado por los tremedales de
malanga y las camelias venenosas de los dormitorios
espléndidos que Bendición Alvarado abandonaba a la felicidad de sus sirvientas, porque era buena, padre, era
humilde, las ponía a dormir en sábanas de percal mientras ella dormía sobre la estera pelada en un camastro
de cuartel, las dejaba vestirse con sus ropas de domingo
de primera dama, se perfumaban con sus sales de baño,
retozaban desnudas con los ordenanzas en las espumas
de colores de las bañeras de peltre con patas de león,
vivían como reinas mientras a ella se le iba la vida pin-
torreteando pájaros, cocinando sus mazamorras de legumbres en el anafe de leña y cultivando plantas de botica para las emergencias de los vecinos que la despertaban a media noche con que tengo un espasmo de vientre, señora, y ella les daba a masticar semillas de mas-
tuerzo, que el ahijado tiene el ojo torcido, y ella le daba
un vermífugo de epazote, que me voy a morir, señora,
pero no se morían porque ella tenía la salud en la mano,
era una santa viva, padre, andaba en su propio espacio de
pureza por aquella mansión de placer donde había llo-
vido sin piedad desde que se la llevaron a la fuerza para
la casa presidencial, llovía sobre los lotos del piano, sobre la mesa de alabastro del comedor suntuoso que Bendición Alvarado no utilizó nunca porque es como sentarse a comer en un altar, imagínese, padre, qué presen-
timiento de santa, pero a pesar de los testimonios febri-
les de los vecinos el abogado del diablo encontró más
vestigios de timidez que de humildad entre los escombros, encontró más pruebas de pobreza de espíritu que
de abnegación entre los Neptunos de ébano y los pedazos
de demonios nativos y ángeles militares que flotaban en
el manglar de las antiguas salas de baile, y en cambio no

encontró el menor rastro de ese otro dios difícil, uno y
trino, que lo había mandado desde las ardientes llanuras
de Abisinia a buscar la verdad donde no había estado
nunca, porque no encontró nada mi general, lo que se
dice nada, qué vaina. Sin embargo, monseñor Demetrio
Aldous no se conformó con el escrutinio de la ciudad
sino que se trepó a lomo de mula por los limbos glaciales del páramo tratando de encontrar las semillas de
la santidad de Bendición Alvarado donde su imagen no
estuviera todavía pervertida por el resplandor del poder,
surgía de entre la niebla envuelto en una manta de sal-
teador y con unas botas de siete leguas como una aparición satánica que al principio suscitaba el miedo y después el asombro y por último la curiosidad de los cachacos que nunca habían visto un ser humano de aquel
color, pero el astuto eritreo los incitaba a que lo toca-
ran para convencerlos de que no soltaba alquitrán, les
mostraba los dientes en las tinieblas, se emborrachaba
con ellos comiendo queso de mano y bebiendo chicha en
la misma totuma para ganarse su confianza en las tiendas lúgubres de las veredas donde en los albores de otros
siglos habían conocido una pajarera de solemnidad ago-
biada por la carga de disparate de los huacales de polli-
tos pintados de ruiseñores, tucanes de oro, guacharacas
disfrazadas de pavorreales para engañar montunos en los
domingos fúnebres de las ferias del páramo, se sentaba
ahí, padre, en la resolana de los fogones, esperando que
alguien le hiciera la caridad de acostarse con ella en los
pellejos de melaza de la trastienda, para comer, padre,
no más que para comer, porque nadie era tan montuno
para comprarle aquellos mamarrachos de pacotilla que se
desteñían con las primeras lluvias y se desbarataban al
caminar, solo ella era tan cándida, padre, santa bendición
de los pájaros, o de los páramos, como uno quiera, pues
nadie sabía a ciencia cierta cuál era su nombre de enton-

ces ni cuándo empezó a llamarse Bendición Alvarado
que no debía de ser su nombre de origen porque no es
nombre de estos rumbos sino de gente de mar, qué vaina,
hasta eso lo había averiguado el resbaladizo. fiscal de
Satanás que todo lo descubría y lo desentrañaba a pesar
de los sicarios de la seguridad presidencial que le enredaban los hilos de la verdad y le ponían estorbos invisibles, cómo le parece, mi general, habrá que venadearlo
en un despeñadero, habrá que resbalarle la mula, pero
él lo impidió con la orden personal de vigilarlo pero preservando su integridad física repito preservando integridad física permitiendo absoluta libertad todas facilidades
cumplimiento su misión por mandato inapelable desta
autoridad máxima obedézcase cúmplase, firmado, yo, e
insistió, yo mismo, consciente de que con aquella determinación asumía el riesgo terrible de conocer la imagen
verídica de su madre Bendición Alvarado en los tiempos
prohibidos en que todavía era joven, era lánguida, andaba envuelta en harapos, descalza, y tenía que comer por
el bajo vientre, pero era bella, padre, y era tan cándida
que completaba los loros más baratos con colas de gallos finos para hacerlos pasar por guacamayas, reparaba
gallinas baldadas con plumas de abanicos de pavos para
venderlas como aves del paraíso, nadie se lo creía, por
supuesto, nadie caía por inocente en los orzuelos de la
pajarera solitaria que susurraba entre la niebla de los
mercados dominicales a ver quién dijo uno y se la lleva
gratis, pues todo el mundo la recordaba en el páramo
por su ingenuidad y su pobreza, y sin embargo parecía
imposible demostrar su identidad porque en los archivos
del monasterio donde la habían bautizado no se encontró
la hoja de su acta de nacimiento y en cambio se encontraron tres distintas del hijo y en todas era él tres veces
distinto, tres veces concebido en tres ocasiones distintas,
tres veces parido mal por la gracia de los artífices de la

historia patria que habían embrollado los hilos de la realidad para que nadie pudiera descifrar el secreto de su
origen, el misterio oculto que sólo el eritreno consiguió
rastrear apartando los numerosos engaños superpuestos,
pues lo había vislumbrado, mi general, lo tenía al alcance de la mano cuando sonó el disparo inmenso que seguía
repercutiendo en los espinazos grises y las cañadas profundas de la cordillera y se oyó el interminable aullido
de pavor de la mula desbarrancada que iba cayendo en
un vértigo sin fondo desde la cumbre de las nieves perpetuas a través de los climas sucesivos e instantáneos de
los cromos de ciencias naturales del precipicio y el nacimiento exiguo de las grandes aguas navegables y las
cornisas escarpadas por donde se trepaban a lomo de
indio con sus herbarios secretos los doctores sabios de la
expedición botánica, y las mesetas de magnolias silvestres
donde pacían las ovejas de tibia lana que nos proporcio-
naban sustento generoso y abrigo y buen ejemplo y las
mansiones de los cafetales con sus guirnaldas de papel
en los balcones solitarios y sus enfermos interminables
y el fragor perpetuo de los ríos turbulentos de los límites arcifinios donde empezaba el calor y había al atardecer unas ráfagas pestilentes de muerto viejo muerto a
traición muerto solo en las plantaciones de cacao de grandes hojas persistentes y flores encarnadas y frutos de
baya cuyas semillas se usaban como principal ingredien-
te del chocolate y el sol inmóvil y el polvo ardiente y la
cucurbita pepo y la cucurbita melo y las vacas flacas y
tristes del departamento del atlántico en la única escuela
de caridad a doscientas leguas a la redonda y la exhala-
ción de la mula todavía viva que se despanzurró con una
explosión de guanábana suculenta entre las matas de guineo y las gallinitas espantadas del fondo del abismo, carajo, lo venadearon, mi general, lo habían cazado con un
rifle de tigre en el desfiladero del Ánima Sola a pesar

del amparo de mi autoridad, hijos de puta, a pesar de
mis telegramas terminantes, carajo, pero ahora van a
saber quién es quién, roncaba, masticaba espuma de hiel
no tanto por la rabia de la desobediencia como por la
certeza de que algo grande le ocultaban si se habían atrevido a contrariar las centellas de su poder, vigilaba el
aliento de quienes lo informaban porque sabía que solo
quien conociera la verdad tendría valor para mentirle,
escudriñaba las intenciones secretas del alto mando para
ver cuál de ellos era el traidor, tú a quien saqué de la
nada, tú a quien puse a dormir en cama de oro después
de haberte encontrado por los suelos, tú a quien salvé la
vida, tú a quien compré por más dinero que a cualquiera, todos ustedes, hijos de mala madre, pues solo uno
de ellos podía atreverse a deshonrar un telegrama firmado con mi nombre y refrendado con el lacre del anillo
de su poder, de modo que asumió el mando personal de
la operación de rescate con la orden irrepetible de que
en un plazo máximo de cuarentiocho horas lo encuen-
tren vivo y me lo traen y si lo encuentran muerto me
lo traen vivo y si no lo encuentran me lo traen, una
orden tan inequívoca y temible que antes del plazo previsto le vinieron con la novedad mi general de que lo
habían encontrado en los matorrales del precipicio con
las heridas cauterizadas por las flores de oro de los frai-
lejones, más vivo que nosotros, mi general, sano y salvo
por la virtud de su madre Bendición Alvarado que una
vez más daba muestras de su clemencia y su poder en la
propia persona de quien había tratado de perjudicar su
memoria, lo bajaron por trochas de indios en una hamaca colgada de un palo con una escolta de granaderos
y precedido por un alguacil de a caballo que tocaba un
cencerro de misa mayor para que todo el mundo supiera que esto es asunto del que manda, lo pusieron en el
dormitorio de invitados de honor de la casa presidencial

bajo la responsabilidad inmediata del ministro de la salud hasta que pudo dar término final al terrible expediente escrito de su puño y letra y refrendado con sus iniciales en la margen derecha de cada uno de los trescientos cincuenta folios de cada uno de estos siete volúmenes que firmo con mi nombre y mi rúbrica y garantizo con mi sello a los catorce días del mes de abril de este año de gracia de Nuestro Señor, yo, Demetrio Aldous, auditor de la Sagrada Congregación del Rito, postulador y promotor de la fe, por mandato de la Constitución Inmensa y para esplendor de la justicia de los hombres en la tierra y mayor gloria de Dios en los cielos afirmo y demuestro que ésta es la única verdad, toda la verdad y nada más que la verdad, excelencia, aquí la tiene. Allí estaba, en efecto, cautiva en siete biblias lacradas, tan ineludible y brutal que sólo un hombre inmune a los hechizos de la gloria y ajeno a los intereses de su poder se atrevió a exponerla en carne viva ante el anciano impasible que lo escuchó sin parpadear abanicándose en el mecedor de mimbre, que apenas suspiraba después de cada revelación mortal, que apenas decía ajá cada vez que veía encenderse la luz de la verdad, ajá, repetía, espantando con el sombrero las moscas de abril alborotadas por las sobras del almuerzo, tragando verdades enteras, amargas, verdades como brasas que le quedaban ardiendo en las tinieblas del corazón, pues todo había sido una farsa, excelencia, un aparato de farándula que él mismo montó sin proponérselo cuando decidió que el cadáver de su madre fuera expuesto a la veneración pública en un catafalco de hielo mucho antes de que nadie pensara en los méritos de tu santidad y sólo por desmentir la maledicencia de que estabas podrida antes de morir, un engaño de circo en el cual él mismo había incurrido sin saberlo desde que le vinieron con la novedad mi general de que su madre Bendición Alvarado estaba hacien-

do milagros y había ordenado que llevaran el cuerpo en
procesión magnífica hasta los rincones más ignotos de
su vasto país sin estatuas para que nadie se quedara sin
conocer el premio a tus virtudes después de tantos años
de mortificaciones estériles, después de tantos pájaros
pintados sin ningún beneficio, madre, después de tanto
amor sin gracia, aunque nunca se me hubiera ocurrido
pensar que aquella orden se había de convertir en la patraña de los falsos hidrópicos a quienes les pagaban para
que se desaguaran en público, le habían pagado doscientos pesos a un falso muerto que se salió de la sepultura y
apareció caminando de rodillas entre la muchedumbre
espantada con el sudario en piltrafas y la boca llena de
tierra, le habían pagado ochenta pesos a una gitana que
fingió parir en plena calle un engendro de dos cabezas
como castigo por haber dicho que los milagros eran un
negocio del gobierno, y eso eran, no había un solo testimonio que no fuera pagado con dinero, una confabula-
ción de ignominia que sin embargo no había sido trama-
da por sus aduladores con el propósito inocente de complacerlo como lo supuso monseñor Demetrio Aldous en
sus primeros escrutinios, no, excelencia, era un sucio negocio de sus prosélitos, el más escandaloso y sacrílego de
cuantos habían proliferado a la sombra de su poder,
pues quienes inventaban los milagros y compraban los
testimonios de mentiras eran los mismos secuaces de
su régimen que fabricaban y vendían las reliquias del
vestido de novia muerta de su madre Bendición Alvarado, ajá, los mismos que imprimían las estampitas y acu-
ñaban las medallas con su retrato de reina, ajá, los que se
habían enriquecido con los rizos de su cabello, ajá, con
los frasquitos de agua de su costado, ajá, con los suda-
rios de diagonal donde pintaban con sapolín de puertas
el tierno cuerpo de doncella dormida de perfil con la
mano en el corazón y que eran despachados por yardas

en las trastiendas de los bazares de los hindúes, un infundio descomunal sustentado en el supuesto de que el
cadáver continuaba incorrupto ante los ojos ávidos de la
muchedumbre interminable que desfilaba por la nave mayor de la catedral, cuando la verdad era bien distinta,
excelencia, era que el cuerpo de su madre no estaba con-
servado por sus virtudes ni por los remiendos de parafina
y los engaños de cosméticos que él había decidido por
simple soberbia filial sino que estaba disecado mediante
las peores artes de taxidermia igual que los animales póstumos de los museos de ciencias como él lo comprobó con
mis propias manos, madre, destapé la urna de cristal
cuyos emblemas funerarios se desbarataban con el aliento, te quité la corona de azahares del cráneo enmohecido
cuyos duros cabellos de crines de potranca habían sido
arrancados de raíz hebra por hebra para venderlos como
reliquias, te saqué de entre los filamentos de revenidas
piltrafas de novia y los residuos áridos y los atardeceres
difíciles del salitre de la muerte y apenas si pesabas más
que un calabazo en el sol y tenías un olor antiguo de
fondo de baúl y se sentía dentro de ti un desasosiego
febril que parecía el rumor de tu alma y era el tijereteo
de las polillas que te carcomieron por dentro, tus miembros se desbarataban solos cuando quise sostenerte en
mis brazos porque te habían desocupado las entrañas de
todo lo que sostuvo tu cuerpo vivo de madre feliz dormida con la mano en el corazón y te habían vuelto a rellenar
con estropajos de modo que no quedaba de cuanto fue
tuyo nada más que un cascarón de hojaldres polvorientas que se desmigajó con sólo levantarlo en el aire fosfo-
rescente de las luciérnagas de tus huesos y apenas se
oyó el ruido de saltos de pulga de los ojos de vidrio en
las losas de la iglesia crepuscular, se volvió nada, era un
reguero de escombros de madre demolida que los algua-
ciles recogieron del suelo con una pala para echarlo otra

vez de cualquier modo dentro del cajón ante la impavidez
monolítica del sátrapa indescifrable cuyos ojos de iguana
no dejaron traslucir la menor emoción ni siquiera cuando se quedó a solas en la berlina sin insignias con el
único hombre de este mundo que se había atrevido a po-
nerlo frente al espejo de la verdad, ambos contemplaban
a través de la bruma de los visillos las hordas de menesterosos que se reposaban de la tarde cálida en el
relente de los portales donde antes se vendían folletines
de crímenes atroces y amores sin fortuna y flores carní-
voras y frutos inconcebibles que comprometían la voluntad y donde ahora sólo se sentía la bullaranga ensorde-
cedora del baratillo de reliquias falsas de las ropas y el
cuerpo de su madre Bendición Alvarado, mientras él pa-
decía la impresión nítida de que monseñor Demetrio Aldous había interferido su pensamiento cuando apartó la
vista de las turbas de inválidos y murmuró que a fin de
cuentas algo bueno quedaba del rigor de su escrutinio
y era la certidumbre de que esta pobre gente quiere a
su excelencia como a su propia vida, pues monseñor Demetrio Aldous había vilusmbrado la perfidia dentro de
la propia casa presidencial, había visto la codicia en la
adulación y el servilismo matrero entre quienes medraban al amparo del poder, y había conocido en cambio
una nueva forma de amor en las recuas de menesterosos
que no esperaban nada de él porque no esperaban nada
de nadie y le profesaban una devoción terrestre que se
podía coger con las manos y una fidelidad sin ilusiones
que ya quisiéramos nosotros para Dios, excelencia, pero
él ni siquiera parpadeó ante el asombro de aquella revelación que en otro tiempo le habría fruncido las entrañas,
ni siquiera suspiró sino que meditó para sí mismo con
una inquietud recóndita que no más eso faltaba, padre,
sólo faltaba que nadie me quisiera ahora que usted se va
a disfrutar de la gloria de mi infortunio bajo las cúpulas

de oro de su mundo falaz mientras él se quedaba con la carga inmerecida de la verdad sin una madre solícita que lo ayudara a sobrellevarla, más solo que la mano izquierda en esta patria que no escogí por mi voluntad sino que me la dieron hecha como usted la ha visto que es como ha sido desde siempre con este sentimiento de irrealidad, con este olor a mierda, con esta gente sin historia que no cree en nada más que en la vida, ésta es la patria que me impusieron sin preguntarme, padre, con cuarenta grados de calor y noventa y ocho de humedad en la sombra capitonada de la berlina presidencial, respirando polvo, atormentado por la perfidia de la potra que hacía un tenue silbido de cafetera en las audiencias, sin nadie con quien perder una partida de dominó, ni nadie a quien creerle la verdad, padre, métase en mi pellejo, pero no lo dijo, apenas suspiró, apenas hizo un parpadeo instantáneo y le suplicó a monseñor Demetrio Aldous que la conversación brutal de aquella tarde se quedara entre nosotros, usted no me ha dicho nada, padre, yo no sé la verdad, prométamelo, y monseñor Demetrio Aldous le prometió que por supuesto su excelencia no conoce la verdad, palabra de hombre. La causa de Bendición Alvarado fue suspendida por insuficiencia de pruebas, y el edicto de Roma se divulgó desde los púlpitos con licencia oficial junto con la determinación del gobierno de reprimir cualquier protesta o tentativa de desorden, pero la fuerza pública no intervino cuando las hordas de peregrinos indignados hicieron hogueras en la Plaza de Armas con los portones de la basílica primada y destruyeron a piedras los vitrales de ángeles y gladiadores de la Nunciatura Apostólica, acabaron con todo, mi general, pero él no se movió de la hamaca, asediaron el convento de las vizcaínas para dejarlas perecer sin recursos, saquearon las iglesias, las casas de misiones, rompieron todo lo que tenía que ver con los curas, mi ge-

neral, pero él permaneció inmóvil en la hamaca bajo la
penumbra fresca de las trinitarias hasta que los comandantes de su estado mayor en pleno se declararon inca-
paces de apaciguar los ánimos y restablecer el orden sin
derramamientos de sangre como se había acordado, y sólo
entonces se incorporó, apareció en la oficina al cabo de
tantos meses de desidia y asumió de viva voz y de cuerpo
presente la responsabilidad solemne de interpretar la voluntad popular mediante un decreto que concibió por
inspiración propia y dictó de su cuenta y riesgo sin pre-
venir a las fuerzas armadas ni consultar a sus ministros,
y en cuyo artículo primero proclamó la santidad civil de
Bendición Alvarado por decisión suprema del pueblo libre y soberano, la nombró patrona de la nación, cura-
dora de los enfermos y maestra de los pájaros y se
declaró día de fiesta nacional el de la fecha de su nacimiento, y en el artículo segundo y a partir de la promul-
gación del presente decreto se declaró el estado de guerra
entre esta nación y las potencias de la Santa Sede con
todas las consecuencias que para estos casos establecen
el derecho de gentes y los tratados internacionales en
vigencia, y en el artículo tercero se ordenó la expulsión
inmediata, pública y solemne del señor arzobispo primado y la consiguiente de los obispos, los prefectos
apostólicos, los curas y las monjas y cuantas gentes na-
tivas o forasteras tuvieran algo que ver con los asuntos
de Dios en cualquier condición y bajo cualquier título
dentro de los límites del país y hasta cincuenta leguas
marinas dentro de las aguas territoriales, y se ordenó
en el artículo cuarto y último la expropiación de los bienes de la iglesia, sus templos, sus conventos, sus colegios, sus tierras de labor con su dotación de herramien-
tas y animales, los ingenios de azúcar, las fábricas y
talleres así como todo cuanto le perteneciera en realidad
aunque estuviera registrado a nombre de terceros, los

cuales bienes pasaban a formar parte del patrimonio pós-
tumo de santa Bendición Alvarado de los pájaros para
esplendor de su culto y grandeza de su memoria desde
la fecha del presente decreto dictado de viva voz y firmado con el sello del anillo de esta autoridad máxima e
inapelable del poder supremo, obedézcase y cúmplase. En
medio de los cohetes de júbilo, las campanas de gloria y
las músicas de gozo con que se celebró el acontecimiento
de la canonización civil, él se ocupó de cuerpo presente
de que el decreto fuera cumplido sin maniobras equívo-
cas para estar seguro de que no lo harían víctima de nuevos engaños, volvió a coger las riendas de la realidad
con sus firmes guantes de raso como en los tiempos de
la gloria grande en que la gente le cerraba el paso en las
escaleras para pedirle que restaurara las carreras de
caballo en la calle y él mandaba, de acuerdo, que restaurara las carreras de sacos y él mandaba, de acuerdo,
y aparecía en los ranchos más míseros a explicar cómo
debían echarse las gallinas en los nidos y cómo se cas-
traban los terneros, pues no se había conformado con
la comprobación personal de las minuciosas actas de
inventarios de los bienes de la iglesia sino que dirigió
las ceremonias formales de expropiación para que no
quedara ningún resquicio entre su voluntad y los actos
cumplidos, cotejó las verdades de los papeles con las
verdades engañosas de la vida real, vigiló la expulsión
de las comunidades mayores a las cuales se atribuía el
propósito de sacar escondidos en talegos de doble fondo
y corpiños amañados los tesoros secretos del último
virrey que permanecían sepultados en cementerios de
pobres a pesar del encarnizamiento con que los caudillos federales los habían buscado en los largos años de
guerras, y no sólo ordenó que ningún miembro de la
iglesia llevara consigo más equipaje que una muda de
ropa sino que decidió sin apelación que fueran embarca-

dos desnudos como sus madres los parieron, los rudos
curas de pueblo a quienes les daba lo mismo andar vestidos o en cueros siempre que les cambiaran el destino,
los prefectos de tierras de misiones devastados por la malaria, los obispos lampiños y dignos, y detrás de ellos las
mujeres, las tímidas hermanas de la caridad, las misio-
neras cimarronas acostumbradas a desbravar la natura-
lez y hacer brotar legumbres en el desierto, y las vizcaínas esbeltas tocadoras de clavicordio y las salesianas de
manos finas y cuerpos intactos, pues aun en los puros
cueros con que habían sido echadas al mundo era posible distinguir sus orígenes de clase, la diversidad de su
condición y la desigualdad de su oficio a medida que des-
filaban por entre bultos de cacao y costales de bagre sala-
do en el inmenso galpón de la aduana, pasaban en un tumulto giratorio de ovejas azoradas con los brazos en
cruz sobre el pecho tratando de esconder la vergüenza
de las unas con la de las otras ante el anciano que parecía de piedra bajo los ventiladores de aspas, que las miraba sin respirar, sin mover los ojos del espacio fijo por
donde tenía que pasar sin remedio el torrente de mujeres
desnudas, las contempló impasible, sin pestañear, hasta
que no quedó ni una en el territorio de la nación, pues
éstas fueron las últimas mi general, y sin embargo él
recordaba sólo una que había separado con un simple
golpe de vista del tropel de novicias asustadas, la distin-
guió entre las otras a pesar de que no era distinta, era
pequeña y maciza, robusta, de nalgas opulentas, de tetas
grandes y ciegas, de manos torpes, de sexo abrupto, de
cabellos cortados con tijeras de podar, de dientes separa-
dos y firmes como hachas, de nariz escasa, de pies planos, una novicia mediocre, como todas, pero él sintió que
era la única mujer en la piara de mujeres desnudas, la
única que al pasar frente a él sin mirarlo dejó un rastro
oscuro de animal de monte que se llevó mi aire de vivir

y apenas si tuvo tiempo de cambiar la mirada imperceptible para verla por segunda vez para siempre jamás
cuando el oficial de los servicios de identificación encontró el nombre por orden alfabético en la nómina y gritó
Nazareno Leticia, y ella contestó con voz de hombre, presente. Así la tuvo por el resto de su vida, presente, hasta
que las últimas nostalgias se le escurrieron por las grietas de la memoria y sólo permaneció la imagen de ella
en la tira de papel en que había escrito Leticia Nazareno
de mi alma mira en lo que he quedado sin ti, la escondió
en el resquicio donde guardaba la miel de abeja, la releía
cuando sabía que no era visto, la volvía a enrollar después de revivir por un instante fugaz la tarde inmemorial de lluvias radiantes en que lo sorprendieron con la
novedad mi general de que te habían repatriado en cumplimiento de una orden que él no dio, pues no había
hecho más que murmurar Leticia Nazareno mientras contemplaba el último carguero de ceniza que se hundió en
el horizonte, Leticia Nazareno, repitió en voz alta para
no olvidar el nombre, y eso había bastado para que los
servicios de la seguridad presidencial la secuestraran del
convento de Jamaica y la sacaron amordazada y con una
camisa de fuerza dentro de una caja de pino con sunchos
lacrados y letreros de alquitrán de frágil do not drop this
side up y una licencia de exportación en regla con la debida franquicia consular de dos mil ochocientas copas
de champaña de cristal legítimo para la bodega presidencial, la embarcaron de regreso en la bodega de un
barco carbonero y la pusieron desnuda y narcotizada en
la cama de capiteles del dormitorio de invitados de honor como él había de recordarla a las tres de la tarde
bajo la luz de harina del mosquitero, tenía el mismo sosiego de sueño natural de otras tantas mujeres inertes
que le habían servido sin solicitarlas y que él había hecho
suyas en aquel cuarto sin despertarlas siquiera del le-

targo de luminal y atormentado por un terrible sentimiento de desamparo y de derrota, sólo que a Leticia
Nazareno no la tocó, la contempló dormida con una especie de asombro infantil sorprendido de cuánto había
cambiado su desnudez desde que la vio en los galpones
del puerto, le habían rizado el cabello, la habían afeitado
por completo hasta los resquicios más íntimos y le habían
barnizado de rojo las uñas de las manos y los pies y le
habían puesto carmín en los labios y colorete en las meji-
llas y almizcle en los párpados y exhalaba una fragancia
dulce que acabó con tu rastro escondido de animal de
monte, qué vaina, la habían echado a perder tratando de
componerla, la habían vuelto tan distinta que él no conseguía verla desnuda debajo de los afeites torpes mientras la contemplaba sumergida en el éxtasis de luminal,
la vio salir a flote, la vio despertar, la vio verlo, madre,
era ella, Leticia Nazareno de mi desconcierto petrificada
de terror ante el anciano pétreo que la contemplaba sin
clemencia a través de los vapores tenues del mosquitero,
asustada de los propósitos imprevisibles de su silencio
porque no podía imaginarse que a pesar de sus años incontables y su poder sin medidas él estaba más asustado
que ella, más solo, más sin saber qué hacer, tan aturdido e inerme como estuvo la primera vez en que fue hombre con una mujer de soldados a quien sorprendió a media noche bañándose desnuda en un río y cuya fuerza y
tamaño había imaginado por sus resuellos de yegua después de cada zambullida, oía su risa oscura y solitaria
en la oscuridad, sentía el regocijo de su cuerpo en la
oscuridad pero estaba paralizado de miedo porque seguía siendo virgen aunque ya era teniente de artillería
en la tercera guerra civil, hasta que el miedo de perder
la ocasión fue más decisivo que el miedo del asalto, y
entonces se metió en el agua con todo lo que llevaba encima, las polainas, el morral, la correa de municiones, el

machete, la escopeta de fisto, ofuscado por tantos estorbos de guerra y tantos terrores secretos que la mujer
creyó al principio que era alguien que se había metido a
caballo en el agua, pero en seguida se dio cuenta de que
no era más que un pobre hombre asustado y lo acogió en
el remanso de su misericordia, lo llevó de la mano en la
oscuridad de su aturdimiento porque él no lograba encontrar los caminos en la oscuridad del remanso, le indicaba con voz de madre en la oscuridad que te agarres
fuerte de mis hombros para que no te tumbe la corriente,
que no se acuclillara dentro del agua sino que te arrodi-
lles con fuerza en el fondo respirando despacio para que
te alcance el aliento, y él hacía lo que ella le indicaba
con una obediencia pueril pensando madre mía Bendición
Alvarado cómo carajo harán las mujeres para hacer las
cosas como si las estuvieran inventando, cómo harán para
ser tan hombres, pensaba, a medida que ella lo iba despo-
jando de la parafernalia inútil de otras guerras menos
temibles y desoladas que aquella guerra solitaria con el
agua al cuello, había muerto de terror al amparo de
aquel cuerpo oloroso a jabón de pino cuando ella acabó
de quitarle las hebillas de las dos correas y le solté los
botones de la bragueta y me quedé crispada de horror
porque no encontré lo que buscaba sino el testículo enorme nadando como un sapo en la oscuridad, lo soltó asustada, se apartó, anda con tu mamá que te cambie por
otro, le dijo, tú no sirves, pues lo había derrotado el mismo miedo ancestral que lo mantuvo inmóvil ante la desnudez de Leticia Nazareno en cuyo río de aguas imprevisibles no se había de meter ni con todo lo que llevaba
encima mientras ella no le prestara el auxilio de su misericordia, él mismo la cubrió con una sábana, le tocaba
en el gramófono hasta que se gastó el cilindro la canción
de la pobre Delgadina perjudicada por el amor de su
padre, le hizo poner flores de fieltro en los floreros para

que no se marchitaran como las naturales con la mala
virtud de sus manos, hizo todo lo que se le ocurría para
hacerla feliz pero mantuvo intacto el rigor del cautiverio
y el castigo de la desnudez para que ella entendiera que
sería bien atendida y bien amada pero que no tenía ninguna posibilidad de escaparse de aquel destino, y ella lo
comprendió tan bien que en la primera tregua del miedo
le había ordenado sin pedirle por favor general que me
abra la ventana para que entre un poco de fresco, y él
la abrió, que la volviera a cerrar porque me da la luna
en la cara, la cerró, cumplía sus órdenes como si fueran
de amor tanto más obediente y seguro de sí mismo cuanto más cerca se sabía de la tarde de lluvias radiantes en
que se deslizó dentro del mosquitero y se acostó vestido
junto a ella sin despertarla, participó a solas durante
noches enteras de los efluvios secretos de su cuerpo, respiraba su tufo de perra montuna que se fue haciendo más
cálido con el paso de los meses, retoñó el musgo de su
vientre, despertó sobresaltada gritando que se quite de
aquí, general, y él se levantó con su parsimonia densa
pero volvió a acostarse junto a ella mientras dormía y
así la disfrutó sin tocarla durante el primer año de cautiverio hasta que ella se acostumbró a despertar a su
lado sin entender hacia dónde corrían los cauces ocultos
de aquel anciano indescifrable que había abandonado
los halagos del poder y los encantos del mundo para
consagrarse a su contemplación y su servicio, tanto más
desconcertada cuanto más cerca se sabía él de la tarde
de lluvias radiantes en que se acostó sobre ella mientras
dormía como se había metido en el agua con todo lo que
llevaba puesto, el uniforme sin insignias, las correas del
sable, el mazo de llaves, las polainas, las botas de montar
con la espuela de oro, un asalto de pesadilla que la despertó aterrorizada tratando de quitarse de encima aquel
caballo guarnecido de recados de guerra, pero él estaba

tan resuelto que ella decidió ganar tiempo con el recurso
último de que se quite los arneses general que me lastima
el corazón con las argollas, y él se los quitó, que se quitara la espuela general que me está maltratando los tobillos
con la estrella de oro, que se sacara el mazo de llaves de
la pretina que me tropieza con el hueso de la cadera, y
él terminaba por hacer lo que ella le ordenaba aunque
necesitó tres meses para hacerle quitar las correas del
sable que me estorban para respirar y otro mes para las
polainas que me rompen el alma con las hebillas, era una
lucha lenta y difícil en que ella lo demoraba sin exaspe-
rarlo y él terminaba por ceder para complacerla, de
modo que ninguno de los dos supo nunca cómo fue que
ocurrió el cataclismo final poco después del segundo aniversario del secuestro cuando sus tibias y tiernas manos
sin destino tropezaron por casualidad con las piedras
ocultas de la novicia dormida que despertó conmociona-
da por un sudor pálido y un temblor de muerte y no
trató de quitarse ni por las buenas ni por las malas artes
el animal cerrero que tenía encima sino que acabó de
conmocionarlo con la súplica de que te quites las botas
que me ensucias mis sábanas de bramante y él se las
quitó como pudo, que te quites las polainas, y los pantalones, y el braguero, que te quites todo mi vida que no
te siento, hasta que él mismo no supo cuándo se quedó
como sólo su madre lo había conocido a la luz de las
arpas melancólicas de los geranios, liberado del miedo,
libre, convertido en un bisonte de lidia que en la primera
embestida demolió todo cuanto encontró a su paso y se
fue de bruces en un abismo de silencio donde sólo se oía
el crujido de maderos de barcos de las muelas apretadas
de Nazareno Leticia, presente, se había agarrado de mi
cabello con todos los dedos para no morirse sola en el
vértigo sin fondo en que yo me moría solicitado al mismo
tiempo y con el mismo ímpetu por todas las urgencias

del cuerpo, y sin embargo la olvidó, se quedó solo en las
tinieblas buscándose a sí mismo en el agua salobre de
sus lágrimas general, en el hilo manso de su baba de
buey, general, en el asombro de su asombro de madre mía
Bendición Alvarado cómo es posible haber vivido tantos
años sin conocer este tormento, lloraba, aturdido por las
ansias de sus riñones, la ristra de petardos de sus tripas,
el desgarramiento de muerte del tentáculo tierno que le
arrancó de cuajo las entrañas y lo convirtió en un animal
degollado cuyos tumbos agónicos salpicaban las sábanas nevadas con una materia ardiente y agria que pervir-
tió en su memoria el aire de vidrio líquido de la tarde
de lluvias radiantes del mosquitero, pues era mierda, general, su propia mierda.

Poco antes del anochecer, cuando acabamos de sacar los cascarones podridos de las vacas y pusimos un poco de arreglo en aquel desorden de fábula, aún no habíamos conseguido que el cadáver se pareciera a la imagen de su leyenda. Lo habíamos raspado con fierros de desescamar pescados para quitarle la rémora de fondos de mar, lo lavamos con creolina y sal de piedra para resanarle las lacras de la putrefacción, le empolvamos la cara con almidón para esconder los remiendos de cañamazo y los pozos de parafina con que tuvimos que restaurarle la cara picoteada de pájaros de muladar, le devolvimos el color de la vida con parches de colorete y carmín de mujer en los labios, pero ni siquiera los ojos de vidrio incrustados en las cuencas vacías lograron imponerle el semblante de autoridad que le hacía falta para exponerlo a la contemplación de las muchedumbres. Mientras tanto, en el salón del consejo de gobierno invocábamos la unión de todos contra el despotismo de siglos para repartirse por partes iguales el botín de su poder, pues todos habían vuelto al conjuro de la noticia sigilosa pero incontenible de su muerte, habían vuelto los liberales y los conservadores reconciliados al rescoldo de tantos años de ambiciones postergadas, los generales del mando supremo que habían perdido el oriente de la autoridad, los tres últimos ministros civiles, el arzobispo primado, todos los que él no hubiera querido que estuvieran estaban sentados en torno de la larga mesa de nogal tratando de ponerse de acuerdo sobre la forma en que se debía divulgar la noticia de aquella muerte enorme para impedir la explosión prematura de las muchedumbres en la calle, primero un boletín número uno al filo de la prima noche sobre un ligero percance de salud que había obligado a cancelar los compromisos públicos y las audiencias civiles y militares de su excelencia, luego un segundo boletín médico en el que se anunciaba que el ilustre enfermo se había visto obligado a permanecer en sus habitaciones privadas a consecuencia de una indisposición propia de su edad, y por último, sin ningún anuncio, los dobles rotundos de las campanas de la catedral al amanecer radiante del cálido martes de agosto de una muerte oficial que nadie había de saber nunca a ciencia cierta si en realidad era la suya. Nos encontrábamos inermes ante esa evidencia, comprometidos con un cuerpo pestilente que no éramos capaces de sustituir en el mundo porque él se había negado en sus instancias seniles a tomar ninguna determinación sobre el destino de la patria después de él, había resistido con una invencible terquedad de viejo a cuantas sugerencias se le hicieron desde que el gobierno se trasladó a los edificios de vidrios solares de los ministerios y él quedó viviendo solo en la casa desierta de su poder absoluto, lo encontrábamos caminando en sueños, braceando entre los destrozos de las vacas sin nadie a quien mandar como no fueran los ciegos, los leprosos y los paralíticos que no se estaban muriendo de enfermos sino de antiguos en la maleza de los rosales, y sin embargo era tan lúcido y terco que no habíamos conseguido de él nada más que evasivas y aplazamientos cada vez que le planteábamos la urgencia de ordenar su herencia, pues decía que pensar en el mundo después de uno mismo era algo

tan cenizo como la propia muerte, qué carajo, si al fin y
al cabo cuando yo me muera volverán los políticos a
repartirse esta vaina como en los tiempos de los godos,
ya lo verán, decía, se volverán a repartir todo entre
los curas, los gringos y los ricos, y nada para los pobres,
por supuesto, porque ésos estarán siempre tan jodidos
que el día en que la mierda tenga algún valor los pobres nacerán sin culo, ya lo verán, decía, citando a alguien de sus tiempos de gloria, burlándose inclusive de
sí mismo cuando nos dijo ahogándose de risa que por
tres días que iba a estar muerto no valía la pena llevarlo
hasta Jerusalén para enterrarlo en el Santo Sepulcro, y
poniéndole término a todo desacuerdo con el argumento
final de que no importaba que una cosa de entonces
no fuera verdad, qué carajo, ya lo será con el tiempo.
Tuvo razón, pues en nuestra época no había nadie que
pusiera en duda la legitimidad de su historia, ni nadie
que hubiera podido demostrarla ni desmentirla si ni siquiera éramos capaces de establecer la identidad de su
cuerpo, no había otra patria que la hecha por él a su
imagen y semejanza con el espacio cambiado y el tiempo
corregido por los designios de su voluntad absoluta, re-
constituida por él desde los orígenes más inciertos de
su memoria mientras vagaba sin rumbo por la casa de
infamias en la que nunca durmió una persona feliz, mientras les echaba granos de maíz a las gallinas que picoteaban en torno de su hamaca y exasperaba a la servidumbre con las órdenes encontradas de que me traigan
una limonada con hielo picado que abandonaba intacta al
alcance de la mano, que quitaran esa silla de ahí y la
pusieran allá y la volvieran a poner otra vez en su puesto
para satisfacer de esa forma minúscula los rescoldos ti-
bios de su inmenso vicio de mandar, distrayendo los ocios
cotidianos de su poder con el rastreo paciente de los instantes efímeros de su infancia remota mientras cabecea-

ba de sueño bajo la ceiba del patio, despertaba de golpe
cuando lograba atrapar un recuerdo como una pieza del
rompecabezas sin límites de la patria antes de él, la patria grande, quimérica, sin orillas, un reino de manglares con balsas lentas y precipicios anteriores a él cuando
los hombres eran tan bravos que cazaban caimanes con
las manos atravesándoles una estaca en la boca, así, nos
explicaba con el índice en el paladar, nos contaba que un
viernes santo había sentido el estropicio del viento y el
olor de caspa del viento y vio los nubarrones de langostas que enturbiaron el cielo del mediodía e iban tijere-
teando cuanto encontraban a su paso y dejaron el mundo
trasquilado y la luz en piltrafas como en las vísperas de
la creación, pues él había vivido aquel desastre, había
visto una hilera de gallos sin cabeza colgados por las
patas desangrándose gota a gota en el alero de una casa
de vereda grande y destartalada donde acababa de morir
una mujer, había ido de la mano de su madre, descalzo,
detrás del cadáver harapiento que llevaron a enterrar sin
cajón sobre una parihuela de carga azotada por la ven-
tisca de la langosta, pues así era la patria de entonces,
no teníamos ni cajones de muerto, nada, él había visto un
hombre que trató de ahorcarse con una cuerda ya usada
por otro ahorcado en el árbol de una plaza de pueblo y
la cuerda podrida se reventó antes de tiempo y el pobre
hombre se quedó agonizando en la plaza para horror de
las señoras que salieron de misa, pero no murió, lo reani-
maron a palos sin molestarse en averiguar quién era pues
en aquella época nadie sabía quién era quién si no lo
conocían en la iglesia, lo metieron por los tobillos entre
los dos tablones del cepo chino y lo dejaron expuesto a
sol y sereno junto con otros compañeros de penas pues
así eran aquellos tiempos de godos en que Dios mandaba
más que el gobierno, los malos tiempos de la patria antes
de que él diera la orden de cortar los árboles de las pla-

zas de los pueblos para impedir el terrible espectáculo
de los ahorcados dominicales, había prohibido el cepo
público, los entierros sin cajón, todo cuanto pudiera despertar en la memoria las leyes de ignominia anteriores a
su poder, había construido el tren de los páramos para
acabar con la infamia de las mulas aterrorizadas en las
cornisas de los precipicios llevando a cuestas los pianos
de cola para los bailes de máscaras de las haciendas de
café, pues él había visto también el desastre de los treinta
pianos de cola destrozados en un abismo y de los cuales
se había hablado y escrito tanto hasta en el exterior aunque sólo él podía dar un testimonio verídico, se había asomado a la ventana por casualidad en el instante preciso
en que resbaló la última mula y arrastró a las demás al
abismo, de modo que nadie más que él había oído el
aullido de terror de la recua desbarrancada y el acorde
sin término de los pianos que cayeron con ella sonando
solos en el vacío, precipitándose hacia el fondo de una
patria que entonces era como todo antes de él, vasta e
incierta, hasta el extremo de que era imposible saber si
era de noche o de día en aquella especie de crepúsculo
eterno de la neblina de vapor cálido de las cañadas profundas donde se despedazaron los pianos importados de
Austria, él había visto eso y muchas otras cosas de aquel
mundo remoto aunque ni él mismo hubiera podido pre-
cisar sin lugar a dudas si de veras eran recuerdos propios o si los había oído contar en las malas noches de
calenturas de las guerras o si acaso no los había visto
en los grabados de los libros de viajes ante cuyas láminas permaneció en éxtasis durante las muchas horas vacías de las calmas chichas del poder, pero nada de eso
importaba, qué carajo, ya verán que con el tiempo será
verdad, decía, consciente de que su infancia real no era
ese légamo de evocaciones inciertas que sólo recordaba
cuando empezaba el humo de las bostas y lo olvidaba

para siempre sino que en realidad la había vivido en
el remanso de mi única y legítima esposa Leticia Nazareno que lo sentaba todas las tardes de dos a cuatro
en un taburete escolar bajo la pérgola de trinitarias para
enseñarle a leer y escribir, ella había puesto su tenacidad
de novicia en esa empresa heroica y él le correspondió
con su terrible paciencia de viejo, con la terrible voluntad de su poder sin límites, con todo mi corazón, de modo
que cantaba con toda el alma el tilo en la tuna el lilo en
la tina el bonete nítido, cantaba sin oírse ni que nadie
lo oyera entre la bulla de los pájaros alborotados de la
madre muerta que el indio envasa la untura en la lata,
papá coloca el tabaco en la pipa, Cecilia vende cera cer-
veza cebada cebolla cerezas cecina y tocino, Cecilia vende
todo, reía, repitiendo en el fragor de las chicharras la
lección de leer que Leticia Nazareno cantaba al compás
de su metrónomo de novicia, hasta que el ámbito del
mundo quedó saturado de las criaturas de tu voz y no
hubo en su vasto reino de pesadumbre otra verdad que
las verdades ejemplares de la cartilla, no hubo nada más
que la luna en la nube, la bola y el banano, el buey de
don Eloy, la bonita bata de Otilia, las lecciones de leer
que él repetía a toda hora y en todas partes como sus
retratos aun en presencia del ministro del tesoro de Holanda que perdió el rumbo de una visita oficial cuando
el anciano sombrío levantó la mano con el guante de raso
en las tinieblas de su poder insondable e interrumpió la
audiencia para invitarlo a cantar conmigo mi mamá me
ama, Ismael estuvo seis días en la isla, la dama come
tomate, imitando con el índice el compás del metrónomo y repitiendo de memoria la lección del martes con una
dicción perfecta pero con tan mal sentido de la oportunidad que la entrevista terminó como él lo había querido
con el aplazamiento de los pagarés holandeses para una
ocasión más propicia, para cuando hubiera tiempo, de-

cidió, ante el asombro de los leprosos, los ciegos, los paralíticos que se alzaron al amanecer entre las breñas nevadas de los rosales y vieron al anciano de tinieblas que impartió una bendición silenciosa y cantó tres veces con acordes de misa mayor yo soy el rey y amo la ley, cantó, el adivino se dedica a la bebida, cantó, el faro es una torre muy alta con un foco luminoso que dirige en la noche al que navega, cantó, consciente de que en las sombras de su felicidad senil no había más tiempo que el de Leticia Nazareno de mi vida en el caldo de camarones de los retozos sofocantes de la siesta, no había más ansias que las de estar desnudo contigo en la estera empapada en sudor bajo el murciélago cautivo del ventilador eléctrico, no había más luz que la de tus nalgas, Leticia, nada más que tus tetas totémicas, tus pies planos, tu ramita de ruda para un remedio, los eneros opresivos de la remota isla de Antigua donde viniste al mundo en una madrugada de soledad surcada por un viento ardiente de ciénagas podridas, se habían encerrado en el aposento de invitados de honor con la orden personal de que nadie se acerque a cinco metros de esa puerta que voy a estar muy ocupado aprendiendo a leer y a escribir, así que nadie lo interrumpió ni siquiera con la novedad mi general de que el vómito negro estaba haciendo estragos en la población rural mientras el compás de mi corazón se adelantaba al metrónomo por la fuerza invisible de tu olor de animal de monte, cantando que el enano baila en un solo pie, la mula va al molino, Otilia lava la tina, baca se escribe con be de burro, cantaba, mientras Leticia Nazareno le apartaba el testículo herniado para limpiarle los restos de la caca del último amor, lo sumergía en las aguas lustrales de la bañera de peltre con patas de león y lo jabonaba con jabón de reuter y lo despercudía con estropajos y lo enjuagaba con agua de frondas hervidas cantando a dos voces con jota se escribe jengibre jofaina

y jinete, le embadurnaba las bisagras de las piernas con
manteca de cacao para aliviarle las escaldaduras del braguero, le empolvaba con ácido bórico la estrella mustia
del culo y le daba nalgadas de madre tierna por tu mal
comportamiento con el ministro de Holanda, plas, plas,
le pidió como penitencia que permitiera el regreso al
país de las comunidades de pobres para que volvieran
a hacerse cargo de orfanatos y hospitales y otras casas de
caridad, pero él la envolvió en el aura lúgubre de su rencor implacable, ni de vainas, suspiró, no había un poder
de este mundo ni del otro que lo hiciera contrariar una
determinación tomada por él mismo de viva voz, ella le
pidió en las asmas del amor de las dos de la tarde que
me concedas una cosa, mi vida, sólo una, que regresaran
las comunidades de los territorios de misiones que tra-
bajaban al margen de las veleidades del poder, pero él
le contestó en las ansias de sus resuellos de marido urgente que ni de vainas mi amor, primero muerto que
humillado por esa cáfila de pollerones que ensillan indios en vez de mulas y reparten collares de vidrios de
colores a cambio de narigueras y arracadas de oro, ni
de vainas, protestó, insensible a las súplicas de Leticia
Nazareno de mi desventura que se había cruzado de
piernas para pedirle la restitución de los colegios confe-
sionales incautados por el gobierno, la desamortización
de los bienes de manos muertas, los trapiches de caña,
los templos convertidos en cuarteles, pero él se volteó
de cara a la pared dispuesto a renunciar al tormento
insaciable de tus amores lentos y abismales antes que
dar mi brazo a torcer en favor de esos bandoleros de
Dios que durante siglos se han alimentado de los hígados de la patria, ni de vainas, decidió, y sin embargo
volvieron mi general, regresaron al país por las rendijas más estrechas las comunidades de pobres de acuerdo con su orden confidencial de que desembarcaran sin

ruido en ensenadas secretas, les pagaron indemnizaciones desmesuradas, se restituyeron con creces los bienes expropiados y fueron abolidas las leyes recientes del matrimonio civil, el divorcio vincular, la educación laica, todo cuanto él había dispuesto de viva voz en las rabias de la fiesta de burlas del proceso de santificación de su madre Bendición Alvarado a quien Dios tenga en su santo reino, qué carajo, pero Leticia Nazareno no se conformó con tanto sino que pidió más, le pidió que pongas la oreja en mi bajo vientre para que oigas cantar a la criatura que está creciendo dentro, pues ella había despertado en mitad de la noche sobresaltada por aquella voz profunda que describía el paraíso acuático de tus entrañas surcadas de atardeceres malva y vientos de alquitrán, aquella voz interior que le hablaba de los pólipos de tus riñones, el acero tierno de tus tripas, el ámbar tibio de tu orina dormida en sus manantiales, y él puso en su vientre el oído que le zumbaba menos y oyó el borboriteo secreto de la criatura viva de su pecado mortal, un hijo de nuestros vientres obscenos que ha de llamarse Emanuel, que es el nombre con que los otros dioses conocen a Dios, y ha de tener en la frente el lucero blanco de su origen egregio y ha de heredar el espíritu de sacrificio de la madre y la grandeza del padre y su mismo destino de conductor invisible, pero había de ser la vergüenza del cielo y el estigma de la patria por su naturaleza ilícita mientras él no se decidiera a consagrar en los altares lo que había envilecido en la cama durante tantos y tantos años de contubernio sacrílego, y entonces se abrió paso por entre las espumas del antiguo mosquitero de bodas con aquel resuello de caldera de barco que le salía del fondo de las terribles rabias reprimidas gritando ni de vainas, primero muerto que casado, arrastrando sus grandes patas de novio escondido por los salones de una casa ajena cuyo esplendor de otra época había sido restaurado después del largo tiempo de tinieblas del luto oficial, los podridos crespones de semana mayor habían sido arrancados de las cornisas, había luz de mar en los aposentos, flores en los balcones, músicas marciales, y todo eso en cumplimiento de una orden que él no había dado pero que fue una orden suya sin la menor duda mi general pues tenía la decisión tranquila de su voz y el estilo inapelable de su autoridad, y él aprobó, de acuerdo, y habían vuelto a abrirse los templos clausurados, y los claustros y cementerios habían sido devueltos a sus antiguas congregaciones por otra orden suya que tampoco había dado pero aprobó, de acuerdo, se habían restablecido las antiguas fiestas de guardar y los usos de la cuaresma y entraban por los balcones abiertos los himnos de júbilo de las muchedumbres que antes cantaban para exaltar su gloria y ahora cantaban arrodilladas bajo el sol ardiente para celebrar la buena nueva de que habían traído a Dios en un buque mi general, de veras, lo habían traído por orden tuya, Leticia, por una ley de alcoba como tantas otras que ella expedía en secreto sin consultarlo con nadie y que él aprobaba en público para que no pareciera ante los ojos de nadie que había perdido los oráculos de su autoridad, pues tú eras la potencia oculta de aquellas procesiones sin término que él contemplaba asombrado desde las ventanas de su dormitorio hasta más allá de donde no llegaron las hordas fanáticas de su madre Bendición Alvarado cuya memoria había sido exterminada del tiempo de los hombres, habían esparcido en el viento las piltrafas del traje de novia y el almidón de sus huesos y habían vuelto a poner la lápida al revés en la cripta con las letras hacia dentro para que no perdurara ni la noticia de su nombre de pajarera en reposo pintora de oropéndolas hasta el fin de los tiempos, y todo eso por orden tuya, porque eras tú ´quien lo había ordenado para que

ninguna otra memoria de mujer hiciera sombra a tu memoria, Leticia Nazareno de mi desgracia, hija de puta. Ella
lo había cambiado a una edad en que nadie cambia como
no sea para morir, había conseguido aniquilar con recursos de cama su resistencia pueril que ni de vainas, primero
muerto que casado, lo había obligado a ponerse tu braguero nuevo que siéntelo cómo suena como un cencerro
de oveja descarriada en la obscuridad, lo obligó a ponerse
tus botas de charol de cuando bailó el primer valse con
la reina, la espuela de oro del talón izquierdo que le había regalado el almirante de la mar océana para que la
llevara hasta la muerte en señal de la más alta autoridad,
tu guerrera de entorchados y borlones de pasamanería y
charreteras de estatua que él no había vuelto a ponerse
desde los tiempos en que aún se podían vislumbrar los
ojos tristes, el mentón pensativo, la mano taciturna con
el guante de raso detrás de los visillos de la carroza presidencial, lo obligó a ponerse tu sable de guerra, tu per-
fume de hombre, tus medallas con el cordón de la orden
de los caballeros del Santo Sepulcro que te mandó el
Sumo Pontífice por haber devuelto a la iglesia los bienes
expropiados, me vestiste como un altar de feria y me
llevaste de madrugada por mis propios pies a la sombría
sala de audiencias olorosa a velas de muerto por los
gajos de azahares en las ventanas y los símbolos de la
patria colgados en las paredes, sin testigos, uncido al
yugo de la novicia escayolada con el refajo de lienzo debajo de las auras de muselina para sofocar la vergüenza
de siete meses de desenfrenos ocultos, sudaban en el sopor del mar invisible que husmeaba sin sosiego alrededor del tétrico salón de fiestas cuyos accesos habían sido
prohibidos por orden suya, las ventanas habían sido amu-
ralladas, habían exterminado todo rastro de vida en la
casa para que el mundo no conociera ni el rumor más
ínfimo de la enorme boda escondida, apenas si podías

respirar de calor por el apremio del varón prematuro que
nadaba entre los líquenes de tinieblas de los médanos de
tus entrañas, pues él había resuelto que fuera varón, y lo
era, cantaba en el subsuelo de tu ser con la misma voz
de manantial invisible con que el arzobispo primado vestido de pontifical cantaba gloria a Dios en las alturas
para que no lo oyeran ni los centinelas adormilados, con
el mismo terror de buzo perdido con que el arzobispo primado encomendó su alma al Señor para preguntarle al
anciano inescrutable lo que nadie hasta entonces ni después hasta la consumación de los siglos se hubiera atrevido a preguntarle si aceptas por esposa a Leticia Mer-
cedes María Nazareno, y él apenas parpadeó, de acuerdo, apenas si le sonaron en el pecho las medallas de
guerra por la presión oculta del corazón, pero había
tanta autoridad en su voz que la terrible criatura de tus
entrañas se revolvió por completo en su equinoccio de
aguas densas y corrigió su oriente y encontró el rumbo
de la luz, y entonces Leticia Nazareno se torció sobre sí
misma sollozando padre mío y señor compadécete de
ésta tu humilde sierva que mucho se ha complacido en
la desobediencia de tus santas leyes y acepta con resig-
nación este castigo terrible, pero mordiendo al mismo
tiempo el mitón de encajes para que el ruido de los huesos desarticulados de su cintura no fuera a delatar la
deshonra oprimida por el refajo de lienzo, se puso en
cuclillas, se descuartizó en el charco humeante de sus
propias aguas y se sacó de entre los enredos de muselina el engendro sietemesino que tenía el mismo tamaño
y el mismo aire de desamparo de animal sin hervir de un
ternero de vientre, lo levantó con las dos manos tratando
de reconocerlo a la luz turbia de las velas del altar im-
provisado, y vio que era un varón, tal como lo había dispuesto mi general, un varón frágil y tímido que había de
llevar sin honor el nombre de Emanuel, como estaba

previsto, y lo nombraron general de división con jurisdicción y mando efectivos desde el momento en que él lo
puso sobre la piedra de los sacrificios y le cortó el ombli-
go con el sable y lo reconoció como mi único y legítimo
hijo, padre, bautícemelo. Aquella decisión sin preceden-
tes había de ser el preludio de una nueva época, el primer anuncio de los malos tiempos en que el ejército acor-
donaba las calles antes del alba y hacía cerrar las ventanas de los balcones y desocupaba el mercado a culatazos
de rifle para que nadie viera el paso fugitivo del automóvil flamante con láminas de acero blindado y manijas de
oro de la escudería presidencial, y quienes se atrevían a
atisbar desde las azoteas prohibidas no veían como en
otro tiempo al militar milenario con el mentón apoyado
en la mano pensativa del guante de raso a través de los
visillos bordados con los colores de la bandera sino a la
antigua novicia rechoncha con el sombrero de paja con
flores de fieltro y la ristra de zorros azules que se colgaba
del cuello a pesar del calor, la veíamos descender frente
al mercado público los miércoles al amanecer escoltada
por una patrulla de soldados de guerra llevando de la
mano al minúsculo general de división de no más de tres
años de quien era imposible creer por su gracia y su lan-
guidez que no fuera una niña disfrazada de militar con
el uniforme de gala con entorchados de oro que parecía
crecerle en el cuerpo, pues Leticia Nazareno se lo había
puesto desde antes de la primera dentición cuando lo llevaba en la cuna de ruedas a presidir los actos oficiales en
representación de su padre, lo llevaba en brazos cuando
pasaba revista a sus ejércitos, lo levantaba por encima de
su cabeza para que recibiera la ovación de las muchedumbres en el estadio de pelota, lo amamantaba en el
automóvil descubierto durante los desfiles de las fiestas
patrias sin pensar en las burlas íntimas que suscitaba el
espectáculo público de un general de cinco soles pren-

dido con un éxtasis de ternero huérfano en el pezón de
su madre, asistió a las recepciones diplomáticas desde
que estuvo en condiciones de valerse de sí mismo, y entonces llevaba además del uniforme las medallas de guerra que escogía a su gusto en el estuche de condecoraciones que su padre le prestaba para jugar, y era un
niño serio, raro, sabía tenerse en público desde los seis
años sosteniendo en la mano la copa de jugo de frutas
en vez de champaña mientras hablaba de asuntos de persona mayor con una propiedad y una gracia naturales que
no había heredado de nadie, aunque más de una vez ocurrió que un nubarrón oscuro atravesó la sala de fiestas,
se detuvo el tiempo, el delfín pálido investido de los más
altos poderes había sucumbido en el sopor, silencio, su-
surraban, el general chiquito está dormido, lo sacaron en
brazos de sus edecanes a través de los diálogos truncos
y los gestos petrificados de la audiencia de sicarios de
lujo y señoras púdicas que apenas se atrevían a murmurar reprimiendo la risa del bochorno detrás de los abanicos de plumas, qué horror, si el general lo supiera, porque él dejaba prosperar la creencia que él mismo había
inventado de que era ajeno a todo cuanto ocurría en el
mundo que no estuviera a la altura de su grandeza así
fueran los desplantes públicos del único hijo que había
aceptado como suyo entre los incontables que había en-
gendrado, o las atribuciones desmedidas de mi única y
legítima esposa Leticia Nazareno que llegaba al mercado
los miércoles al amanecer llevando de la mano a su general de juguete en medio de la escolta bulliciosa de sirvientas de cuartel y ordenanzas de asalto trasfigurados
por ese raro resplandor visible de la conciencia que pre-
cede a la salida inminente del sol en el Caribe, se hundían
hasta la cintura en el agua pestilente de la bahía para
entrar a saco en los veleros de parches remendados que
fondeaban en el antiguo puerto negrero estibados con flo-

res de la Martinica y rizones de jengibre de Paramaribo,
arrasaban a su paso con la pesca viva en una rebatiña de
guerra, se la disputaban a los cerdos con culatazos de rifle en torno de la antigua báscula de esclavos todavía en
servicio donde otro miércoles de otra época de la patria
antes de él habían rematado en subasta pública a una
senegalesa cautiva que costó más que su propio peso en
oro por su hermosura de pesadilla, acabaron con todo
mi general, fue peor que la langosta, peor que el ciclón,
pero él permanecía impasible ante el escándalo creciente
de que Leticia Nazareno irrumpía como no se hubiera
atrevido él mismo en la galería abigarrada del mercado
de pájaros y legumbres perseguida por el alboroto de
los perros callejeros que les ladraban asustados a los ojos
de vidrios atónitos de los zorros azules, se movía con un
dominio procaz de su autoridad entre las esbeltas columnas de hierro bordado bajo las ramazones de hierro con
grandes hojas de vidrios amarillos, con manzanas de vidrios rosados, con cornucopias de riquezas fabulosas de
la flora de vidrios azules de la gigantesca bóveda de luces
donde escogía las frutas más apetitosas y las legumbres
más tiernas que sin embargo se marchitaban en el instante en que ella las tocaba, inconsciente de la mala virtud de sus manos que hacían crecer el musgo en el pan
todavía tibio y había renegrido el oro de su anillo matrimonial, así que se soltaba en improperios contra las
vivanderas por haber escondido el mejor bastimento y
sólo habían dejado para la casa del poder esta miseria
de mangos de puerco, rateras, esta ahuyama que suena
por dentro como un calabazo de músico, malparidas,
esta mierda de costillar con la sangraza agusanada que
se conoce a leguas que no es de buey sino de burro muerto de peste, hijas de mala madre, se desgañitaba, mientras las sirvientas con sus canastos y los ordenanzas con
sus artesas de abrevadero arrasaban con cuanta cosa de

comer encontraban a la vista, sus gritos de corsaria eran
más estridentes que el fragor de los perros enloquecidos
por el relente de escondrijos nevados de las colas de los
zorros azules que ella se hacía llevar vivos de la isla del
príncipe Eduardo, más hirientes que la réplica sangrienta de las guacamayas deslenguadas cuyas dueñas les en-
señaban en secreto lo que ellas mismas no se podían dar
el gusto de gritar leticia ladrona, monja puta, lo chilla-
ban encaramadas en las ramazones de hierro del follaje
de vidrios de colores polvorientos del dombo del mercado donde se sabían a salvo del soplo de devastación de
aquel zambapalo de bucaneros que se repitió todos los
miércoles al ·amanecer durante la infancia bulliciosa del
minúsculo general de embuste cuya voz se volvía más afec-
tuosa y sus ademanes más dulces cuanto más hombre
trataba de parecer con el sable de rey de la baraja que
todavía le arrastraba al caminar, se mantenía impertur-
bable en medio de la rapiña, se mantenía sereno, altivo,
con el decoro inflexible que su madre le había inculcado
para que mereciera la flor de la estirpe que ella misma
despilfarraba en el mercado con sus ímpetus de perra
furiosa y sus improperios de turca bajo la mirada incólume de las ancianas negras de turbantes de trapos de
colores radiantes que soportaban los insultos y contemplaban el saqueo abanicándose sin parpadear con una
quietud abismal de ídolos sentados, sin respirar, rumian-
do bolas de tabaco, bolas de coca, medicinas de parsimonia que les permitían sobrevivir a tanta ignominia mientras pasaba el asalto feroz de la marabunta y Leticia Nazareno se abría paso con su militar de pacotilla a través
de los espinazos erizados de los perros frenéticos y gritaba desde la puerta que le pasen la cuenta al gobierno,
como siempre, y ellas apenas suspiraban, Dios mío, si el
general lo supiera, si hubiera alguien capaz de contárselo,
engañadas con la ilusión de que él siguió ignorando has-

ta la ahora de su muerte lo que todo el mundo sabía para
mayor escándalo de su memoria que mi única y legítima
esposa Leticia Nazareno había desguarnecido los bazares de los hindúes de sus terribles cisnes de vidrio y espejos con marcos de caracoles y ceniceros de coral, des-
valijaba de tafetanes mortuorios las tiendas de los sirios
y se llevaba a puñados los sartales de pescaditos de oro
y las higas de protección de los plateros ambulantes de
la calle del comercio que le gritaban en su cara que eres
más zorra que las leticias azules que llevaba colgadas del
cuello, cargaba con todo cuanto encontraba a su paso
para satisfacer lo único que le quedaba de su antigua condición de novicia que era su mal gusto pueril y el vicio
de pedir sin necesidad, sólo que entonces no tenía que
mendigar por el amor de Dios en los zaguanes perfumados
de jazmines del barrio de los virreyes sino que cargaba
en furgones militares cuanto le complacía a su voluntad
sin más sacrificios de su parte que la orden perentoria
de que le pasen la cuenta al gobierno. Era tanto como
decir que le cobraran a Dios, porque nadie sabía desde
entonces si él existía a ciencia cierta, se había vuelto invisible, veíamos los muros fortificados en la colina de la
Plaza de Armas, la casa del poder con el balcón de los
discursos legendarios y las ventanas de visillos de encajes y macetas de flores en las cornisas que de noche parecía un buque de vapor navegando en el cielo, no sólo
desde cualquier sitio de la ciudad sino también desde
siete leguas en el mar después de que la pintaron de
blanco y la iluminaron con globos de vidrio para celebrar la visita del conocido poeta Rubén Darío, aunque
ninguno de esos signos demostraba a ciencia cierta que
él estuviera ahí, al contrario, pensábamos con buenas razones que aquellos alardes de vida eran artificios militares para tratar de desmentir la versión generalizada de
que él había sucumbido a una crisis de misticismo senil,

que había renunciado a los fastos y vanidades del poder y
se había impuesto a sí mismo la penitencia de vivir el
resto de sus años en un tremendo estado de postración
con cilicios de privaciones en el alma y toda clase de hierros de mortificación en el cuerpo, sin nada más que pan
de centeno para comer y agua de pozo para beber, ni nada
más para dormir que las losas del suelo pelado de una
celda de clausura del convento de las vizcaínas hasta
expiar el horror de haber poseído contra su voluntad y
haber fecundado de varón a una mujer prohibida que
sólo porque Dios es grande no había recibido todavía las
órdenes mayores, y sin embargo nada había cambiado
en su vasto reino de pesadumbre porque Leticia Nazareno tenía las claves de su poder y le bastaba con decir
que él mandaba a decir que le pasen la cuenta al gobierno, una fórmula antigua que al principio parecía muy fácil de sortear pero que se fue haciendo cada vez más
temible, hasta que un grupo de acreedores decididos se
atrevió a presentarse al cabo de muchos años con una
maleta de facturas pendientes en el retén de la casa presidencial y nos encontramos con el asombro de que nadie
nos dijo que sí ni que no sino que nos mandaron con un
soldado de servicio a una discreta sala de espera donde
nos recibió un oficial de marina muy amable, muy joven,
de voz reposada y ademanes sonrientes que nos brindó
una taza del café tenue y fragante de las cosechas presidenciales, nos mostró las oficinas blancas y bien ilumina-
das con redes metálicas en las ventanas y ventiladores
de aspas en el cielo raso, y todo era tan diáfano y humano que uno se preguntaba perplejo dónde estaba el poder
de aquel aire oloroso a medicina perfumada, dónde estaba la mezquindad y la inclemencia del poder en la conciencia de aquellos escribientes de camisas de seda que
gobernaban sin prisa y en silencio, nos mostró el patiecito
interior cuyos rosales habían sido podados por Leticia

Nazareno para purificar el sereno de la madrugada del
mal recuerdo de los leprosos y los ciegos y los paralíticos que fueron mandados a morir de olvido en asilos de
caridad, nos mostró el antiguo galpón de las concubinas,
las máquinas de coser herrumbrosas, los catres de cuartel
donde las esclavas del serrallo habían dormido hasta en
grupos de tres en celdas de oprobio que iban a ser de-
molidas para construir en su lugar la capilla privada, nos
mostró desde una ventana interior la galería más íntima
de la casa civil, el cobertizo de trinitarias doradas por
el sol de las cuatro en el cancel de alfajores de listones
verdes donde él acababa de almorzar con Leticia Nazareno y el niño que eran las únicas personas con franquicia para sentarse a su mesa, nos mostró la ceiba legendaria a cuya sombra colgaban la hamaca de lino con
los colores de la bandera donde él hacía la siesta en las
tardes de más calor, nos mostró los establos de ordeño,
las queseras, los panales, y al regresar por el sendero que
él recorría al amanecer para asistir al ordeño pareció
fulminado por la centella de la revelación y nos señaló
con el dedo la huella de una bota en el barro, miren,
dijo, es la huella de él, nos quedamos petrificados contemplando aquella impronta de una suela grande y basta
que tenía el esplendor y el dominio en reposo y el tufo de
sarna vieja del rastro de un tigre acostumbrado a la soledad, y en esa huella vimos el poder, sentimos el contacto de su misterio con mucha más fuerza reveladora
que cuando uno de nosotros fue escogido para verlo a
él de cuerpo presente porque los grandes del ejército empezaban a rebelarse contra la advenediza que había logrado acumular más poder que el mando supremo, más que
el gobierno, más que él, pues Leticia Nazareno había llegado tan lejos con sus ínfulas de reina que el propio estado mayor presidencial asumió el riesgo de franquearle el
paso a uno de ustedes, sólo a uno, para tratar de que

él tuviera al menos una idea ínfima de cómo andaba la
patria a espaldas suyas mi general, y así fue cómo lo vi,
estaba solo en la calurosa oficina de paredes blancas con
grabados de caballos ingleses, estaba echado hacia atrás
en la poltrona de resortes, debajo del ventilador de aspas, con el uniforme de dril blanco y arrugado con botones de cobre y sin insignias de ninguna clase, tenía la
mano derecha con el guante de raso sobre el escritorio
de madera donde no había nada más que tres pares iguales de espejuelos muy pequeños con monturas de oro,
tenía a sus espaldas una vidriera de libros polvorientos
que más bien parecían libros mayores de contabilidad
empastados en cuero humano, tenía a la derecha una
ventana grande y abierta, también con mallas metálicas,
a través de la cual se veía la ciudad entera y todo el
cielo sin nubes ni pájaros hasta el otro lado del mar, y yo
sentí un grande alivio porque él se mostraba menos consciente de su poder que cualquiera de sus partidarios y
era más doméstico que en sus fotografías y también más
digno de compasión pues todo en él era viejo y arduo y
parecía minado por una enfermedad insaciable, tanto que
no tuvo aliento para decirme que me sentara sino que me
lo indicó con un gesto triste del guante de raso, escuchó mis razones sin mirarme, respirando con un silbido
tenue y difícil, un silbido recóndito que dejaba en la habitación un relente de creosota, concentrado a fondo en
el examen de las cuentas que yo representaba con ejem-
plos de escuela porque él no lograba concebir nociones
abstractas, de modo que empecé por demostrarle que
Leticia Nazareno nos estaba debiendo una cantidad de
tafetán igual a dos veces la distancia marítima de Santa
María del Altar, es decir, 190 leguas, y él dijo ajá como
para sí mismo, y terminé por demostrarle que el total
de la deuda con el descuento especial para su excelencia
era igual a seis veces el premio mayor de la lotería en

diez años, y él volvió a decir ajá y sólo entonces me
miró de frente sin los espejuelos y pude ver que sus ojos
eran tímidos e indulgentes, y sólo entonces me dijo con
una rara voz de armonio que nuestras razones eran cla-
ras y justas, a cada quién lo suyo, dijo, que le pasen la
cuenta al gobierno. Así era, en realidad, por la época en
que Leticia Nazareno lo había vuelto a hacer desde el principio sin los escollos montaraces de su madre Bendición
Alvarado, le quitó la costumbre de comer caminando con
el plato en una mano y la cuchara en la otra y comían los
tres en una mesita de playa bajo el cobertizo de trinitarias, él frente al niño y Leticia Nazareno entre los dos en-
señándoles las normas de urbanidad y de la buena salud
en el comer, les enseñó a mantenerse con la espina dorsal
apoyada en el espaldar de la silla, el tenedor en la mano
izquierda, el cuchillo en la derecha, masticando cada bo-
cado quince veces de un lado y quince veces del otro con
la boca cerrada y la cabeza recta sin hacer caso de sus
protestas de que tantos requisitos parecían cosas de cuartel, le enseñó a leer después del almuerzo el periódico
oficial en el que figuraba él mismo como patrono y director honorario, se lo ponía en las manos cuando lo
veía acostado en la hamaca a la sombra de la ceiba gigantesca del patio familiar diciéndole que no era concebible que todo un jefe de estado no estuviera al corriente
de lo que pasaba en el mundo, le ponía los espejuelos de
oro y lo dejaba chapaleando en la lectura de sus propias
noticias mientras ella adiestraba al niño en el deporte
de novicias de lanzarse y devolverse una pelota de caucho, mientras él se encontraba a sí mismo en fotografías
tan antiguas que muchas de ellas no eran suyas sino de
un antiguo doble que había muerto por él y cuyo nombre
no recordaba, se encontraba presidiendo los consejos de
ministros del martes a los cuales no asistía desde los
tiempos del cometa, se enteraba de frases históricas que

le atribuían sus ministros de letras, leía cabeceando en el
bochorno de los nubarrones errantes de las tardes de
agosto, se sumergía poco a poco en la mazamorra de sudor de la siesta murmurando qué mierda de periódico,
carajo, no entiendo cómo se lo aguanta la gente, murmuraba, pero algo debía quedarle de aquellas lecturas sin
gracia porque despertaba del sueño corto y tenue con alguna idea nueva inspirada en las noticias, mandaba órdenes a sus ministros con Leticia Nazareno, le contestaban
con ella tratando de vislumbrar su pensamiento por el
pensamiento de ella, porque tú eras lo que yo había querido que fueras la intérprete de mis más altos designios,
tú eras mi voz, eras mi razón y mi fuerza, era su oído más
fiel y más atento en el rumor de lavas perpetuas del
mundo inaccesible que lo asediaba, aunque en realidad
los últimos oráculos que regían su destino eran los letreros anónimos escritos en las paredes de los excusados
del personal de servicio, en los cuales descifraba las
verdades recónditas que nadie se hubiera atrevido a revelarle, ni siquiera tú, Leticia, los leía al amanecer de regreso del ordeño antes de que los borraran los ordenanzas de la limpieza y había ordenado encalar a diario los
muros de los retretes para que nadie resistiera a la tentación de desahogarse de sus rencores ocultos, allí conoció las amarguras del mando supremo, las intenciones
reprimidas de quienes medraban a su sombra y lo re-
pudiaban a sus espaldas, se sentía dueño de todo su
poder cuando conseguía penetrar un enigma del corazón
humano en el espejo revelador del papel de la canalla,
volvió a cantar al cabo de tantos años contemplando a
través de las brumas del mosquitero el sueño matinal de
ballena varada de su única y legítima esposa Leticia Nazareno, levántate, cantaba, son las seis de mi corazón, el
mar está en su puesto, la vida sigue, Leticia, la vida im-
previsible de la única de sus tantas mujeres que lo había

conseguido todo de él menos el privilegio fácil de que
amaneciera con ella en la cama, pues él se iba después
del último amor, colgaba la lámpara de salir corriendo
en el dintel de su dormitorio de soltero viejo, pasaba las
tres aldabas, los tres cerrojos, los tres pestillos, se tiraba
bocabajo en el suelo, solo y vestido, como lo había hecho
todas las noches antes de ti, como lo hizo sin ti hasta la
última noche de sus sueños de ahogado solitario, regresaba después del ordeño a tu cuarto oloroso a bestia de
oscuridad para seguirte dando cuanto quisieras, mucho
más que la herencia sin medidas de su madre Bendición
Alvarado, mucho más de lo que ningún ser humano había
soñado sobre la tierra, no sólo para ella sino también para
sus parientes inagotables que llegaban desde los cayos in-
cógnitos de las Antillas sin otra fortuna que el pellejo
que llevaban puesto ni más títulos que los de su identidad de Nazarenos, una familia áspera de varones intré-
pidos y mujeres abrasadas por la fiebre de la codicia que
se habían tomado por asalto los estancos de la sal, el
tabaco, el agua potable, los antiguos privilegios con que
él había favorecido a los comandantes de las distintas
armas para mantenerlos apartados de otra clase de ambiciones y que Leticia Nazareno les había ido arrebatan-
do poco a poco por órdenes suyas que él no daba pero
aprobó, de acuerdo, había abolido el sistema bárbaro de
ejecución por descuartizamiento con caballos y había
tratado de poner en su lugar la silla eléctrica que le había regalado el comandante del desembarco para que
también nosotros disfrutáramos del método más civili-
zado de matar, había visitado el laboratorio de horror
de la fortaleza del puerto donde escogían a los presos
políticos más exhaustos para entrenarse en el manejo del
trono de la muerte cuyas descargas absorbían el total de
la potencia eléctrica de la ciudad, conocíamos la hora
exacta del experimento mortal porque nos quedábamos

un instante en las tinieblas con el aliento tronchado de
horror, guardábamos un minuto de silencio en los bur-
deles del puerto y nos tomábamos una copa por el alma
del sentenciado, no una vez sino muchas veces, pues la
mayoría de las víctimas se quedaban colgadas de las correas de la silla con el cuerpo amorcillado y echando
humos de carne asada pero todavía resollando de dolor
hasta que alguien tuviera la piedad de acabar de matarlos a tiros después de varias tentativas frustradas, todo
por complacerte, Leticia, por ti había desocupado los
calabozos y autorizó de nuevo la repatriación de sus enemigos y promulgó un bando de pascua para que nadie
fuera castigado por divergencias de opinión ni perseguido
por asuntos de su fuero interno, convencido de corazón
en la plenitud de su otoño de que aun sus adversarios más
encarnizados tenían derecho a compartir la placidez de
que él gozaba en las noches absortas de enero con la
única mujer que mereció la gloria de verlo sin camisa y
con los calzoncillos largos y la enorme potra dorada por
la luna en la terraza de la casa civil, contemplaban juntos los sauces misteriosos que por aquellas Navidades les
mandaron los reyes de Babilonia para que los sembra-
ran en el jardín de la lluvia, disfrutaban del sol astillado
a través de las aguas perpetuas, gozaban de la estrella
polar enredada en sus frondas, escudriñaban el universo
en los números de la radiola interferida por las rechiflas
de burla de los planetas fugitivos, escuchaban juntos el
episodio diario de las novelas habladas de Santiago de
Cuba que les dejaba en el alma el sentimiento de zozobra de si todavía mañana estaremos vivos para saber
cómo se arregla esta desgracia, él jugaba con el niño antes
de acostarlo para enseñarle todo lo que era posible saber
sobre el uso y mantenimiento de las armas de guerra que
era la ciencia humana que él conocía mejor que nadie,
pero el único consejo que le dio fue que nunca impartie-

ra una orden si no estás seguro de que la van a cumplir, se lo hizo repetir tantas veces cuantas creyó necesarias para que el niño no olvidara nunca que el único error que no puede cometer ni una sola vez en toda su vida un hombre investido de autoridad y mando es impartir una orden que no esté seguro de que será cumplida, un consejo que era más bien de abuelo escaldado que de padre sabio y que el niño no habría olvidado jamás aunque hubiera vivido tanto como él porque se lo enseñó mientras lo preparaba para disparar por primera vez a los seis años de edad un cañón de retroceso a cuyos estampidos de catástrofe atribuimos la pavorosa tormenta seca de relámpagos y truenos volcánicos y el tremendo viento polar de Comodoro Rivadavia que volteó al revés las entrañas del mar y se llevó volando un circo de animales acampado en la plaza del antiguo puerto negrero, sacábamos elefantes en las atarrayas, payasos ahogados, jirafas subidas en los trapecios por la furia del temporal que de milagro no echó a pique el barco bananero en que llegó pocas horas después el joven poeta Félix Rubén García Sarmiento que había de hacerse famoso con el nombre de Rubén Darío, por fortuna se aplacó el mar a las cuatro, el aire lavado se llenó de hormigas voladoras y él se asomó a la ventana del dormitorio y vio al socaire de las colinas del puerto el buquecito blanco escorado a estribor y con la arboladura desmantelada navegando sin riesgos en el remanso de la tarde purificada por el azufre de la tormenta, vio al capitán en el alcázar dirigiendo la maniobra difícil en honor del pasajero ilustre de casaca de paño oscuro y chaleco cruzado a quien él no oyó mencionar hasta la noche del domingo siguiente cuando Leticia Nazareno le pidió la gracia inconcebible de que la acompañara a la velada lírica del Teatro Nacional y él aceptó sin parpadear, de acuerdo. Habíamos esperado tres horas de pie en la atmósfera de vapor de la platea sofocados por la vestimenta de gala que nos exigieron de urgencia a última hora, cuando por fin se inició el himno nacional y nos volvimos aplaudiendo hacia el palco señalado con el escudo de la patria donde apareció la novicia regordeta del sombrero de plumas rizadas y las colas de zorros nocturnos sobre el vestido de tafetán, se sentó sin saludar junto al infante en uniforme de noche que había respondido a los aplausos con el lirio de dedos vacíos del guante de raso apretado en el puño como su madre le había dicho que lo hacían los príncipes de otra época, no vimos a nadie más en el palco presidencial, pero durante las dos horas del recital soportamos la certidumbre de que él estaba ahí, sentíamos la presencia invisible que vigilaba nuestro destino para que no fuera alterado por el desorden de la poesía, él regulaba el amor, decidía la intensidad y el término de la muerte en un rincón del palco en penumbra desde donde vio sin ser visto al minotauro espeso cuya voz de centella marina lo sacó en vilo de su sitio y de su instante y lo dejó flotando sin su permiso en el trueno de oro de los claros clarines de los arcos triunfales de Martes y Minervas de una gloria que no era la suya mi general, vio los atletas heroicos de los estandartes los negros mastines de presa los fuertes caballos de guerra de cascos de hierro las picas y lanzas de los paladines de rudos penachos que llevaban cautiva la extraña bandera para honor de unas armas que no eran las suyas, vio la tropa de jóvenes fieros que habían desafiado los soles del rojo verano las nieves y vientos del gélido invierno la noche y la escarcha y el odio y la muerte para esplendor eterno de una patria inmortal más grande y más gloriosa de cuantas él había soñado en los largos delirios de sus calenturas de guerrero descalzo, se sintió pobre y minúsculo en el estruendo sísmico de los aplausos que él aprobaba en la sombra pensando madre mía Bendición Alvarado eso sí es un desfile, no

las mierdas que me organiza esta gente, sintiéndose disminuido y solo, oprimido por el sopor y los zancudos y
las columnas de sapolín de oro y el terciopelo marchito
del palco de honor, carajo, cómo es posible que este
indio pueda escribir una cosa tan bella con la misma
mano con que se limpia el culo, se decía, tan exaltado
por la revelación de la belleza escrita que arrastraba sus
grandes patas de elefante cautivo al compás de los golpes
marciales de los timbaleros, se adormilaba al ritmo de
las voces de gloria del canto sonoro del cálido coro que
Leticia Nazareno recitaba para él a la sombra de los arcos
triunfales de la ceiba del patio, escribía los versos en las
paredes de los retretes, estaba tratando de recitar de
memoria el poema completo en el olimpo tibio de mierda de vaca de los establos de ordeño cuando tembló la
tierra con la carga de dinamita que estalló antes de tiempo en el baúl del automóvil presidencial estacionado en
la cochera, fue terrible mi general, una conflagración tan
potente que muchos meses después todavía encontrábamos por toda la ciudad las piezas retorcidas del coche
blindado que Leticia Nazareno y el niño debían usar una
hora más tarde para hacer el mercado del miércoles, pues
el atentado era contra ella mi general, sin ninguna duda,
y entonces él se dio una palmada en la frente, carajo,
cómo es posible que no lo hubiera previsto, qué había
sido de su clarividencia legendaria si desde hacía tantos
meses que los letreros de los excusados no estaban diri-
gidos contra él, como siempre, o contra alguno de sus
ministros civiles, sino que estaban inspirados por la auda-
cia de los Nazarenos que había llegado al punto de mordisquear las prebendas reservadas al mando supremo, o
por las ambiciones de los hombres de iglesia que obte-
nían del poder temporal favores desmedidos y eternos,
él había observado que las diatribas inocentes contra
su madre Bendición Alvarado se habían vuelto impro-

perios de guacamaya, pasquines de rencores ocultos que
maduraban en la impunidad tibia de los retretes y termi-
naban por salir a la calle como había ocurrido tantas
veces con otros escándalos menores que él mismo se en-
cargaba de precipitar, aunque nunca pensó ni hubiera
podido pensar que fueran tan feroces como para poner
dos quintales de dinamita dentro del propio cerco de la
casa civil, matreros, cómo es posible que él anduviera
tan absorto en el éxtasis de los bronces triunfales que su
olfato exquisito de tigre cebado no había reconocido a
tiempo el viejo y dulce olor del peligro, qué vaina, reunió
de urgencia al mando supremo, catorce militares trémulos que al cabo de tantos años de conducto ordinario y
órdenes de segunda mano volvíamos a ver a dos brazas
de distancia al anciano incierto cuya existencia real era
el más simple de sus enigmas, nos recibió sentado en la
silla tronal de la sala de audiencias con el uniforme de
soldado raso oloroso a meados de mapurito y unos espejuelos muy finos de oro puro que no conocíamos ni
en sus retratos más recientes, y era más viejo y más
remoto de lo que nadie hubiera podido imaginar, salvo
las manos lánguidas sin los guantes de raso que no parecían sus manos naturales de militar sino las de alguien
mucho más joven y compasivo, todo lo demás era denso
y sombrío, y cuanto más lo reconocíamos era más evidente que apenas le quedaba un último soplo para vivir,
pero era el soplo de una autoridad inapelable y devasta-
dora que a él mismo le costaba trabajo mantener a raya
como al azogue de un caballo cerrero, sin hablar, sin
mover siquiera la cabeza mientras le rendíamos honores
de general jefe supremo y acabamos de sentarnos frente
a él en las poltronas dispuestas en círculo, y sólo entonces se quitó los espejuelos y empezó a escrutarnos con
aquellos ojos meticulosos que conocían los escondrijos
de comadreja de nuestras segundas intenciones, los es-

crutó sin clemencia, uno por uno, tomándose todo el tiempo que le hacía falta para establecer con precisión cuánto había cambiado cada uno de nosotros desde la tarde de brumas de la memoria en que los había ascendido a los grados más altos señalándolos con el dedo según los impulsos de su inspiración, y a medida que los escudriñaba sentía crecer la certidumbre de que entre aquellos catorce enemigos recónditos estaban los autores del atentado, pero al mismo tiempo se sintió tan solo e indefenso frente a ellos que apenas parpadeó, apenas levantó la cabeza para exhortarlos a la unidad ahora más que nunca por el bien de la patria y el honor de las fuerzas armadas, les recomendó energía y prudencia y les impuso la honrosa misión de descubrir sin contemplaciones a los autores del atentado para someterlos al rigor sereno de la justicia marcial, eso es todo, señores, concluyó, a sabiendas de que el autor era uno de ellos, o eran todos, herido de muerte por la convicción ineludible de que la vida de Leticia Nazareno no dependía entonces de la voluntad de Dios sino de la sabiduría con que él lograra preservarla de una amenaza que tarde o temprano se había de cumplir sin remedio, maldita sea. La obligó a cancelar sus compromisos públicos, obligó a sus parientes más voraces a despojarse de cuanto privilegio pudiera tropezar con las fuerzas armadas, a los más comprensivos los nombró cónsules de mano libre y a los más encarnizados los encontrábamos flotando en los manglares de tarulla de los caños del mercado, apareció sin anunciarse al cabo de tantos años en su sillón vacío del consejo de ministros dispuesto a poner un límite a la infiltración del clero en los negocios del estado para tenerte a salvo de tus enemigos, Leticia, y sin embargo había vuelto a echar sondas profundas en el mando supremo después de las primeras decisiones drásticas y estaba convencido de que siete de los comandantes le eran leales sin reservas además del general en jefe que era el más antiguo de sus compadres, pero todavía carecía de poder contra los otros seis enigmas que le alargaban las noches con la impresión ineludible de que Leticia Nazareno estaba ya señalada por la muerte, se la estaban matando entre las manos a pesar del rigor con que hacía probar su comida desde que encontraron una espina de pescado dentro del pan, comprobaban la pureza del aire que respiraba porque él había temido que le pusieran veneno en la bomba del flit, la veía pálida en la mesa, la sentía quedarse sin voz en mitad del amor, lo atormentaba la idea de que le pusieran microbios del vómito negro en el agua de beber, vitriolo en el colirio, sutiles ingenios de muerte que le amargaban cada instante de aquellos días y lo despertaban a media noche con la pesadilla vívida de que Leticia Nazareno se había desangrado durante el sueño por un maleficio de indios, aturdido por tantos riesgos imaginarios y amenazas verídicas que le prohibía salir a la calle sin la escolta feroz de guardias presidenciales instruidos para matar sin causa, pero ella se iba mi general, se llevaba al niño, él se sobreponía al mal presagio para verlos subir en el nuevo automóvil blindado, los despedía con señales de conjuro desde un balcón interior rogando madre mía Bendición Alvarado protégelos, haz que las balas reboten en su corpiño, amansa el láudano, madre, endereza los pensamientos torcidos, sin un instante de sosiego mientras no volviera a sentir las sirenas de la escolta de la Plaza de Armas y veía a Leticia Nazareno y al niño atravesando el patio con las primeras luces del faro, ella volvía agitada, feliz en medio de la custodia de guerreros cargados de pavos vivos, orquídeas de Envigado, ristras de foquitos de colores para las noches de Navidad que ya se anunciaban en la calle con letreros de estrellas luminosas ordenados por él para disimular su ansiedad, la recibía en la escalera para sentirte todavía viva en el relente de naf-

talina de las colas de zorros azules, en el sudor agrio de
tus mechones de inválida, te ayudaba a llevar los regalos
al dormitorio con la rara certidumbre de estar consu-
miendo las últimas migajas de un alborozo condenado
que hubiera preferido no conocer, tanto más desolado
cuanto más convencido estaba de que cada recurso que
concebía para aliviar aquella ansiedad insoportable, cada
paso que daba para conjurarla lo acercaba sin piedad
al pavoroso miércoles de mi desgracia en que tomó la
decisión tremenda de que ya no más, carajo, lo que ha
de ser que sea pronto, decidió, y fue como una orden ful-
minante que no había acabado de concebir cuando dos de
sus edecanes irrumpieron en la oficina con la novedad
terrible de que a Leticia Nazareno y al niño los habían
descuartizado y se los habían comido a pedazos los perros
cimarrones del mercado público, se los comieron vivos
mi general, pero no eran los mismos perros callejeros de
siempre sino unos animales de presa con unos ojos amarillos atónitos y una piel lisa de tiburón que alguien había cebado contra los zorros azules, sesenta perros iguales
que nadie supo cuándo saltaron de entre los mesones de
legumbres y cayeron encima de Leticia Nazareno y el niño
sin darnos tiempo de disparar por miedo de matarlos a
ellos que parecía como si estuvieran ahogándose junto
con los perros en un torbellino de infierno, sólo veíamos
los celajes instantáneos de unas manos efímeras tendidas
hacia nosotros mientras el resto del cuerpo iba desapa-
reciendo a pedazos, veíamos unas expresiones fugaces e
inasibles que a veces eran de terror, a veces eran de lástima, a veces de júbilo, hasta que acabaron de hundirse
en el remolino de la rebatiña y sólo quedó flotando el
sombrero de violetas de fieltro de Leticia Nazareno ante
el horror impasible de las verduleras totémicas salpica-
das de sangre caliente que rezaban Dios mío, esto no
sería posible si el general no lo quisiera, o por lo menos

si no lo supiera, para deshonra eterna de la guardia presidencial que sólo pudo rescatar sin disparar un tiro los
puros huesos dispersos entre las legumbres ensangrenta-
das, nada más mi general, lo único que encontramos fueron estas medallas del niño, el sable sin las borlas, los
zapatos de cordobán de Leticia Nazareno que nadie sabe
por qué aparecieron flotando en la bahía como a una
legua del mercado, el collar de vidrios de colores, el mo-
nedero de malla de almófar que aquí le entregamos en
su propia mano mi general, junto con estas tres llaves,
el anillo matrimonial de oro renegrido y estos cincuenta
centavos en monedas de a diez que pusieron sobre el escritorio para que él las contara, y nada más mi general,
era todo cuanto quedaba de ellos. A él le habría dado
igual que quedara más, o que quedara menos, si hubiera
sabido entonces que no eran muchos ni muy difíciles los
años que le harían falta para exterminar hasta el último
vestigio del recuerdo de aquel miércoles inevitable, lloró
de rabia, despertó gritando de rabia atormentado por los
ladridos de los perros que pasaron la noche en las cadenas del patio mientras él decidía qué hacemos con ellos
mi general, preguntándose aturdido si matar a los perros
no sería otra manera de matar de nuevo en sus entrañas
a Leticia Nazareno y al niño, ordenó derribar la cúpula
de hierro del mercado de legumbres y construir en su
lugar un jardín de magnolias y codornices con una cruz
de mármol con una luz más alta y más intensa que la
del faro para perpetuar en la memoria de las generaciones futuras hasta el fin de los siglos el recuerdo de una
mujer histórica que él mismo había olvidado mucho antes de que el monumento fuera demolido por una explosión nocturna que nadie reivindicó, y a las magnolias se
las comieron los cerdos y el jardín memorable quedó
convertido en un muladar de cieno pestilente que él no
conoció, no sólo porque había ordenado al chofer presi-

dencial que eludiera el paso por el antiguo mercado de
legumbres aunque tengas que darle la vuelta al mundo,
sino porque no volvió a salir a la calle desde que mandó las oficinas para los edificios de vidrios solares de
los ministerios y se quedó sólo con el personal mínimo
para vivir en la casa desmantelada donde no quedaba
entonces por orden suya ni el vestigio menos visible de
tus urgencias de reina, Leticia, se quedó vagando en la
casa vacía sin más oficio conocido que las consultas even-
tuales de los altos mandos o la decisión final de un consejo de ministros difícil o las visitas perniciosas del embajador Wilson que solía acompañarlo hasta bien entrada la tarde bajo la fronda de la ceiba y le llevaba caramelos de Baltimore y revistas con cromos de mujeres
desnudas para tratar de convencerle de que le diera las
aguas territoriales a buena cuenta de los servicios desco-
munales de la deuda externa, y él lo dejaba hablar, aparentaba oír menos o más de lo que podía oír en realidad
según sus conveniencias, se defendía de su labia oyendo
el coro de la pajarita pinta paradita en el verde limón en
la cercana escuela de niñas, lo acompañaba hasta las escaleras con las primeras sombras tratando de explicarle
que podía llevarse todo lo que quisiera menos el mar de
mis ventanas, imagínese, qué haría yo solo en esta casa
tan grande si no pudiera verlo ahora como siempre a esta
hora como una ciénaga en llamas, qué haría sin los vientos de diciembre que se meten ladrando por los vidrios
rotos, cómo podría vivir sin las ráfagas verdes del faro,
yo que abandoné mis páramos de niebla y me enrolé agonizando de calenturas en el tumulto de la guerra federal, y no crea usted que lo hice por el patriotismo que
dice el diccionario, ni por espíritu de aventura, ni menos
porque me importaran un carajo los principios federalistas que Dios tenga en su santo reino, no mi querido
Wilson, todo eso lo hice por conocer el mar, de modo que

piense en otra vaina, decía, lo despedía en la escalera
con una palmadita en el hombro, regresaba encendiendo
las lámparas de los salones desiertos de las antiguas oficinas donde una de esas tardes encontró una vaca extraviada, la espantó hacia las escaleras y el animal tropezó
con los remiendos de las alfombras y se fue de bruces
y cayó peloteando y se desnucó en las escaleras para gloria y sustento de los leprosos que se precipitaron a des-
tazarla, pues los leprosos habían vuelto después de la
muerte de Leticia Nazareno y estaban otra vez con los
ciegos y los paralíticos esperando de sus manos la sal
de la salud en los rosales silvestres del patio, él los oía
cantar en noches de estrellas, cantaba con ellos la canción de Susana ven Susana de sus tiempos de gloria, se
asomaba por las claraboyas del granero a las cinco de
la tarde para ver la salida de las niñas de la escuela y
se quedaba extasiado con los delantales azules, las medias tobilleras, las trenzas, madre, corríamos asustadas
de los ojos de tísico del fantasma que nos llamaba por
entre los barrotes de hierro con los dedos rotos del guante de trapo, niña, niña, nos llamaba, ven que te tiente,
las veía escapar despavoridas pensando madre mía Bendición Alvarado qué jóvenes que son las jóvenes de ahora, se reía de sí mismo, pero se volvía a reconciliar consigo mismo cuando su médico personal el ministro de la
salud le examinaba la retina con una lupa cada vez que
lo invitaba a almorzar, le contaba el pulso, quería obli-
garlo a tomar cucharadas de ceregén para taparme los
sumideros de la memoria, qué vaina, cucharadas a mí
que no he tenido más tropiezos en esta vida que las tercianas de la guerra, a la mierda doctor, se quedó comiendo solo en la mesa sola con las espaldas vueltas hacia el
mundo como el erudito embajador Maryland le había
dicho que comían los reyes de Marruecos, comía con el
tenedor y el cuchillo y la cabeza erguida de acuerdo con

las normas severas de una maestra olvidada, recorría la
casa entera buscando los frascos de miel cuyos escondites se le perdían a las pocas horas y encontraba por equi-
vocación los pitillos de márgenes de memoriales que él
escribía en otra época para no olvidar nada cuando ya
no pudiera acordarse de nada, leyó en uno que mañana
es martes, leyó que había una cifra en tu blanco pañuelo
roja cifra de un nombre que no era el tuyo mi dueño,
leyó intrigado Leticia Nazareno de mi alma mira en lo
que he quedado sin ti, leía Leticia Nazareno por todas
partes sin poder entender que alguien fuera tan desdi-
chado para dejar aquel reguero de suspiros escritos, y
sin embargo era mi letra, la única caligrafía de mano
izquierda que se encontraba entonces en las paredes de
los excusados donde escribía para consolarse que viva el
general, que viva, carajo, curado de raíz de la rabia de
haber sido el más débil de los militares de tierra mar
y aire por una prófuga de clausura de la cual no quedaba sino el nombre escrito a lápiz en tiras de papel como
él lo había resuelto cuando ni siquiera quiso tocar las
cosas que los edecanes pusieron sobre el escritorio y
ordenó sin mirarlas que se lleven esos zapatos, esas llaves, todo cuanto pudiera evocar la imagen de sus muertos, que pusieran todo lo que fue de ellos dentro del
dormitorio de sus siestas desaforadas y tapiaran las puertas y las ventanas con la orden final de no entrar en
ese cuarto ni por orden mía, carajo, sobrevivió al escalofrío nocturno de los aullidos de pavor de los perros en-
cadenados en el patio durante muchos meses porque pensaba que cualquier daño que les hiciera podía dolerle a
sus muertos, se abandonó en la hamaca, temblando de
la rabia de saber quiénes eran los asesinos de su sangre
y tener que soportar la humillación de verlos en su
propia casa porque en aquel momento carecía de poder
contra ellos, se había opuesto a cualquier clase de hono-

res póstumos, había prohibido las visitas de pésame, el
luto, esperaba su hora meciéndose de rabia en la hamaca
a la sombra de la ceiba tutelar donde mi último compadre le había expresado el orgullo del mando supremo por
la serenidad y el orden con que el pueblo sobrellevó la
tragedia, y él apenas sonrió, no sea pendejo compadre,
qué serenidad ni qué orden, lo que pasa es que a la
gente no le ha importado un carajo esta desgracia, repa-
saba el periódico al derecho y al revés buscando algo más
que las noticias inventadas por sus propios servicios de
prensa, se hizo poner la radiola al alcance de la mano para
escuchar la misma noticia desde Veracruz hasta Riobamba
que las fuerzas del orden estaban sobre la pista segura de
los autores del atentado, y él murmuraba cómo no, hijos
de la tarántula, que los habían identificado sin la menor
duda, cómo no, que los tenían acorralados con fuego de
mortero en una casa de tolerancia de los suburbios, ahí
está, suspiró, pobre gente, pero permaneció en la hamaca sin traslucir ni una luz de su malicia rogando madre
mía Bendición Alvarado dame vida para este desquite,
no me sueltes de tu mano, madre, inspírame, tan seguro
de la eficacia de la súplica que lo encontramos repuesto
de su dolor cuando los comandantes del estado mayor
responsables del orden público y de la seguridad del estado vinimos a comunicarle la novedad de que tres de
los autores del crimen habían sido muertos en combate
con la fuerza pública y los otros dos estaban a disposición de mi general en los calabozos de San Jerónimo, y
él dijo ajá, sentado en la hamaca con la jarra de jugos
de fruta de la cual nos sirvió un vaso para cada uno
con pulso sereno de buen tirador, más sabio y solícito
que nunca, hasta el punto de que adivinó mis ansias de
encender un cigarrillo y me concedió la licencia que no
había concedido hasta entonces a ningún militar en servicio, bajo este árbol todos somos iguales, dijo, y escu-

chó sin rencor el informe minucioso del crimen del mercado, cómo habían sido traídos de Escocia en remesas separadas ochenta y dos perros de presa recién nacidos de los cuales habían muerto veintidós en el curso de la crianza y sesenta habían sido mal educados para matar por un maestro escocés que les inculcó un odio criminal no sólo contra los zorros azules sino contra la propia persona de Leticia Nazareno y el niño valiéndose de estas prendas de vestir que habían sustraído poco a poco de los servicios de lavandería de la casa civil, valiéndose de este corpiño de Leticia Nazareno, este pañuelo, estas medias, este uniforme completo del niño que exhibimos ante él para que los reconociera, pero sólo dijo ajá, sin mirarlos, le explicamos cómo los sesenta perros habían sido entrenados inclusive para no ladrar cuando no debían, los acostumbraron al gusto de la carne humana, los mantuvieron encerrados sin ningún contacto con el mundo durante los años difíciles de la enseñanza en una antigua granja de chinos a siete leguas de esta ciudad capital donde tenían imágenes de bulto de tamaño humano con ropas de Leticia Nazareno y el niño a quienes los perros conocían además por estos retratos originales y estos recortes de periódicos que le mostramos pegados en un álbum para que mi general aprecie mejor la perfección del trabajo que habían hecho esos bastardos, lo que sea de cada quién, pero él solo dijo ajá, sin mirarlos, le explicamos por último que los sindicados no actuaban de su cuenta, por supuesto, sino que eran agentes de una hermandad subversiva con base en el exterior cuyo símbolo era esta pluma de ganso cruzada con un cuchillo, ajá, todos ellos fugitivos de la justicia penal militar por otros delitos anteriores contra la seguridad del estado, estos tres que son los muertos cuyos retratos le mostramos en el álbum con el número de la respectiva ficha policial colgada del cuello, y estos dos que son los vivos encarcela-

dos a la espera de la decisión última e inapelable de mi
general, los hermanos Mauricio y Gumaro Ponce de León,
de 28 y 23 años, el primero desertor del ejército sin empleo ni domicilio conocidos y el segundo maestro de ce-
rámica en la escuela de artes y oficios, y ante los cuales
dieron los perros tales muestras de familiaridad y alborozo que eso hubiera bastado como prueba de culpa mi
general, y él sólo dijo ajá, pero citó con honores en el
orden del día a los tres oficiales que llevaron a término la
investigación del crimen y les impuso la medalla del mé-
rito militar por servicios a la patria en el curso de una
ceremonia solemne en la cual constituyó el consejo de
guerra sumario que juzgó a los hermanos Mauricio y Gumaro Ponce de León y los condenó a morir fusilados dentro de las cuarenta y ocho horas siguientes, a menos de
obtener el beneficio de su clemencia mi general, usted
manda. Permaneció absorto y solo en la hamaca, insensible a las súplicas de gracia del mundo entero, oyó en la
radiola el debate estéril de la Sociedad de Naciones, oyó
insultos de los países vecinos y algunas adhesiones distantes, oyó con igual atención las razones tímidas de los
ministros partidarios de la piedad y los motivos estridentes de los partidarios del castigo, se negó a recibir al
nuncio apostólico con un mensaje personal del papa en
el cual expresaba su inquietud pastoral por la suerte de
las dos ovejas descarriadas, oyó los partes de orden público de todo el país alterado por su silencio, oyó tiros remotos, sintió el temblor de tierra de la explosión sin origen
de un barco de guerra fondeado en la bahía, once muertos mi general, ochenta y dos heridos y la nave fuera de
servicio, de acuerdo, dijo él, contemplando desde la ventana del dormitorio la hoguera nocturna en la ensenada
del puerto mientras los dos condenados a muerte empezaban a vivir la noche de sus vísperas en la capilla ardiente de la base de San Jerónimo, él los recordó a esa hora

como los había visto en los retratos con las cejas erizadas
de la madre común, los recordó trémulos, solos, con las
tablillas de los números sucesivos colgadas del cuello bajo
el foco siempre encendido de la celda de agonía, se sintió
pensado por ellos, se supo necesitado, requerido, pero no
había hecho un gesto mínimo que permitiera vislumbrar
el rumbo de su voluntad cuando acabó de repetir los
actos de rutina de una jornada más en su vida y se despidió del oficial de servicio que había de permanecer en
vela frente al dormitorio para llevar el recado de su decisión a cualquier hora en que él la tomara antes de los
primeros gallos, se despidió al pasar sin mirarlo, buenas
noches, capitán, colgó la lámpara en el dintel, pasó las
tres aldabas, los tres cerrojos, los tres pestillos, se sumergió bocabajo en un sueño alerta a través de cuyos
tabiques frágiles siguió oyendo los ladridos ansiosos de
los perros en el patio, las sirenas de las ambulancias, los
petardos, las ráfagas de música de alguna fiesta equívoca
en la noche intensa de la ciudad sobrecogida por el rigor
de la sentencia, despertó con las campanas de las doce
en la catedral, volvió a despertar a las dos, volvió a despertar antes de las tres con la crepitación de la llovizna
en las alambreras de las ventanas, y entonces se levantó
del suelo con aquella enorme y ardua maniobra de buey
de primero las ancas y después las patas delanteras y por
último la cabeza aturdida con un hilo de baba en los
belfos y ordenó en primer término al oficial de guardia
que se llevaran esos perros donde yo no pueda oírlos
bajo el amparo del gobierno hasta su extinción natural,
ordenó en segundo término la libertad sin condiciones
de los soldados de la escolta de Leticia Nazareno y el
niño, y ordenó por último que los hermanos Mauricio y
Gumaro Ponce de León fueran ejecutados tan pronto
como se conozca esta mi decisión suprema e inapelable,
pero no en el paredón de fusilamiento, como estaba pre-

visto, sino que fueron sometidos al castigo en desuso
del descuartizamiento con caballos y sus miembros fueron expuestos a la indignación pública y al horror en los
lugares más visibles de su desmesurado reino de pesadumbre, pobres muchachos, mientras él arrastraba sus
grandes patas de elefante mal herido suplicando de rabia
madre mía Bendición Alvarado, asísteme, no me dejes de
tu mano, madre, permíteme encontrar el hombre que me
ayude a vengar esta sangre inocente, un hombre providencial que él había imaginado en los desvaríos del rencor
y que buscaba con una ansiedad irresistible en el tras-
fondo de los ojos que encontraba a su paso, trataba de
descubrirlo agazapado en los registros más sutiles de las
voces, en los impulsos del corazón, en las rendijas menos
usadas de la memoria, y había perdido la ilusión de encontrarlo cuando se descubrió a sí mismo fascinado por
el hombre más deslumbrante y altivo que habían visto
mis ojos, madre, vestido como los godos de antes con
una chaqueta de Henry Pool y una gardenia en el ojal,
con unos pantalones de Pecover y un chaleco de brocados con visos de plata que había lucido con su elegancia
natural en los salones más difíciles de Europa cabestreando con una traílla un dobermann taciturno del tamaño de un novillo con ojos humanos, José Ignacio Saenz
de la Barra para servir a su excelencia, se presentó, el
último vástago suelto de nuestra aristocracia demolida
por el viento arrasador de los caudillos federales, barrida
de la faz de la patria con sus áridos sueños de grandeza y
sus mansiones vastas y melancólicas y su acento francés,
un espléndido cabo de raza sin más fortuna que sus
32 años, siete idiomas, cuatro marcas de tiro al pichón
en Dauville, sólido, esbelto, color de hierro, cabello mes-
tizo con la raya en el medio y un mechón blanco pintado,
los labios lineales de la voluntad eterna, la mirada re-
suelta del hombre providencial que fingía jugar al cric-

ket con el bastón de cerezo para que le tomaran un retrato de colores con el fondo de primaveras idílicas de los
gobelinos de la sala de fiestas, y en el instante en que él
lo vio exhaló un suspiro de alivio y se dijo éste es, y ése
era. Se puso a su servicio con el compromiso simple de
que usted me entrega un presupuesto de ochocientos cincuenta millones sin tener que rendirle cuentas a nadie y
sin más autoridad por encima de mí que su excelencia
y yo le entrego en el curso de dos años las cabezas de los
asesinos reales de Leticia Nazareno y el niño, y él aceptó,
de acuerdo, convencido de su lealtad y su eficacia al cabo
de las muchas pruebas difíciles a que lo había sometido
para escrutarle los vericuetos del ánimo y conocer los
límites de su voluntad y las grietas de su carácter antes
de decidirse a ponerle en las manos las llaves de su
poder, lo sometió a la prueba final de las partidas inclementes de dominó en las que José Ignacio Saenz de la
Barra se impuso la temeridad de ganar sin licencia, y
ganó, pues era el hombre más valiente que habían visto
mis ojos, madre, tenía una paciencia sin esquinas, sabía
todo, conocía setenta y dos maneras de preparar el café,
distinguía el sexo de los mariscos, sabía leer música y
escritura para ciegos, se quedaba mirándome a los ojos,
sin hablar, y yo no sabía qué hacer ante aquel rostro indestructible, aquellas manos ociosas apoyadas en el pomo
del bastón de cerezo con una piedra de aguas matinales
en el anular, aquel perrazo acostado a sus pies vigilante
y feroz dentro de la envoltura de terciopelo vivo de su
piel dormida, aquella fragancia de sales de baño del cuerpo inmune a la ternura y a la muerte del hombre más
hermoso y con mayor dominio que vieron mis ojos cuando tuvo la valentía de decirme que yo no era un militar
sino por conveniencia, porque los militares son todo lo
contrario de usted, general, son hombres de ambiciones
inmediatas y fáciles, les interesa el mando más que el

poder y no están al servicio de algo sino de alguien, y por
eso es tan fácil utilizarlos, dijo, sobre todo a los unos
contra los otros, y no se me ocurrió nada más que sonreír persuadido de que no habría podido ocultar su pensamiento ante aquel hombre deslumbrante a quien dio más
poder del que nadie tuvo bajo su régimen después de mi
compadre el general Rodrigo de Aguilar a quien Dios tenga
en su santa diestra, lo hizo dueño absoluto de un imperio
secreto dentro de su propio imperio privado, un servicio
invisible de represión y exterminio que no sólo carecía
de una identidad oficial sino que inclusive era difícil creer
en su existencia real, pues nadie respondía de sus actos,
ni tenía un nombre, ni un sitio en el mundo, y sin embargo era una verdad pavorosa que se había impuesto por
el terror sobre los otros órganos de represión del estado
desde mucho antes de que su origen y su naturaleza
inasible fueran establecidos a ciencia cierta por el mando
supremo, ni usted mismo previó el alcance de aquella
máquina de horror mi general, ni yo mismo pude sospechar que en el instante en que aceptó el acuerdo quedé a
merced del encanto irresistible y el ansia tentacular de
aquel bárbaro vestido de príncipe que me mandó a la
casa presidencial un costal de fique que parecía lleno de
cocos y él ordenó que lo pongan por ahí donde no estorbe en un armario de papeles de archivo empotrado en
el muro, lo olvidó, y al cabo de tres días era imposible
vivir por el tufo de mortecina que atravesaba las paredes y empañaba de un vapor pestilente la luna de los
espejos, buscábamos el hedor en la cocina y lo encontrábamos en los establos, lo espantaban con sahumerios de
las oficinas y les salía al encuentro en la sala de audiencias, saturó con sus efluvios de rosal de podredumbre los
resquicios más recónditos a donde no llegaron ni escondidos en otras fragancias los hálitos más tenues de la
sarna de los aires nocturnos de la peste, y estaba en cam-

bio donde menos lo habíamos buscado en el costal que
parecía de cocos que José Ignacio Saenz de la Barra había mandado como primer abono del acuerdo, seis cabezas cortadas con el certificado de defunción respectivo,
la cabeza del patricio ciego de la edad de piedra don
Nepomuceno Estrada, 94 años, último veterano de la
guerra grande y fundador del partido radical, muerto
según certificado adjunto el 14 de mayo a consecuencia
de un colapso senil, la cabeza del doctor Nepomuceno
Estrada de la Fuente, hijo del anterior, 57 años, médico
homeópata, muerto según certificado adjunto en la misma fecha que su padre a consecuencia de una trombosis
coronaria, la cabeza de Eliécer Castor, 21 años, estudiante de letras, muerto según certificado adjunto a consecuencia de diversas heridas de arma punzante en un
pleito de cantina, la cabeza de Lídice Santiago, 32 años,
activista clandestina, muerta según certificado adjunto a
consecuencia de un aborto provocado, la cabeza de Ro-
que Pinzón, alias Jacinto el invisible, 38 años, fabricante
de globos de colores, muerto en la misma fecha que la
anterior a consecuencia de una intoxicación etílica, la
cabeza de Natalicio Ruiz, secretario del movimiento clan-
destino 17 de octubre, 30 años, muerto según certificado
adjunto a consecuencia de un tiro de pistola que se disparó en el paladar por desilusión en amores, seis en
total, y el correspondiente recibo que él firmó con la
bilis revuelta por el olor y el horror pensando madre
mía Bendición Alvarado este hombre es una bestia, quién
lo hubiera imaginado con sus ademanes místicos y su
flor en el ojal, le ordenó que no me mande más tasajo,
Nacho, me basta con su palabra, pero Saenz de la Barra
le replicó que aquél era un negocio de hombres, general,
si usted no tiene hígados para verle la cara a la verdad
aquí tiene su oro y tan amigos como siempre, qué vaina,
por mucho menos que eso él hubiera hecho fusilar a su

madre, pero se mordió la lengua, no es para tanto, Nacho, dijo, cumpla con su deber, así que las cabezas siguieron llegando en aquellos tenebrosos costales de fique que parecían de cocos y él ordenaba con las tripas torcidas que se los lleven lejos de aquí mientras se hacía leer los pormenores de los certificados de defunción para firmar los recibos, de acuerdo, había firmado por novecientas dieciocho cabezas de sus opositores más encarnizados la noche en que soñó que se veía a sí mismo convertido en un animal de un solo dedo que iba dejando un rastro de huellas digitales en una llanura de cemento fresco, despertaba con un relente de hiel, sorteaba la desazón del alba sacando cuentas de cabezas en el estercolero de recuerdos agrios de las cuadras de ordeño, tan abstraído en sus cavilaciones de viejo que confundía el zumbido de los tímpanos con el rumor de los insectos en la hierba podrida pensando madre mía Bendición Alvarado cómo es posible que sean tantas y todavía no llegaban las de los verdaderos culpables, pero Saenz de la Barra le había hecho notar que por cada seis cabezas se producen sesenta enemigos y por cada sesenta se producen seiscientos y después seis mil y después seis millones, todo el país, carajo, no acabaremos nunca, y Saenz de la Barra le replicó impasible que durmiera tranquilo general, acabaremos cuando ellos se acaben, qué bárbaro. Nunca tuvo un instante de incertidumbre, nunca dejó un resquicio para una alternativa, se apoyaba en la fuerza oculta del dobermann en eterno acecho que era el único testigo de las audiencias a pesar de que él trató de impedirlo desde la primera vez en que vio llegar a José Ignacio Saenz de la Barra cabestreando el animal de nervios azogados que sólo obedecía a la maestranza imperceptible del hombre más gallardo pero también el menos complaciente que habían visto mis ojos, deje ese perro fuera, le ordenó, pero Saenz de la Barra le contestó que no, general, no

hay un lugar del mundo donde yo pueda entrar que no
entre Lord Köchel, de modo que entró, permanecía dormido a los pies del amo mientras sacaban cuentas de
rutina de cabezas cortadas pero se incorporaba con un
pálpito anhelante cuando las cuentas se volvían ásperas,
sus ojos femeninos me estorbaban para pensar, me estremecía su aliento humano, lo vi alzarse de pronto con
el hocico humeante con un borboriteo de marmita cuando él dio un golpe de rabia en la mesa porque encontró
en el saco de cabezas la de uno de sus antiguos edecanes
que además fue su compinche de dominó durante muchos
años, carajo, se acabó la vaina, pero Saenz de la Barra
lo convencía siempre, no tanto con argumentos como con
su dulce inclemencia de domador de perros cimarrones,
se reprochaba a sí mismo la sumisión al único mortal
que se atrevió a tratarlo como a un vasallo, se rebelaba
a solas contra su imperio, decidía sacudirse de aquella
servidumbre que iba saturando poco a poco el espacio
de su autoridad, ahora mismo se acaba esta vaina, carajo, decía, que al fin y al cabo Bendición Alvarado no
me parió para recibir órdenes sino para mandar, pero
sus determinaciones nocturnas fracasaban en el instante en que Saenz de la Barra entraba en la oficina y él su-
cumbía al deslumbramiento de los modales tenues de la
gardenia natural de la voz pura de las sales aromáticas
de las mancuernas de esmeralda de los puños de parafina del bastón sereno de la hermosura seria del hombre
más apetecible y más insoportable que habían visto mis
ojos, no es para tanto, Nacho, le reiteraba, cumpla con
su deber, y seguía recibiendo los costales de cabezas, firmaba los recibos sin mirarlos, se hundía sin asideros en
las arenas movedizas de su poder preguntándose a cada
paso de cada amanecer de cada mar qué sucede en el
mundo que van a ser las once y no hay un alma en esta
casa de cementerio, quién vive, preguntaba, sólo él,

dónde estoy que no me encuentro, decía, dónde están las
recuas de ordenanzas descalzos que descargaban los burros de hortalizas y los huacales de gallinas en los corredores, dónde están los charcos de agua sucia de mis mujeres lenguaraces que cambiaban por flores nuevas las
flores nocturnas de los floreros y lavaban las jaulas y sacudían alfombras en los balcones cantando al compás de
las escobas de ramas secas la canción de Susana ven Susana tu amor quiero gozar, dónde están mis sietemesinos escuálidos que se cagaban detrás de las puertas y pintaban dromedarios de orín en las paredes de la sala de
audiencias, qué se hizo mi escándalo de funcionarios que
encontraban gallinas poniendo en las gavetas de los escritorios, mi tráfico de putas y soldados en los retretes,
el despelote de mis perros callejeros que correteaban ladrando a los diplomáticos, quién me ha vuelto a quitar
mis paralíticos de las escaleras, mis leprosos de los rosales, mis aduladores impávidos de todas partes, apenas
si atisbaba a sus últimos compadres del mando supremo detrás del cerco compacto de los nuevos responsables de su seguridad personal, apenas si le daban ocasión
de intervenir en los consejos de los nuevos ministros
nombrados a instancias de alguien que no era él, seis
doctores de letras de levitas fúnebres y cuellos de paloma
que se anticipaban a su pensamiento y decidían los asuntos del gobierno sin consultarlos conmigo si al fin y al
cabo el gobierno soy yo, pero Saenz de la Barra le explicaba impasible que usted no es el gobierno, general, usted
es el poder, se aburría en las veladas de dominó hasta
cuando se enfrentaba con los cuartos más diestros pues
no lograba perder una partida por mucho que intentaba
las trampas más sabias contra sí mismo, tenía que so-
meterse a los designios de los probadores que sopetea-
ban su comida una hora antes de que él la comiera, no
encontraba la miel de abeja en sus escondites, carajo,

éste no es el poder que yo quería, protestó, y Saenz de la
Barra le replicó que no hay otro, general, era el único
poder posible en el letargo de muerte del que había sido
en otro tiempo su paraíso de mercado dominical y en
el que entonces no tenía más oficio que esperar a que
fueran las cuatro para escuchar en la radiola el episodio
diario de la novela de amores estériles de la emisora local,
lo escuchaba en la hamaca con el vaso de jugo de frutas
intacto en la mano, se quedaba flotando en el vacío del
suspenso con los ojos húmedos de lágrimas por la ansiedad de saber si aquella niña tan joven se iba a morir
y Saenz de la Barra averiguaba que sí general, la niña
se muere, pues que no se muera, carajo, ordenó él, que
siga viva hasta el final y se case y tenga hijos y se vuelva
vieja como toda la gente, y Saenz de la Barra hacía mo-
dificar el libreto para complacerlo con la ilusión de que
mandaba, así que nadie volvió a morirse por orden suya,
se casaban novios que no se amaban, se resucitaban per-
sonajes enterrados en episodios anteriores y se sacrifica-
ba a los villanos antes de tiempo para complacer a mi
general, todo el mundo era feliz por orden suya para que
la vida le pareciera menos inútil cuando revisaba la casa
al golpe de metal de las ocho y se encontraba con que
alguien antes que él había cambiado cl pienso a las vacas,
se habían apagado las luces en el cuartel de la guardia
presidencial, el personal dormía, las cocinas estaban en
orden, los pisos limpios, los mesones de los matarifes re-
fregados con creolina sin un rastro de sangre tenían un
olor de hospital, alguien había pasado las fallebas de las
ventanas y había puesto los candados en las oficinas a
pesar de que era él y solo él quien tenía el mazo de llaves,
las luces se iban apagando una por una antes de que él
tocara los interruptores desde el primer vestíbulo hasta
su dormitorio, caminaba en tinieblas arrastrando sus densas patas de monarca cautivo a través de los espejos os-

curos con calces de terciopelo en la única espuela para
que nadie rastreara su estela de aserrín de oro, iba viendo
al pasar el mismo mar por las ventanas, el Caribe en enero, lo contempló sin detenerse veintitrés veces y era siempre como siempre en enero como una ciénaga florida, se
asomó al aposento de Bendición Alvarado para ver que
aún estaban en su puesto la herencia de toronjil, las jaulas
de pájaros muertos, la cama de dolor en que la madre
de la patria sobrellevó su vejez de podredumbre, que
pase buena noche, murmuró, como siempre, aunque nadie
le contestaba desde hacía tanto tiempo muy buenas noches hijo, duerme con Dios, se dirigía a su dormitorio
con la lámpara de salir corriendo cuando sintió el escalofrío de las brasas atónitas de las pupilas de Lord
Köchel en la sombra, percibió una fragancia de hombre,
la densidad de su dominio, el fulgor de su desprecio, quién
vive, preguntó, aunque sabía quién era, José Ignacio Saenz
de la Barra en traje de etiqueta que venía a recordarle que
era una noche histórica, 12 de agosto, general, la fecha inmensa en que estábamos celebrando el primer centenario
de su ascenso al poder, así que habían venido visitantes
del mundo entero cautivados por el anuncio de un acontecimiento al que no era posible asistir más de una vez
en el transcurso de las vidas más largas, la patria estaba de fiesta, toda la patria menos él, pues a pesar de la
insistencia de José Ignacio Saenz de la Barra de que vi-
viera aquella noche memorable en medio del clamor y el
fervor de su pueblo, él pasó más temprano que nunca las
tres aldabas del calabozo de dormir, pasó los tres cerrojos, los tres pestillos, se acostó bocabajo en los ladrillos
pelados con el basto uniforme de lienzo sin insignias, las
polainas, la espuela de oro, y el brazo derecho doblado
bajo la cabeza para que le sirviera de almohada como
habíamos de encontrarlo carcomido por los gallinazos y
plagado de animales y flores de fondo de mar, y a través

de la bruma de los filtros del duermevela percibió los cohetes remotos de la fiesta sin él, percibió las músicas de júbilo, las campanas de gozo, el torrente de limo de las muchedumbres que habían venido a exaltar una gloria que no era la suya, mientras él murmuraba más absorto que triste madre mía Bendición Alvarado de mi destino, cien años ya, carajo, cien años ya, cómo se pasa el tiempo.

Ahí estaba, pues, como si hubiera sido él aunque no lo fuera, acostado en la mesa de banquetes de la sala de fiestas con el esplendor femenino de papa muerto entre las flores con que se había desconocido a sí mismo en la ceremonia de exhibición de su primera muerte, más temible muerto que vivo con el guante de raso relleno de algodón sobre el pecho blindado de falsas medallas de victorias imaginarias de guerras de chocolate inventadas por sus aduladores impávidos, con el fragoroso uniforme de gala y las polainas de charol y la única espuela de oro que encontramos en la casa y los diez soles tristes de general del universo que le impusieron a última hora para darle una jerarquía mayor que la de la muerte, tan inmediato y visible en su nueva identidad póstuma que por primera vez se podía creer sin duda alguna en su existencia real, aunque en verdad nadie se parecía menos a él, nadie era tanto el contrario de él como aquel cadáver de vitrina que a la media noche se seguía cocinando en el fuego lento del espacio minucioso de la cámara ardiente mientras en el salón contiguo del consejo de gobierno discutíamos palabra por palabra el boletín final con la noticia que nadie se atrevía a creer cuando nos despertó el ruido de los camiones cargados de tropa con armamentos de guerra cuyas patrullas sigi-

losas ocuparon los edificios públicos desde la madrugada, se tendieron en el suelo en posición de tiro bajo las
arcadas de la calle del comercio, se escondieron en los
zaguanes, los vi instalando ametralladoras de trípode en
las azoteas del barrio de los virreyes cuando abrí el balcón
de mi casa al amanecer buscando dónde poner el mazo
de claveles empapados que acababa de cortar en el patio,
vi debajo del balcón una patrulla de soldados al mando
de un teniente que iba de puerta en puerta ordenando
cerrar las pocas tiendas que empezaban a abrirse en la
calle del comercio, hoy es feriado nacional, gritaba, orden
superior, les tiré un clavel desde el balcón y pregunté
qué pasaba que había tantos soldados y tanto ruido de
armas por todas partes y el oficial atrapó el clavel en el
aire y me contestó que fíjate niña que nosotros tampoco
sabemos, debe ser que resucitó el muerto, dijo, muerto
de risa, pues nadie se atrevía a pensar que hubiera ocurrido una cosa de tanto estruendo, sino al contrario, pensábamos que después de muchos años de negligencia él
había vuelto a coger las riendas de su autoridad y estaba
más vivo que nunca arrastrando otra vez sus grandes
patas de monarca ilusorio en la casa del poder cuyos
globos de luz habían vuelto a encenderse, pensábamos
que era él quien había hecho salir las vacas que andaban
triscando en las grietas de las baldosas de la Plaza de
Armas donde el ciego sentado a la sombra de las palmeras moribundas confundió las pezuñas con botas de militares y recitaba los versos del feliz caballero que llegaba
de lejos vencedor de la muerte, los recitaba con toda la
voz y la mano tendida hacia las vacas que se trepaban
a comerse las guirnaldas de balsaminas del quiosco de la
música por la costumbre de subir y bajar escaleras para
comer, se quedaron a vivir entre las ruinas de las musas
coronadas de camelias silvestres y los micos colgados
de las liras de los escombros del Teatro Nacional, entra-

ban muertas de sed con un estrépito de tiestos de nardos
en la penumbra fresca de los zaguanes del barrio de los
virreyes y sumergían los hocicos abrasados en el estanque
del patio interior sin que nadie se atreviera a molestarlas
porque conocíamos la marca congénita del hierro presidencial que las hembras llevaban en las ancas y los machos en el cuello, eran intocables, los propios soldados
les cedían el paso en los vericuetos de la calle del comercio que había perdido su fragor antiguo de zoco infernal, sólo quedaba un pudridero de costillares rotos
y arboladuras desbaratadas en los charcos de miasmas ardientes donde estuvo el mercado público cuando todavía
teníamos el mar y las goletas encallaban entre las mesas
de legumbres, quedaban los locales vacíos de los que fueron en sus tiempos de gloria los bazares de los hindúes,
pues los hindúes se habían ido, ni las gracias dieron
mi general, y él gritó qué carajo, aturdido por sus últimos berrinches seniles, que se larguen a limpiar mierda
de ingleses, gritó, se fueron todos, surgieron en su lugar
los vendedores callejeros de amuletos de indios y antí-
dotos de culebras, los frenéticos ventorrillos de discos
con camas de alquiler en la trastienda que los soldados
desbarataron a culatazos mientras los hierros de la catedral anunciaban el duelo, todo se había acabado antes
que él, nos habíamos extinguido hasta el último soplo
en la espera sin esperanza de que algún día fuera verdad
el rumor reiterado y siempre desmentido de que había
por fin sucumbido a cualquiera de sus muchas enfermedades de rey, y sin embargo no lo creíamos ahora que era
cierto, y no porque en realidad no lo creyéramos sino
porque ya no queríamos que fuera cierto, habíamos terminado por no entender cómo seríamos sin él, qué sería
de nuestras vidas después de él, no podía concebir el
mundo sin el hombre que me había hecho feliz a los doce
años como ningún otro lo volvió a conseguir desde las

tardes de hacía tanto tiempo en que salíamos de la escuela a las cinco y él acechaba por las claraboyas del establo a las niñas de uniforme azul de cuello marinero y una sola trenza en la espalda pensando madre mía Bendición Alvarado cómo son de bellas las mujeres a mi edad, nos llamaba, veíamos sus ojos trémulos, la mano con el guante de dedos rotos que trataba de cautivarnos con el cascabel de caramelo del embajador Forbes, todas corrían asustadas, todas menos yo, me quedé sola en la calle de la escuela cuando supe que nadie me estaba viendo y traté de alcanzar el caramelo y entonces él me agarró por las muñecas con un tierno zarpazo de tigre y me levantó sin dolor en el aire y me pasó por la claraboya con tanto cuidado que no me descompuso ni un pliegue del vestido y me acostó en el heno perfumado de orines rancios tratando de decirme algo que no le salía de la boca árida porque estaba más asustado que yo, temblaba, se le veían en la casaca los golpes del corazón, estaba pálido, tenía los ojos llenos de lágrimas como no los tuvo por mí ningún otro hombre en toda mi vida de exilio, me tocaba en silencio, respirando sin prisa, me tentaba con una ternura de hombre que nunca volví a encontrar, me hacía brotar los capullos del pecho, me metía los dedos por el borde de las bragas, se olía los dedos, me los hacía oler, siente, me decía, es tu olor, no volvió a necesitar los caramelos del embajador Baldrich para que yo me metiera por las claraboyas del establo a vivir las horas felices de mi pubertad con aquel hombre de corazón sano y triste que me esperaba sentado en el heno con una bolsa de cosas de comer, enjugaba con pan mis primeras salsas de adolescente, me metía las cosas por allá antes de comérselas, me las daba a comer, me metía los cabos de espárragos para comérselos marinados con la salmuera de mis humores íntimos, sabrosa, me decía, sabes a puerto, soñaba con comerse mis riñones hervi-

dos en sus propios caldos amoniacales, con la sal de tus
axilas, soñaba, con tu orín tibio, me destazaba de pies a
cabeza, me sazonaba con sal de piedra, pimienta pican-
te y hojas de laurel y me dejaba hervir a fuego lento en
las malvas incandescentes de los atardeceres efímeros de
nuestros amores sin porvenir, me comía de pies a cabeza
con unas ansias y una generosidad de viejo que nunca
más volví a encontrar en tantos hombres apresurados y
mezquinos que trataron de amarme sin conseguirlo en el
resto de mi vida sin él, me hablaba de él mismo en las
digestiones lentas del amor mientras nos quitábamos de
encima los hocicos de las vacas que trataban de lamer-
nos, me decía que ni él mismo sabía quién era él, que
estaba de mi general hasta los cojones, decía sin amargura, sin ningún motivo, como hablando solo, flotando
en el zumbido continuo de un silencio interior que sólo
era posible romper a gritos, nadie era más servicial ni
más sabio que él, nadie era más hombre, se había convertido en la única razón de mi vida a los catorce años
cuando dos militares del más alto rango aparecieron en
casa de mis padres con una maleta atiborrada de doblo-
nes de oro puro y me metieron a media noche en un
buque extranjero con toda la familia y con la orden de
no regresar al territorio nacional durante años y años
hasta que estalló en el mundo la noticia de que él había muerto sin haber sabido que yo me pasé el resto
de la vida muriéndome por él, me acostaba con desco-
nocidos de la calle para ver si encontraba uno mejor
que él, regresé envejecida y amargada con esta recua
de hijos que había parido de padres diferentes con la
ilusión de que eran suyos, y en cambio él la había olvidado al segundo día en que no la vio entrar por la claraboya de los establos de ordeño, la sustituía por una
distinta todas las tardes porque ya para entonces no distinguía muy bien quién era quién en el tropel de cole-

gialas de uniformes iguales que le sacaban la lengua y le gritaban viejo guanábano cuando trataba de cautivarlas con los caramelos del embajador Rumpelmayer, las llamaba sin discriminar, sin preguntarse nunca si la de hoy había sido la misma de ayer, las recibía a todas por igual, pensaba en todas como si fueran una sola mientras escuchaba medio dormido en la hamaca las razones siempre iguales del embajador Streimberg que le había regalado una trompeta acústica igual a la del perro de la voz del amo con un dispositivo eléctrico de amplificación para que él pudiera oír una vez más la pretensión insistente de llevarse nuestras aguas territoriales a buena cuenta de los servicios de la deuda externa y él repetía lo mismo de siempre que ni de vainas mi querido Stevenson, todo menos el mar, desconectaba el audífono eléctrico para no seguir oyendo aquel vozarrón de criatura metálica que parecía voltear el disco para explicarle otra vez lo que tanto me habían explicado mis propios expertos sin recovecos de diccionario que estamos en los puros cueros mi general, habíamos agotado nuestros últimos recursos, desangrados por la necesidad secular de aceptar empréstitos para pagar los servicios de la deuda externa desde las guerras de independencia y luego otros empréstitos para pagar los intereses de los servicios atrasados, siempre a cambio de algo mi general, primero el monopolio de la quina y el tabaco para los ingleses, después el monopolio del caucho y el cacao para los holandeses, después la concesión del ferrocarril de los páramos y la navegación fluvial para los alemanes, y todo para los gringos por los acuerdos secretos que él no conoció sino después del derrumbamiento de estrépito y la muerte pública de José Ignacio Saenz de la Barra a quien Dios tenga cocinándose a fuego vivo en las pailas de sus profundos infiernos, no nos quedaba nada, general, pero él había oído decir lo mismo a todos

sus ministros de hacienda desde los tiempos difíciles en
que declaró la moratoria de los compromisos contraídos
con los banqueros de Hamburgo, la escuadra alemana
había bloqueado el puerto, un acorazado inglés disparó
un cañonazo de advertencia que abrió un boquete en la
torre de la catedral, pero él gritó que me cago en el rey
de Londres, primero muertos que vendidos, gritó, muera
el Kaiser, salvado en el instante final por los buenos
oficios de su cómplice de dominó el embajador Charles
W. Traxler cuyo gobierno se constituyó en garante de
los compromisos europeos a cambio de un derecho de
explotación vitalicia de nuestro subsuelo, y desde entonces estamos como estamos debiendo hasta los calzoncillos que llevamos puestos mi general, pero él acompañaba hasta las escaleras al eterno embajador de las
cinco y lo despedía con una palmadita en el hombro, ni
de vainas mi querido Baxter, primero muerto que sin
mar, agobiado por la desolación de aquella casa de cementerio donde se podía caminar sin tropiezos como si
fuera por debajo del agua desde los tiempos malvados
de aquel José Ignacio Saenz de la Barra de mi error
que había cortado todas las cabezas del género humano
menos las que debía cortar de los autores del atentado
de Leticia Nazareno y el niño, los pájaros se resistían a
cantar en las jaulas por muchas gotas de cantorina que
él les echara en el pico, las niñas de la escuela contigua
no habían vuelto a cantar la canción del recreo de la
pajarita pinta paradita en el verde limón, la vida se le
iba en la espera impaciente de las horas de estar contigo
en los establos, mi niña, con tus teticas de corozo y tu
cosita de almeja, comía solo bajo el cobertizo de trinitarias, flotaba en la reverberación del calor de las dos
picoteando el sueño de la siesta para no perder el hilo
de la película de la televisión en que todo ocurría por
orden suya al revés de la vida, pues el benemérito que

todo lo sabía no supo nunca que desde los tiempos de
José Ignacio Saenz de la Barra le habíamos instalado
primero un transmisor individual para las novelas habladas de la radiola y después un circuito cerrado de
televisión para que sólo él viera las películas arregladas
a su gusto en las cuales no se morían sino los villanos,
prevalecía el amor contra la muerte, la vida era un soplo,
lo hacíamos feliz con el engaño como lo fue tantas tardes de su vejez con las niñas de uniforme que lo habrían
complacido hasta la muerte si él no hubiera tenido la
mala fortuna de preguntarle a una de ellas qué te enseñan en la escuela y yo le contesté la verdad que no me
enseñan nada señor, yo lo que soy es puta del puerto, y
él se lo hizo repetir por si no había entendido bien lo
que leyó en mis labios y yo le repetí con todas las letras
que no soy estudiante señor, soy puta del puerto, los
servicios de sanidad la habían bañado con creolina y estropajo, le dijeron que se pusiera este uniforme de marinero y estas medias de niña bien y que pasara por esta
calle todas las tardes a las cinco, no sólo yo sino todas
las putas de mi edad reclutadas y bañadas por la policía
sanitaria, todas con el mismo uniforme y los mismos zapatos de hombre y estas trenzas de crines de caballo que
fíjese usted que se quita y se pone con un prendedor
de peineta, nos dijeron que no se asusten que es un pobre abuelo pendejo que ni siquiera se las va a tirar sino
que les hace exámenes de médico con el dedo y les chupa
la tetamenta y les mete cosas de comer por la cucaracha,
en fin, todo lo que usted me hace cuando vengo, que no-
sotras no teníamos sino que cerrar los ojos de gusto y
decir mi amor mi amor que es lo que a usted le gusta, eso
nos dijeron y hasta nos hicieron ensayar y repetir todo
desde el principio antes de pagarnos, pero yo encuentro
que es demasiada vaina tanto plátano maduro en la con-
siánfira y tanta malanga sancochada en el fundillo por

los cuatro tísicos pesos que nos quedan después de descontarnos el impuesto de sanidad y la comisión del sargento, qué carajo, no es justo desperdiciar tanta comida por debajo si una no tiene ni qué comer por arriba, dijo, envuelta en el aura lúgubre del anciano insondable que escuchó la revelación sin pestañear pensando madre mía Bendición Alvarado por qué me mandas este castigo, pero no hizo un gesto que denunciara su desolación sino que se empeñó en toda clase de averiguaciones sigilosas hasta descubrir que en efecto el colegio de niñas contiguo a la casa civil lo habían clausurado desde hace muchos años mi general, el propio ministro de educación había provisto los fondos de acuerdo con el arzobispo primado y la asociación de padres de familia para construir el nuevo edificio de tres pisos frente al mar donde las infantas de las familias de grandes ínfulas quedaron a salvo de las asechanzas del seductor crepuscular cuyo cuerpo de sábalo varado bocarriba en la mesa de banquetes empezaba a perfilarse contra las malvas lívidas del horizonte de cráteres de luna de nuestra primera aurora sin él, estaba al abrigo de todo entre los agapantos nevados, libre por fin de su poder absoluto al cabo de tantos años de cautiverio recíproco que resultaba imposible distinguir quién era víctima de quién en aquel cementerio de presidentes vivos que habían pintado de blanco de tumba por dentro y por fuera sin consultarlo conmigo sino que le ordenaban sin reconocerlo que no pase aquí señor que nos ensucia la cal, y él no pasaba, quédese en el piso de arriba señor que le puede caer un andamio encima, y él se quedaba, aturdido por el estrépito de los carpinteros y la rabia de los albañiles que le gritaban que se aparte de aquí viejo pendejo que se va a cagar en la mezcla, y él se apartaba, más obediente que un soldado en los duros meses de una restauración inconsulta que abrió ventanas nuevas a los vientos del mar, más solo que nunca bajo la vigilancia feroz de una escolta cuya misión no parecía ser la de protegerlo sino de vigilarlo, se comían la mitad de su comida para impedir que lo envenenaran, le cambiaban los escondites de la miel de abejas, le calzaban la espuela de oro como a los gallos de pelea para que no le campaneara al caminar, qué carajo, toda una sarta de astucias de vaqueros que habrían hecho morir de risa a mi compadre Saturno Santos, vivía a merced de once atarvanes de saco y corbata que se pasaban el día haciendo maromas japonesas, movían un aparato de focos verdes y colorados que se encienden y se apagan cuando alguien tiene un arma en un círculo de cincuenta metros, y andamos por la calle como fugitivos en siete automóviles iguales que cambiaban de lugar adelantándose unos a otros en el camino de modo que ni yo mismo sé en cuál es el que voy, qué carajo, un gasto inútil de pólvora en gallinazos porque él había apartado los visillos para ver las calles al cabo de tantos años de encierro y vio que nadie se inmutaba con el paso sigiloso de las limusinas fúnebres de la caravana presidencial, vio los arrecifes de vidrios solares de los ministerios que se alzaban más altos que las torres de la catedral y habían tapado los promontorios de colores de las barracas de los negros en las colinas del puerto, vio una patrulla de soldados que borraban un letrero reciente escrito a brocha gorda en un muro y preguntó qué decía y le contestaron que gloria eterna al artífice de la patria nueva aunque él sabía que era mentira, por supuesto, si no no lo estuvieran borrando, qué carajo, vio una avenida de cocoteros tan ancha como seis con camellones de macizos de flores hasta el mar donde estuvieron los barrizales, vio un suburbio de quintas repetidas con pórticos romanos y hoteles con jardines amazónicos donde estuvo el muladar del mercado público, vio los automóviles atortugados en las serpentinas de laberintos de las

autopistas urbanas, vio la muchedumbre embrutecida
por la canícula del mediodía en la acera del sol mientras
en la acera opuesta no había nadie más que los recaudado-
res sin oficio del impuesto al derecho de caminar por la
sombra, pero nadie se estremeció aquella vez con el presagio del poder oculto en el féretro refrigerado de la limusina presidencial, nadie reconoció los ojos de desencanto,
los labios ansiosos, la mano desvalida que iba diciendo
adioses sin destino a través de la gritería de los prego-
nes de periódicos y amuletos, los carritos de helados, los
lábaros de la lotería de tres cifras, el fragor cotidiano
del mundo de la calle ajeno a la tragedia íntima del militar solitario que suspiraba de nostalgia pensando madre mía Bendición Alvarado qué fue de mi ciudad, dónde
está el callejón de miseria de las mujeres sin hombres
que salían desnudas al atardecer a comprar corbinas azules y pargos rosados y a mentarse la madre con las verduleras mientras se les secaba la ropa en los balcones,
dónde están los hindúes que se cagaban en la puerta de
sus tenderetes, dónde están sus esposas lívidas que enter-
necían a la muerte con canciones de lástima, dónde está
la mujer que se había convertido en alacrán por desobedecer a sus padres, dónde están las cantinas de los mercenarios, sus arroyos de orín fermentado, el aire cotidiano
de los pelícanos a la vuelta de la esquina, y de pronto, ay,
el puerto, dónde está si aquí estaba, qué fue de las goletas
de los contrabandistas, la chatarra de desembarco de
los infantes, mi olor a mierda, madre, qué pasaba en el
mundo que nadie conocía la mano fugitiva de amante
en el olvido que iba dejando un reguero de adioses inútiles desde la ventanilla de cristales virados de un tren
inaugural que atravesó silbando los sembrados de hierbas de olor de los que fueron antes los pantanos de estridentes pájaros de malaria de los arrozales, pasó espantando muchedumbres de vacas marcadas con el hierro

presidencial a través de llanuras inverosímiles de pastos
azules, y en el interior capitonado de terciopelo eclesiás-
tico del vagón de responsos de mi destino irrevocable él
iba preguntándose dónde estaba mi viejo trenecito de
cuatro patas, carajo, mis ramazones de anacondas y balsaminas venenosas, mi alboroto de micos, mis aves del
paraíso, la patria entera con su dragón, madre, dónde
están si aquí estaban las estaciones de indias taciturnas
con sombreros ingleses que vendían animales de almíbar por las ventanas, vendían papas nevadas, madre, vendían gallinas sancochadas en manteca amarilla bajo los
arcos de letreros de flores de gloria eterna al benemérito
que nadie sabe dónde está, pero siempre que él protes-
taba que aquella vida de prófugo era peor que estar
muerto le contestaban que no mi general, era la paz dentro del orden, le decían, y él terminaba por aceptar, de
acuerdo, una vez más deslumbrado por la fascinación
personal de José Ignacio Saenz de la Barra de mi desmadre a quien tantas veces había degradado y escupido
en la rabia de los insomnios pero volvía a sucumbir
ante sus encantos no bien entraba en la oficina con la
luz del sol cabestreando ese perro con mirada de gente
humana que no abandona ni siquiera para orinar y además tiene nombre de gente, Lord Köchel, y otra vez aceptaba sus fórmulas con una mansedumbre que lo suble-
vaba contra sí mismo, no se preocupe Nacho, admitía,
cumpla con su deber, de modo que José Ignacio Saenz
de la Barra volvía una vez más con sus poderes intactos
a la fábrica de suplicios que había instalado a menos de
quinientos metros de la casa presidencial en el inocente
edificio de mampostería colonial donde había estado el
manicomio de los holandeses, una casa tan grande como
la suya, mi general, escondida en un bosque de almendros y rodeada por un prado de violetas silvestres, cuya
primera planta estaba destinada a los servicios de identi-

ficación y registro del estado civil y en el resto estaban
instaladas las máquinas de tortura más ingeniosas y
bárbaras que podía concebir la imaginación, tanto que
él no había querido conocerlas sino que le advirtió a
Saenz de la Barra que usted siga cumpliendo con su
deber como mejor convenga a los intereses de la patria
con la única condición de que yo no sé nada ni he visto
nada ni he estado nunca en ese lugar, y Saenz de la
Barra empeñó su palabra de honor para servir a usted,
general, y había cumplido, igual que cumplió su orden
de no volver a martirizar a los niños menores de cinco
años con polos eléctricos en los testículos para forzar la
confesión de sus padres porque él temía que aquella
infamia pudiera repetirle los insomnios de tantas noches
iguales de los tiempos de la lotería, aunque le era imposible olvidarse de ese taller de horror a tan escasa distancia de su dormitorio porque en las noches de lunas
quietas lo despertaban las músicas de trenes fugitivos
de las albas de truenos de Bruckner que hacían estragos de diluvios y dejaban una desolación de piltrafas de
túnicas de novias muertas en las ramazones de los almendros de la antigua mansión de lunáticos holandeses
para que no se oyeran desde la calle los alaridos de pavor
y dolor de los moribundos, y todo eso sin cobrar un
céntimo mi general, pues José Ignacio Saenz de la Barra
disponía de su sueldo para comprar las ropas de príncipe, las camisas de seda natural con el monograma en
el pecho, los zapatos de cabritilla, las cajas de gardenias
para la solapa, las lociones de Francia con los blasones
de la familia impresos en la etiqueta original, pero no
tenía mujer conocida ni se dice que sea marica ni tiene
un solo amigo ni una casa propia para vivir, nada mi
general, una vida de santo, esclavizado en la fábrica de
suplicios hasta que lo tumbaba el cansancio sobre el diván de la oficina donde dormía de cualquier modo pero

nunca de noche ni nunca más de tres horas cada vez, sin
guardia en la puerta, sin un arma a su alcance, bajo la
protección anhelante de Lord Köchel que no cabía dentro
del pellejo por la ansiedad que le causaba el no comer
sino lo único que dicen que come, es decir, las tripas
calientes de los decapitados, haciendo ese ruido de borboriteo de marmita para despertarlo apenas su mirada
de persona humana sentía a través de las paredes que
alguien se acercaba a la oficina, quien quiera que sea, mi
general, ese hombre no se confía ni del espejo, tomaba
sus decisiones sin consultarlas con nadie después de escuchar los informes de sus agentes, nada sucedía en el
país ni daban un suspiro los desterrados en cualquier
lugar del planeta que José Ignacio Saenz de la Barra no
lo supiera al instante a través de los hilos de la telaraña
invisible de delación y soborno con que tiene cubierta
la bola del mundo, que en eso se gastaba la plata, mi general, pues no era cierto que los torturadores tuvieran
sueldo de ministros como decían, al contrario, se ofrecían gratis para demostrar que eran capaces de descuar-
tizar a su madre y echarles los pedazos a los puercos sin
que se les notara en la voz, en lugar de cartas de reco-
mendación y certificados de buena conducta ofrecían testimonios de antecedentes atroces para que les dieran el
empleo a las órdenes de los torturadores franceses que
son racionalistas mi general, y por consiguiente son me-
tódicos en la crueldad y refractarios a la compasión, eran
ellos quienes hacían posible el progreso dentro del orden, eran ellos quienes se anticipaban a las conspira-
ciones mucho antes de que empezaran a incubar en el
pensamiento, los clientes distraídos que tomaban el
fresco bajo los abanicos de aspas de las heladerías, los
que leían el periódico en las fondas de los chinos, los
que se dormían en los cines, los que cedían el puesto a
las señoras encinta en los autobuses, los que habían apren-

dido a ser electricistas y plomeros después de haber pasado media vida de atracadores nocturnos y bandoleros
de veredas, los novios casuales de las sirvientas, las putas de los trasatlánticos y los bares internacionales, los
promotores de excursiones turísticas a los paraísos del
Caribe en las agencias de viaje de Miami, el secretario
privado del ministro de asuntos exteriores de Bélgica, la
cuidanta vitalicia del corredor tenebroso del cuarto piso
del Hotel Internacional de Moscú, y tantos otros que
nadie sabe hasta en el último rincón de la tierra, pero
usted puede dormir tranquilo mi general pues los buenos patriotas de la patria dicen que usted no sabe nada,
que todo esto sucede sin su consentimiento, que si mi
general lo supiera habría mandado a Saenz de la Barra
a empujar margaritas en el cementerio de renegados de
la fortaleza del puerto, que cada vez que se enteraban de
un nuevo acto de barbarie suspiraban para adentro si el
general lo supiera, si pudiéramos hacérselo saber, si hubiera una manera de verlo, y él le ordenó a quien se lo
había contado que no olvidara nunca que de verdad yo no
sé nada, ni he visto nada, ni he hablado de estas cosas
con nadie, y así recobraba el sosiego, pero seguían llegando tantos talegos de cabezas cortadas que no le parecía concebible que José Ignacio Saenz de la Barra se
embarrara de sangre hasta la tonsura sin ningún beneficio porque la gente es pendeja pero no tanto, ni le parecía razonable que pasaron años enteros sin que los
comandantes de las tres armas protestaran por su condición subalterna, ni pedían aumento de sueldo, nada, de
modo que él había echado sondas por separado para
tratar de establecer las causas de la conformidad militar,
quería averiguar por qué no trataban de rebelarse, por
qué aceptaban la potestad de un civil, y les había preguntado a los más codiciosos si no pensaban que ya era
tiempo de cortarle la cresta al advenedizo sanguinario

que estaba salpicando los méritos de las fuerzas armadas,
pero le habían contestado que por supuesto que no mi general, no es para tanto, y desde entonces ya no sé quién
es quién, ni quién está con quién ni contra quién en este
armatoste del progreso dentro del orden que empieza a
olerme a mortecina encerrada como aquella que ni quiero acordarme de aquellos pobres niños de la lotería, pero
José Ignacio Saenz de la Barra le aplacaba los ímpetus
con su dulce dominio de domador de perros cimarrones,
duerma tranquilo general, le decía, el mundo es suyo, le
hacía creer que todo era tan simple y tan claro que lo
volvía a dejar en las tinieblas de aquella casa de nadie que
recorría de un extremo al otro preguntándose a grandes
voces quién carajo soy yo que me siento como si me hubieran volteado al revés la luz de los espejos, dónde carajo estoy que van a ser las once de la mañana y no hay
una gallina ni por casualidad en este desierto, acuérdense
cómo era antes, clamaba, acuérdense del despelote de
los leprosos y los paralíticos que se peleaban la comida
con los perros, acuérdense de aquel resbaladero de mierda de animales en las escaleras y aquel despiporre de
patriotas que no me dejaban caminar con la conduerma
de que écheme en el cuerpo la sal de la salud mi general,
que me bautice al muchacho a ver si se le quita la dia-
rrea porque decían que mi imposición tenía virtudes
aprietativas más eficaces que el plátano verde, que me
ponga la mano aquí a ver si se me aquietan las palpita-
ciones que ya no tengo ánimos para vivir con este eterno
temblor de tierra, que fijara la vista en el mar mi general para que se devuelvan los huracanes, que la levante
hacia el cielo para que se arrepientan los eclipses, que la
baje hacia la tierra para espantar a la peste porque decían que yo era el benemérito que le infundía respeto a
la naturaleza y enderezaba el orden del universo y le
había bajado los humos a la Divina Providencia, y yo les

daba lo que me pedían y les compraba todo lo que me
vendieran no porque fuera débil de corazón según decía
su madre Bendición Alvarado sino porque se necesitaba
tener un hígado de hierro para mezquinarle un favor a
quien le cantaba sus méritos, y en cambio ahora no había nadie que le pidiera nada, nadie que le dijera al menos buenos días mi general, cómo pasó la noche, no
tenía siquiera el consuelo de aquellas explosiones nocturnas que lo despertaban con una granizada de vidrio
de ventanas y desnivelaban los quicios y sembraban el
pánico en la tropa pero le servían por lo menos para
sentir que estaba vivo y no en este silencio que me zumba dentro de la cabeza y me despierta con su estrépito,
ya no soy más que un monicongo pintado en la pared de
esta casa de espantos donde le era imposible impartir
una orden que no estuviera cumplida desde antes, encontraba satisfechos sus deseos más íntimos en el periódico
oficial que seguía leyendo en la hamaca a la hora de la
siesta desde la primera página hasta la última inclusive
los anuncios de propaganda, no había un impulso de su
aliento ni un designio de su voluntad que no apareciera
impreso en letras grandes con la fotografía del puente
que él no mandó a construir por olvido, la fundación de
la escuela para enseñar a barrer, la vaca de leche y el
árbol de pan con un retrato suyo de otras cintas inaugurales de los tiempos de gloria, y sin embargo no encontraba el sosiego, arrastraba sus grandes patas de elefante
senil buscando algo que no se le había perdido en su
casa de soledad, encontraba que alguien antes que él
había tapado las jaulas con trapos de luto, alguien había
contemplado el mar desde las ventanas y había contado
las vacas antes que él, todo estaba completo y en orden,
regresaba al dormitorio con el candil cuando reconoció
su propia voz ampliada en el retén de la guardia presidencial y se asomó por la ventana entreabierta y vio un

grupo de oficiales adormilados en el cuarto lleno de
humo frente al resplandor triste de la pantalla de televisión, y en la pantalla estaba él, más delgado y tenso,
pero era yo, madre, sentado en la oficina donde había
de morir con el escudo de la patria en el fondo y los
tres pares de espejuelos de oro en la mesa, y estaba diciendo de memoria un análisis de las cuentas de la nación con palabras de sabio que él nunca se hubiera atrevido a repetir, carajo, era una visión más inquietante
que la de su propio cuerpo muerto entre las flores porque
ahora estaba viéndose vivo y oyéndose hablar con su
propia voz, yo mismo, madre, yo que nunca había podido soportar la vergüenza de asomarse a un balcón ni
había logrado vencer el pudor de hablar en público, y
ahí estaba, tan verídico y mortal que permaneció perplejo en la ventana pensando madre mía Bendición Alvarado cómo es posible este misterio, pero José Ignacio
Saenz de la Barra se mantuvo impasible ante una de las
pocas explosiones de cólera que él se permitió en los
años sin cuento de su régimen, no es para tanto general,
le dijo con su énfasis más dulce, tuvimos que acudir a
este recurso ilícito para preservar del naufragio a la nave
del progreso dentro del orden, fue una inspiración divina,
general, gracias a ella habíamos logrado conjurar la incertidumbre del pueblo en un poder de carne y hueso
que el último miércoles de cada mes rendía un informe
sedante de su gestión de gobierno a través de la radio y
la televisión del estado, yo asumo la responsabilidad, general, yo puse aquí este florero con seis micrófonos en
forma de girasoles que registraban su pensamiento de
viva voz, era yo quien hacía las preguntas que él contestaba en la audiencia de los viernes sin sospechar que sus
respuestas inocentes eran los fragmentos del discurso
mensual dirigido a la nación, pues nunca habían utiliza-
do una imagen que no fuera suya ni una palabra que él

no hubiera dicho como usted mismo podrá comprobar-
lo con estos discos que Saenz de la Barra le puso sobre
el escritorio junto con estas películas y esta carta de mi
puño y letra que firmo en presencia suya general para
que usted disponga de mi suerte como a bien tenga, y
él lo miró desconcertado porque de pronto cayó en la
cuenta de que Saenz de la Barra estaba por primera vez
sin el perro, inerme, pálido, y entonces suspiró, está bien,
Nacho, cumpla con su deber, dijo, con un aire de infinita
fatiga, echado hacia atrás en la poltrona de resortes y la
mirada fija en los ojos delatores de los retratos de los
próceres, más viejo que nunca, más lúgubre y triste, pero
con la misma expresión de designios imprevisibles que
Saenz de la Barra había de reconocer dos semanas más
tarde cuando volvió a entrar en la oficina sin audiencia
previa casi arrastrando el perro por la traílla y con la
novedad urgente de una insurrección armada que sólo
una intervención suya podía impedir, general, y él descubrió por fin la grieta imperceptible que había estado buscando durante tantos años en el muro de obsidiana de
la fascinación, madre mía Bendición Alvarado de mi
desquite, se dijo, este pobre cabrón se está cagando de
miedo, pero no hizo un solo gesto que permitiera vislumbrar sus intenciones sino que envolvió a Saenz de la
Barra en un aura maternal, no se preocupe Nacho, suspiró, nos queda mucho tiempo para pensar sin que nadie
nos estorbe dónde carajo estaba la verdad en aquel tremedal de verdades contradictorias que parecían menos
ciertas que si fueran mentira, mientras Saenz de la Barra comprobaba en el reloj de leontina que iban a ser
las siete de la noche, general, los comandantes de las
tres armas estaban terminando de comer en sus casas
respectivas, con la mujer y los niños, para que ni siquiera ellos pudieran sospechar sus propósitos, saldrán vestidos de civil sin escolta por la puerta del servicio donde

los espera un automóvil público solicitado por teléfono
para burlar la vigilancia de nuestros hombres, no verán
ninguno, por supuesto, aunque ahí están, general, son
los choferes, pero él dijo ajá, sonrió, no se preocupe
tanto, Nacho, explíqueme más bien cómo hemos vivido
hasta ahora con el pellejo puesto si según sus cuentas de
cabezas cortadas hemos tenido más enemigos que soldados, pero Saenz de la Barra estaba sostenido apenas por
el latido minúsculo de su reloj de leontina, faltaban menos de tres horas, general, el comandante de las fuerzas
de tierra se dirigía en aquel momento hacia el cuartel
del Conde, el comandante de las fuerzas navales hacia
la fortaleza del puerto, el comandante de las fuerzas del
aire hacia la base de San Jerónimo, todavía era posible
arrestarlos porque una camioneta de la seguridad del
estado cargada de legumbres los perseguía a corta distancia, pero él no se inmutaba, sentía que la ansiedad
creciente de Saenz de la Barra lo liberaba del castigo de
una servidumbre que había sido más implacable que su
apetito de poder, esté tranquilo, Nacho, decía, explíqueme más bien por qué no ha comprado una mansión tan
grande como un buque de vapor, por qué trabaja como
un mulo si no le importa la plata, por qué vive como un
recluta si a las mujeres más estrechas se les aflojan las
costuras por meterse en su dormitorio, usted parece más
cura que los curas, Nacho, pero Saenz de la Barra se
sofocaba empapado por un sudor de hielo que no lograba
disimular con su dignidad incólume en el horno cremato-
rio de la oficina, eran las once, ya es demasiado tarde,
dijo, una señal en clave empezaba a circular a esa hora
por los alambres del telégrafo hacia las distintas guarniciones del país, los comandantes rebeldes se estaban col-
gando las condecoraciones en el uniforme de parada para
el retrato oficial de la nueva junta de gobierno mientras
sus ayudantes transmitían las últimas órdenes de una

guerra sin enemigos cuyas únicas batallas se reducían a controlar las centrales de comunicación y los servicios públicos, pero él ni siquiera parpadeó ante el pálpito anhelante de Lord Köchel que se había incorporado con un hilo de baba que parecía una lágrima interminable, no se asuste, Nacho, explíqueme más bien por qué le tiene tanto miedo a la muerte, y José Ignacio Saenz de la Barra se quitó de un tirón el cuello de celuloide desacartonado por el sudor y su rostro de barítono se quedó sin alma, es natural, replicó, el miedo a la muerte es el rescoldo de la felicidad, por eso usted no lo siente, general, y se puso de pie contando por puro hábito las campanas de la catedral, son las doce, dijo, ya no le queda nadie en el mundo, general, yo era el último, pero él no se movió en la poltrona mientras no percibió el trueno subterráneo de los tanques de guerra en la Plaza de Armas, y entonces sonrió, no se equivoque, Nacho, todavía me queda el pueblo, dijo, el pobre pueblo de siempre que antes del amanecer se echó a la calle instigado por el anciano imprevisto que a través de la radio y la televisión del estado se dirigió a todos los patriotas de la patria sin discriminaciones de ninguna índole y con la más viva emoción histórica para anunciar que los comandantes de las tres armas inspirados por los ideales inmutables del régimen, bajo mi dirección personal e interpretando como siempre la voluntad del pueblo soberano habían puesto término en esta media noche gloriosa al aparato de terror de un civil sanguinario que había sido castigado por la justicia ciega de las muchedumbres, pues ahí estaba José Ignacio Saenz de la Barra, macerado a golpes, colgado de los tobillos en un farol de la Plaza de Armas y con sus propios órganos genitales metidos en la boca, tal como lo había previsto mi general cuando nos ordenó bloquear las calles de las embajadas para impedirle el derecho de asilo, el pueblo lo había cazado a piedras, mi general, pero antes tuvimos que acribillar al perro carnicero que se sorbió la tripamenta de cuatro civiles y nos dejó siete soldados mal heridos cuando el pueblo había asaltado sus oficinas de vivir y tiraron por las ventanas más de doscientos chalecos de brocado todavía con la etiqueta de fábrica, tiraron como tres mil pares de botines italianos sin estrenar, tres mil mi general, que en eso se gastaba la plata del gobierno, y no sé cuántas cajas de gardenias de solapa y todos los discos de Bruckner con sus respectivas partituras de dirección anotadas de su puño y letra, y además sacaron a los presos de los sótanos y les metieron fuego a las cámaras de tortura del antiguo manicomio de los holandeses a los gritos de viva el general, viva el macho que por fin se dio cuenta de la verdad, pues todos dicen que usted no sabía nada mi general, que lo tenían en el limbo abusando de su buen corazón, y todavía a esta hora andaban cazando como ratas a los torturadores de la seguridad del estado que dejamos sin protección de tropa de acuerdo con sus órdenes para que la gente se aliviara de tantas rabias atrasadas y tanto terror, y él aprobó, de acuerdo, conmovido por las campanas de júbilo y las músicas de libertad y las voces de gratitud de la muchedumbre concentrada en la Plaza de Armas con grandes letreros de Dios guarde al magnífico que nos redimió de las tinieblas del terror, y en aquella réplica efímera de los tiempos de gloria él hizo reunir en el patio a los oficiales de escuela que habían ayudado a quitarse sus propias cadenas de galeote del poder y señalándonos con el dedo según los impulsos de su inspiración completó con nosotros el último mando supremo de su régimen decrépito en reemplazo de los autores de la muerte de Leticia Nazareno y el niño que fueron capturados en ropas de dormir cuando trataban de encontrar asilo en las embajadas, pero él apenas si los reconoció,

había olvidado los nombres, buscó en el corazón la carga
de odio que había tratado de mantener viva hasta la
muerte y sólo encontró las cenizas de un orgullo herido que ya no valía la pena entretener, que se larguen,
ordenó, los metieron en el primer barco que zarpó para
donde nadie volviera a acordarse de ellos, pobres cabrones, presidió el primer consejo del nuevo gobierno con la
impresión nítida de que aquellos ejemplares selectos de
una generación nueva de un siglo nuevo eran otra vez
los ministros civiles de siempre de levitas polvorientas y
entrañas débiles, sólo que éstos estaban más ávidos de
honores que de poder, más asustadizos y serviles y más
inútiles que todos los anteriores ante una deuda externa
más costosa que cuanto se pudiera vender en su desguarnecido reino de pesadumbre, pues no había nada que
hacer mi general, el último tren de los páramos se había
desbarrancado por precipicios de orquídeas, los leopardos dormían en poltronas de terciopelo, las carcachas
de los buques de rueda estaban varados en los pantanos de los arrozales, las noticias podridas en los sacos
del correo, las parejas de manatíes engañadas con la ilusión de engendrar sirenas entre los lirios tenebrosos de
los espejos de luna del camarote presidencial, y sólo él
lo ignoraba, por supuesto, había creído en el progreso
dentro del orden porque entonces no tenía más contactos con la vida real que la lectura del periódico del gobierno que imprimían sólo para usted mi general, una
edición completa de una sola copia con las noticias que
a usted le gustaba leer, con el servicio gráfico que usted
esperaba encontrar, con los anuncios de propaganda que
lo hicieron soñar con un mundo distinto del que le habían prestado para la siesta, hasta que yo mismo pude
comprobar con estos mis ojos incrédulos que detrás de
los edificios de vidrios solares de los ministerios continuaban intactas las barracas de colores de los negros en

las colinas del puerto, habían construido las avenidas de
palmeras hasta el mar para que yo no viera que detrás
de las quintas romanas de pórticos iguales continuaban
los barrios miserables devastados por uno de nuestros
tantos huracanes, habían sembrado hierbas de olor a
ambos lados de la vía para que él viera desde el vagón
presidencial que el mundo parecía magnificado por las
aguas venales de pintar oropéndolas de su madre de mis
entrañas Bendición Alvarado, y no lo engañaban para
complacerlo como lo hizo en los últimos tiempos de sus
tiempos de gloria el general Rodrigo de Aguilar, ni para
evitarle contrariedades inútiles como lo hacía Leticia
Nazareno más por compasión que por amor, sino para
mantenerlo cautivo de su propio poder en el marasmo
senil de la hamaca bajo la ceiba del patio donde al final
de sus años no había de ser verdad ni siquiera el coro de
escuela de la pajarita pinta paradita en el verde limón,
qué vaina, y sin embargo no lo afectó la burla sino que
trataba de reconciliarse con la realidad mediante la re-
cuperación por decreto del monopolio de la quina y
otras pócimas esenciales para la felicidad del estado,
pero la realidad lo volvió a sorprender con la advertencia
de que el mundo cambiaba y la vida seguía aún a espaldas de su poder, pues ya no hay quina, general, ya no hay
cacao, no hay añil, general, no había nada, salvo su fortuna personal que era incontable y estéril y estaba ame-
nazada por la ociosidad, y sin embargo no se alteró con
tan infaustas nuevas sino que mandó un recado de desa-
fío al viejo embajador Roxbury por si acaso encontraban alguna fórmula de alivio en la mesa de dominó,
pero el embajador le contestó con su propio estilo que
ni de vainas excelencia, este país no vale un rábano, a
excepción del mar, por supuesto, que era diáfano y su-
culento y habría bastado con meterle candela por debajo

para cocinar en su propio cráter la gran sopa de mariscos del universo, así que piénselo, excelencia, se lo acep-
tamos a buena cuenta de los servicios de esa deuda
atrasada que no han de redimir ni cien generaciones de
próceres tan diligentes como su excelencia, pero él ni siquiera lo tomó en serio esa primera vez, lo acompañó
hasta las escaleras pensando madre mía Bendición Alvarado mira qué gringos tan bárbaros, cómo es posible
que sólo piensen en el mar para comérselo, lo despidió
con la palmadita habitual en el hombro y volvió a que-
dar solo consigo mismo tantaleando en las franjas de
nieblas ilusorias de los páramos del poder, pues las muchedumbres habían abandonado la Plaza de Armas, se
llevaron las pancartas de repetición y se guardaron las
consignas de alquiler para otras fiestas iguales del futuro tan pronto como se les acabó el estímulo de las cosas
de comer y beber que la tropa repartía en las pausas de
las ovaciones, habían vuelto a dejar los salones desiertos
y tristes a pesar de su orden de no cerrar los portones a
ninguna hora para que entre quien quiera, como antes,
cuando ésta no era una casa de difuntos sino un palacio
de vecindad, y sin embargo los únicos que se quedaron
fueron los leprosos, mi general, y los ciegos y los paralíticos que habían permanecido años y años frente a la
casa como los viera Demetrio Aldous dorándose al sol
en las puertas de Jerusalén, destruidos e invencibles, seguros de que más temprano que tarde volverían a entrar
para recibir de sus manos la sal de la salud porque él
había de sobrevivir a todos los embates de la adversidad
y a las pasiones más inclementes y a los peores asechos
del olvido, pues era eterno, y así fue, él los volvió a encontrar de regreso del ordeño hirviendo las latas de
sobras de cocina en los fogones de ladrillo improvisados
en el patio, los vio tendidos con los brazos en cruz en
las esteras maceradas por el sudor de las úlceras a la

sombra fragante de los rosales, les hizo construir una
hornilla común, les compraba esteras nuevas y les mandó a edificar un cobertizo de palmas en el fondo del patio para que no tuvieran que guarecerse dentro de la
casa, pero no pasaban cuatro días sin que encontrara
una pareja de leprosos durmiendo en las alfombras ára-
bes de la sala de fiestas o encontraba un ciego perdido
en las oficinas o un paralítico fracturado en las escaleras,
hacía cerrar las puertas para que no dejaran un rastro
de llagas vivas en las paredes ni apestaran el aire de la
casa con el tufo del ácido fénico con que los fumigaban
los servicios de sanidad, aunque no bien los quitaban de
un lado que aparecían por el otro, tenaces, indestructi-
bles, aferrados a su vieja esperanza feroz cuando ya nadie esperaba nada de aquel anciano inválido que escondía recuerdos escritos en las grietas de las paredes y se
orientaba con tanteos de sonámbulo a través de los vientos encontrados de las ciénagas de brumas de la memoria, pasaba horas insomnes en la hamaca preguntándose
cómo carajo me voy a escabullir del nuevo embajador
Fischer que me había propuesto denunciar la existencia
de un flagelo de fiebre amarilla para justificar un desembarco de infantes de marina de acuerdo con el tratado de asistencia recíproca por tantos años cuantos fueran necesarios para infundir un aliento nuevo a la patria
moribunda, y él replicó de inmediato que ni de vainas,
fascinado por la evidencia de que estaba viviendo de
nuevo en los orígenes de su régimen cuando se había
valido de un recurso igual para disponer de los poderes
de excepción de la ley marcial ante una grave amenaza de sublevación civil, había declarado el estado de
peste por decreto, se plantó la bandera amarilla en el
asta del faro, se cerró el puerto, se suprimieron los
domingos, se prohibió llorar a los muertos en público y tocar músicas que los recordaran y se facultó a

las fuerzas armadas para velar por el cumplimiento del
decreto y disponer de los pestíferos según su albedrío,
de modo que las tropas con brazales sanitarios ejecu-
taban en público a las gentes de la más diversa condición, señalaban con un círculo rojo en la puerta de las
casas sospechosas de inconformidad con el régimen, mar-
caban con un hierro de vaca en la frente a los infrac-
tores simples, a los marimachos y a los floripondios
mientras una misión sanitaria solicitada de urgencia a
su gobierno por el embajador Mitchell se ocupaba de
preservar del contagio a los habitantes de la casa presidencial, recogían del suelo la caca de los sietemesinos para analizarla con vidrios de aumento, echaban píl-
doras desinfectantes en las tinajas, les daban de comer
gusarapos a los animales de sus laboratorios de ciencias, y él les decía muerto de risa a través del intérprete que no sean tan pendejos, místeres, aquí no hay
más peste que ustedes, pero ellos insistían que sí, que
tenían órdenes superiores de que hubiera, prepararon
una miel de virtud preventiva, espesa y verde, con la
cual barnizaban de cuerpo entero a los visitantes sin
distinción de credenciales desde los más ordinarios hasta los más ilustres, los obligaban a mantener la distancia
en las audiencias, ellos de pie en el umbral y él sentado en el fondo donde lo alcanzara la voz pero no el
aliento, parlamentando a gritos con desnudos de alcurnia que accionaban con una mano, excelencia, y con la
otra se tapaban la escuálida paloma pintorreteada, y
todo aquello para preservar del contagio a quien había
concebido en el enervamiento de la vigilia hasta los pormenores más banales de la falsa calamidad, que había
inventado infundios telúricos y difundido pronósticos de
apocalipsis de acuerdo con su criterio de que la gente
tendrá más miedo cuanto menos entienda, y que apenas
si parpadeó cuando uno de sus edecanes, lívido de pavor,

se cuadró frente a él con la novedad mi general de que la peste está causando una mortandad tremenda entre la población civil, de modo que a través de los vidrios nublados de la carroza presidencial había visto el tiempo interrumpido por orden suya en las calles abandonadas, vio el aire tónito en las banderas amarillas, vio las puertas cerradas inclusive en las casas omitidas por el círculo rojo, vio los gallinazos ahítos en los balcones, y vio los muertos, los muertos, los muertos, había tantos por todas partes que era imposible contarlos en los barrizales, amontonados en el sol de las terrazas, tendidos en las legumbres del mercado, muertos de carne y hueso mi general, quién sabe cuántos, pues eran muchos más de los que él hubiera querido ver entre las huestes de sus enemigos tirados como perros muertos en los cajones de la basura, y por encima de la podredumbre de los cuerpos y la fetidez familiar de las calles reconoció el olor de la sarna de la peste, pero no se inmutó, no cedió a ninguna súplica hasta que no volvió a sentirse dueño absoluto de todo su poder, y sólo cuando no parecía haber recurso humano ni divino capaz de poner término a la mortandad vimos aparecer en las calles una carroza sin insignias en la que nadie percibió a primera vista el soplo helado de la majestad del poder, pero en el interior de terciopelo fúnebre vimos los ojos letales, los labios trémulos, el guante nupcial que iba echando puñados de sal en los portales, vimos el tren pintado con los colores de la bandera trepándose con las uñas a través de las gardenias y los leopardos despavoridos hasta las cornisas de niebla de las provincias más escarpadas, vimos los ojos turbios a través de los visillos del vagón solitario, el semblante afligido, la mano de doncella desairada que iba dejando un reguero de sal por los páramos lúgubres de su niñez, vimos el buque de vapor con rueda de madera y rollos de mazurcas de piano-

las quiméricas que navegaba tropezando por entre los
escollos y los bancos de arena y los escombros de las
catástrofes causadas en la selva por los paseos prima-
verales del dragón, vimos los ojos de atardecer en la
ventana del camarote presidencial, vimos los labios pálidos, la mano sin origen que arrojaba puñados de sal
en las aldeas entorpecidas de calor, y quienes comían de
aquella sal y lamían el suelo donde había estado recu-
peraban la salud al instante y quedaban inmunizados por
largo tiempo contra los malos presagios y las ventoleras
de la ilusión, así que él no había de sorprenderse en las
postrimerías de su otoño cuando le propusieron un nuevo
régimen de desembarco sustentado en el mismo infundio
de una epidemia política de fiebre amarilla sino que se
enfrentó a las razones de los ministros estériles que cla-
maban que vuelvan los infantes, general, que vuelvan con
sus máquinas de fumigar pestíferos a cambio de lo que
ellos quieran, que vuelvan con sus hospitales blancos, sus
prados azules, los surtidores de aguas giratorias que com-
pletan los años bisiestos con siglos de buena salud, pero
él golpeó la mesa y decidió que no, bajo su responsabilidad suprema, hasta que el rudo embajador Mac Queen
le replicó que ya no estamos en condiciones de discutir,
excelencia, el régimen no estaba sostenido por la esperanza ni por el conformismo, ni siquiera por el terror,
sino por la pura inercia de una desilusión antigua e irreparable, salga a la calle y mírele la cara a la verdad, excelencia, estamos en la curva final, o vienen los infantes o nos llevamos el mar, no hay otra, excelencia, no
había otra, madre, de modo que se llevaron el Caribe
en abril, se lo llevaron en piezas numeradas los ingenieros náuticos del embajador Ewing para sembrarlo lejos
de los huracanes en las auroras de sangre de Arizona, se lo
llevaron con todo lo que tenía dentro, mi general, con el
reflejo de nuestras ciudades, nuestros ahogados tímidos,

nuestros dragones dementes, a pesar de que él había apelado a los registros más audaces de su astucia milenaria tratando de promover una convulsión nacional de protesta contra el despojo, pero nadie hizo caso mi general, no quisieron salir a la calle ni por la razón ni por la fuerza porque pensábamos que era una nueva maniobra suya como tantas otras para saciar hasta más allá de todo límite su pasión irreprimible de perdurar, pensábamos que con tal de que pase algo aunque se lleven el mar, qué carajo, aunque se lleven la patria entera con su dragón, pensábamos, insensibles a las artes de seducción de los militares que aparecían en nuestras casas disfrazados de civil y nos suplicaban en nombre de la patria que nos echáramos a la calle gritando que se fueran los gringos para impedir la consumación del despojo, nos incitaban al saqueo y al incendio de las tiendas y las quintas de los extranjeros, nos ofrecieron plata viva para que saliéramos a protestar bajo la protección de la tropa solidaria con el pueblo frente a la agresión, pero nadie salió mi general porque nadie olvidaba que otra vez nos habían dicho lo mismo bajo palabra de militar y sin embargo los masacraron a tiros con el pretexto de que había provocadores infiltrados que abrieron fuego contra la tropa, así que esta vez no contamos ni con el pueblo mi general y tuve que cargar solo con el peso de este castigo, tuve que firmar solo pensando madre mía Bendición Alvarado nadie sabe mejor que tú que vale más quedarse sin el mar que permitir un desembarco de infantes, acuérdate que eran ellos quienes pensaban las órdenes que me hacían firmar, ellos volvían maricas a los artistas, ellos trajeron la Biblia y la sífilis, le hacían creer a la gente que la vida era fácil, madre, que todo se consigue con plata, que los negros son contagiosos, trataron de convencer a nuestros soldados de que la patria es un negocio y que el sentido del honor era una vaina inventa-

da por el gobierno para que las tropas pelearan gratis,
y fue por evitar la repetición de tantos males que les
concedí el derecho de disfrutar de nuestros mares territoriales en la forma en que lo consideren conveniente a
los intereses de la humanidad y la paz entre los pueblos,
en el entendimiento de que dicha cesión comprendía no
sólo las aguas físicas visibles desde la ventana de su dormitorio hasta el horizonte sino todo cuanto se entiende
por mar en el sentido más amplio, o sea la fauna y la
flora propias de dichas aguas, su régimen de vientos, la
velcidad de sus milibares, todo, pero nunca me pude imaginar que eran capaces de hacer lo que hicieron de llevarse con gigantescas dragas de succión las esclusas numeradas de mi viejo mar de ajedrez en cuyo cráter des-
garrado vimos aparecer los lamparazos instantáneos de
los restos sumergidos de la muy antigua ciudad de Santa
María del Darién arrasada por la marabunta, vimos la
nao capitana del almirante mayor de la mar océana tal
como yo la había visto desde mi ventana, madre, estaba
idéntica, atrapada por un matorral de percebes que las
muelas de las dragas arrancaron de raíz antes de que él
tuviera tiempo de ordenar un homenaje digno del tamaño
histórico de aquel naufragio, se llevaron todo cuanto había sido la razón de mis guerras y el motivo de su poder y
sólo dejaron la llanura desierta de áspero polvo lunar que
él veía al pasar por las ventanas con el corazón oprimido
clamando madre mía Bendición Alvarado ilumíname con
tus luces más sabias, pues en aquellas noches de postrimerías lo despertaba el espanto de que los muertos de la
patria se incorporaban en sus tumbas para pedirle cuentas del mar, sentía los arañazos en los muros, sentía las
voces insepultas, el horror de las miradas póstumas que
acechaban por las cerraduras el rastro de sus grandes patas de saurio moribundo en el pantano humeante de las
últimas ciénagas de salvación de la casa en tinieblas, ca-

minaba sin tregua en el crucero de los alisios tardíos y
los mistrales falsos de la máquina de vientos que le había
regalado el embajador Eberhart para que se notara menos el mal negocio del mar, veía en la cúspide de los
arrecifes la lumbre solitaria de la casa de reposo de
los dictadores asilados que duermen como bueyes sentados mientras yo padezco, malparidos, se acordaba de los
ronquidos de adiós de su madre Bendición Alvarado en
la mansión de los suburbios, su buen dormir de pajarera
en el cuarto alumbrado por la vigilia del orégano, quién
fuera ella, suspiraba, madre feliz dormida que nunca se
dejó asustar por la peste, ni se dejó intimidar por el amor
ni se dejó acoquinar por la muerte, y en cambio él estaba
tan aturdido que hasta las ráfagas del faro sin mar que
intermitían en las ventanas le parecieron sucias de los
muertos, huyó despavorido de la fantástica luciérnaga sideral que fumigaba en su órbita de pesadilla giratoria los
efluvios temibles del polvo luminoso del tuétano de los
muertos, que lo apaguen, gritó, lo apagaron, mandó a ca-
lafatear la casa por dentro y por fuera para que no pasa-
ran por los resquicios de puertas y ventanas ni escondidos
en otras fragancias los hálitos más tenues de la sarna de
los aires nocturnos de la muerte, se quedó en las tinieblas,
tantaleando, respirando a duras penas en el calor sin aire,
sintiéndose pasar por espejos oscuros, caminando de miedo, hasta que oyó un tropel de pezuñas en el cráter del
mar y era la luna que se alzaba con sus nieves decrépitas, pavorosa, que la quiten, gritó, que apaguen las estrellas, carajo, orden de Dios, pero nadie acudió a sus
gritos, nadie lo oyó, salvo los paralíticos que despertaron asustados en las antiguas oficinas, los ciegos en las
escaleras, los leprosos perlados del sereno que se alzaron a su paso en los rastrojos de las primeras rosas para
implorar de sus manos la sal de la salud, y entonces fue
cuando sucedió, incrédulos del mundo entero, idólatras

de mierda, sucedió que él nos tocó la cabeza al pasar, uno
por uno, nos tocó a cada uno en el sitio de nuestros de-
fectos con una mano lisa y sabia que era la mano de
la verdad, y en el instante en que nos tocaba recupe-
rábamos la salud del cuerpo y el sosiego del alma y reco-
brábamos la fuerza y la conformidad de vivir, y vimos a
los ciegos encandilados por el fulgor de las rosas, vimos
a los tullidos dando traspiés en las escaleras y vimos esta
mi propia piel de recién nacido que voy mostrando por
las ferias del mundo entero para que nadie se quede sin
conocer la noticia del prodigio y esta fragancia de lirios
prematuros de las cicatrices de mis llagas que voy re-
gando por la faz de la tierra para escarnio de infieles y
escarmiento de libertinos, lo gritaban por ciudades y veredas, en fandangos y procesiones, tratando de infundir en
las muchedumbres el pavor del milagro, pero nadie pensaba que fuera cierto, pensábamos que era uno más de
los tantos áulicos que mandaban a los pueblos con un
viejo bando de merolicos para tratar de convencernos de
lo último que nos faltaba creer que él había devuelto el
cutis a los leprosos, la luz a los ciegos, la habilidad a los
paralíticos, pensábamos que era el último recurso del
régimen para llamar la atención sobre un presidente improbable cuya guardia personal estaba reducida a una
patrulla de reclutas en contra del criterio unánime del
consejo de gobierno que había insistido que no mi general, que era indispensable una protección más rígida,
por lo menos una unidad de rifleros mi general, pero
él se había empecinado en que nadie tiene necesidad
ni ganas de matarme, ustedes son los únicos, mis ministros inútiles, mis comandantes ociosos, sólo que no
se atreven ni se atreverán a matarme nunca porque saben que después tendrán que matarse los unos a los otros,
de modo que sólo quedó la guardia de reclutas para una
casa extinguida donde las vacas andaban sin ley desde

el primer vestíbulo hasta la sala de audiencias, se habían comido las praderas de flores de los gobelinos mi general, se habían comido los archivos, pero él no oía, había visto subir la primera vaca una tarde de octubre en que era imposible permanecer a la intemperie por las furias del aguacero, había tratado de espantarla con las manos, vaca, vaca, recordando de pronto que vaca se escribe con ve de vaca, la había visto otra vez comiéndose las pantallas de las lámparas en una época de la vida en que empezaba a comprender que no valía la pena moverse hasta las escaleras para espantar una vaca, había encontrado dos en la sala de fiestas exasperadas por las gallinas que se subían a picotearles las garrapatas del lomo, así que en las noches recientes en que veíamos luces que parecían de navegación y oíamos desastres de pezuñas de animal grande detrás de las paredes fortificadas era porque él andaba con el candil de mar disputándose con las vacas un sitio donde dormir mientras afuera continuaba su vida pública sin él, veíamos a diario en los periódicos del régimen las fotografías de ficción de las audiencias civiles y militares en que nos lo mostraban con un uniforme distinto según el carácter de cada ocasión, oíamos por la radio las arengas repetidas todos los años desde hacía tantos años en las fechas mayores de las efemérides de la patria, estaba presente en nuestras vidas al salir de la casa, al entrar en la iglesia, al comer y al dormir, cuando era de dominio público que apenas si podía con sus rústicas botas de caminante irredento en la casa decrépita cuyo servicio se había reducido entonces a tres o cuatro ordenanzas que le daban de comer y mantenían bien provistos los escondites de la miel de abejas y espantaron las vacas que habían hecho estragos en el estado mayor de mariscales de porcelana de la oficina prohibida donde él había de morir según algún pronóstico de pitonisas que él mismo había olvidado, permanecían pendientes de sus órde-

nes casuales hasta que colgaba la lámpara en el dintel y
oían el estrépito de los tres cerrojos, los tres pestillos, las
tres aldabas del dormitorio enrarecido por la falta del
mar, y entonces se retiraban a sus cuartos de la planta
baja convencidos de que él estaba a merced de sus sueños de ahogado solitario hasta el amanecer, pero se despertaba a saltos imprevistos, pastoreaba el insomnio,
arrastraba sus grandes patas de aparecido por la inmensa
casa en tinieblas apenas perturbada por la parsimoniosa
digestión de las vacas y la respiración obtusa de las gallinas dormidas en las perchas de los virreyes, oía vientos de
lunas en la oscuridad, sentía los pasos del tiempo en la oscuridad, veía a su madre Bendición Alvarado barriendo
en la oscuridad con la escoba de ramas verdes con que
había barrido la hojarasca de ilustres varones chamuscados de Cornelio Nepote en el texto original, la retórica
inmemorial de Livio Andrónico y Cecilio Estato que estaban reducidos a basura de oficinas la noche de sangre
en que él entró por primera vez en la casa mostrenca del
poder mientras afuera resistían las últimas barricadas
suicidas del insigne latinista el general Lautaro Muñoz a
quien Dios tenga en su santo reino, habían atravesado el
patio bajo el resplandor de la ciudad en llamas saltando
por encima de los bultos muertos de la guardia personal
del presidente ilustrado, él tiritando por la calentura de
las tercianas y su madre Bendición Alvarado sin más
armas que la escoba de ramas verdes, subieron las escaleras tropezando en la oscuridad con los cadáveres de
los caballos de la espléndida escudería presidencial que
todavía se desangraban desde el primer vestíbulo hasta
la sala de audiencias, era difícil respirar dentro de la casa
cerrada por el olor de pólvora agria de la sangre de los
caballos, vimos huellas descalzas de pies ensangrentados
con sangre de caballos en los corredores, vimos palmas
de manos estampadas con sangre de caballos en las pare-

des, y vimos en el lago de sangre de la sala de audiencias
el cuerpo desangrado de una hermosa florentina en traje
de noche con un sable de guerra clavado en el corazón, y
era la esposa del presidente, y vimos a su lado el cadáver
de una niña que parecía una bailarina de juguete de cuerda con un tiro de pistola en la frente, y era su hija de
nueve años, y vieron el cadáver de césar garibaldino del
presidente Lautaro Muñoz, el más diestro y capaz de los
catorce generales federalistas que se habían sucedido en
el poder por atentados sucesivos durante once años de rivalidades sangrientas pero también el único que se atrevió
a decirle que no en su propia lengua al cónsul de los ingleses, y ahí estaba tirado como un lebranche, descalzo,
padeciendo el castigo de su temeridad con el cráneo astillado por un tiro de pistola que se disparó en el paladar
después de matar a su mujer y a su hija y a sus cuarenta
y dos caballos andaluces para que no cayeran en poder
de la expedición punitiva de la escuadra británica, y entonces fue cuando el comandante Kitchener me dijo señalando el cadáver que ya lo ves, general, así es cómo
terminan los que levantan la mano contra su padre,
no se te olvide cuando estés en tu reino, le dijo, aunque ya estaba, al cabo de tantas noches de insomnios de
espera, tantas rabias aplazadas, tantas humillaciones di-
geridas, ahí estaba, madre, proclamado comandante supremo de las tres armas y presidente de la república por
tanto tiempo cuanto fuera necesario para el restableci-
miento del orden y el equilibrio económico de la nación,
lo habían resuelto por unanimidad los últimos caudillos
de la federación con el acuerdo del senado y la cámara
de diputados en pleno y el respaldo de la escuadra británica por mis tantas y tan difíciles noches de dominó con
el cónsul Macdonall, sólo que ni yo ni nadie lo creyó al
principio, por supuesto, quién lo iba a creer en el tumulto
de aquella noche de espanto si la propia Bendición Alva-

rado no acababa todavía de creerlo en su lecho de podredumbre cuando evocaba el recuerdo del hijo que no encontraba por dónde empezar a gobernar en aquel desorden, no hallaban ni una hierba de cocimiento para la calentura en aquella casa inmensa y sin muebles en la cual no quedaba nada de valor sino los óleos apollillados de los virreyes y los arzobispos de la grandeza muerta de España, todo lo demás se lo habían ido llevando poco a poco los presidentes anteriores para sus dominios privados, no dejaron ni rastro del papel de colgaduras de episodios heroicos en las paredes, los dormitorios estaban llenos de desperdicios de cuartel, había por todas partes vestigios olvidados de masacres históricas y consignas escritas con un dedo de sangre por presidentes ilusorios de una sola noche, pero no había siquiera un petate donde acostarse a sudar una calentura, de modo que su madre Bendición Alvarado arrancó una cortina para envolverme y lo dejó acostado en un rincón de la escalera principal mientras ella barrió con la escoba de ramas verdes los aposentos presidenciales que estaban acabando de saquear los ingleses, barrió el piso completo defendiéndose a escobazos de esta pandilla de filibusteros que trataban de violarla detrás de las puertas, y un poco antes del alba se sentó a descansar junto al hijo aniquilado por los escalofríos, envuelto en la cortina de peluche, sudando a chorros en el último peldaño de la escalera principal de la casa devastada mientras ella trataba de bajarle la calentura con sus cálculos fáciles de que no te dejes acoquinar por este desorden, hijo, es cuestión de comprar unos taburetes de cuero de los más baratos y se les pintan flores y animales de colores, yo misma los pinto, decía, es cuestión de comprar unas hamacas para cuando haya visitas, sobre todo eso, hamacas, porque en una casa como ésta deben llegar muchas visitas a cualquier hora sin avisar, decía, se compra una mesa de iglesia para comer, se compran cubiertos de hierro y platos de peltre para que aguanten la mala vida de la tropa, se compra un tinajero decente para el agua de beber y un anafe de carbón y ya está, al fin y al cabo es plata del gobierno, decía para consolarlo, pero él no la escuchaba, abatido por las primeras malvas del amanecer que iluminaban en carne viva el lado oculto de la verdad, consciente de no ser nada más que un anciano de lástima que temblaba de fiebre sentado en las escaleras pensando sin amor madre mía Bendición Alvarado de modo que ésta era toda la vaina, carajo, de modo que el poder era aquella casa de náufragos, aquel olor humano de caballo quemado, aquella aurora desolada de otro doce de agosto igual a todos era la fecha del poder, madre, en qué vaina nos hemos metido, padeciendo la desazón original, el miedo atávico del nuevo siglo de tinieblas que se alzaba en el mundo sin su permiso, cantaban los gallos en el mar, cantaban los ingleses en inglés recogiendo los muertos del patio cuando su madre Bendición Alvarado terminó las cuentas alegres con el saldo de alivio de que no me asustan las cosas de comprar y los oficios por hacer, nada de eso, hijo, lo que me asusta es la cantidad de sábanas que habrá que lavar en esta casa, y entonces fue él quien se apoyó en la fuerza de su desilusión para tratar de consolarla con que duerma tranquila, madre, en este país no hay presidente que dure, le dijo, ya verá como me tumban antes de quince días, le dijo, y no sólo lo creyó entonces sino que lo siguió creyendo en cada instante de todas las horas de su larguísima vida de déspota sedentario, tanto más cuanto más lo convencía la vida de que los largos años del poder no traen dos días iguales, que habría siempre una intención oculta en los propósitos de un primer ministro cuando éste soltaba la deflagración deslumbrante de la verdad en el informe de rutina del miércoles, y él apenas sonreía, no me diga la verdad,

licenciado, que corre el riesgo de que se la crea, desba-
ratando con aquella sola frase toda una laboriosa estrate-
gia del consejo de gobierno para tratar de que firmara sin
preguntar, pues nunca me pareció más lúcido que cuando
más convincentes se hacían los rumores de que él se ori-
naba en los pantalones sin darse cuenta durante las visitas oficiales, me parecía más severo a medida que se
hundía en el remanso de la decrepitud con unas pantuflas
de desahuciado y los espejuelos de una sola pata amarra-
da con hilo de coser y su índole se había vuelto más intensa y su instinto más certero para apartar lo que era
inoportuno y firmar lo que convenía sin leerlo, qué carajo, si al fin y al cabo nadie me hace caso, sonreía, fíjese
que había ordenado que pusieran una tranca en el vestíbulo para que las vacas no se treparan por las escaleras,
y ahí estaba otra vez, vaca, vaca, había metido la cabeza
por la ventana de la oficina y se estaba comiendo las flores
de papel del altar de la patria, pero él se limitaba a sonreír que ya ve lo que le digo, licenciado, lo que tiene jodi-
do a este país es que nadie me ha hecho caso nunca, decía,
y lo decía con una claridad de juicio que no parecía posible a su edad, aunque el embajador Kippling contaba en
sus memorias prohibidas que por esa época lo había encontrado en un penoso estado de inconsciencia senil que
ni siquiera le permitía valerse de sí mismo para los actos
más pueriles, contaba que lo encontró ensopado de una
materia incesante y salobre que le manaba de la piel,
que había adquirido un tamaño descomunal de ahogado
y una placidez lenta de ahogado a la deriva y se había
abierto la camisa para mostrarme el cuerpo tenso y lúcido de ahogado de tierra firme en cuyos resquicios estaban proliferando parásitos de escollos de fondo de mar,
tenía rémora de barco en la espalda, tenía pólipos y crus-
táceos microscópicos en las axilas, pero estaba convencido de que aquellos retoños de acantilados eran apenas

los primeros síntomas del regreso espontáneo del mar
que ustedes se llevaron, mi querido Johnson, porque los
mares son como los gatos, dijo, vuelven siempre, convencido de que los bancos de percebes de sus ingles eran
el anuncio secreto de un amanecer feliz en que iba a abrir
la ventana de su dormitorio y había de ver de nuevo las
tres carabelas del almirante de la mar océana que se
había cansado de buscar por el mundo entero para ver si
era cierto lo que le habían dicho que tenía las manos
lisas como él y como tantos otros grandes de la historia,
había ordenado traerlo, incluso por la fuerza, cuando
otros navegantes le contaron que lo habían visto carto-
grafiando las ínsulas innumerables de los mares vecinos,
cambiando por nombres de reyes y de santos sus viejos
nombres de militares mientras buscaba en la ciencia na-
tiva lo único que le interesaba de veras que era descubrir
algún tricófero magistral para su calvicie incipiente, habíamos perdido la esperanza de encontrarlo de nuevo
cuando él lo reconoció desde la limusina presidencial di-
simulado dentro de un hábito pardo con el cordón de
San Francisco en la cintura haciendo sonar una matraca
de penitente entre las muchedumbres dominicales del
mercado público y sumido en tal estado de penuria moral
que no podía creerse que fuera el mismo que habíamos visto entrar en la sala de audiencias con el uniforme
carmesí y las espuelas de oro y la andadura solemne de
bogavante en tierra firme, pero cuando trataron de su-
birlo en la limusina por orden suya no encontramos ni
rastros mi general, se lo tragó la tierra, decían que se
había vuelto musulmán, que había muerto de pelagra en
el Senegal y había sido enterrado en tres tumbas distintas de tres ciudades diferentes del mundo aunque en
realidad no estaba en ninguna, condenado a vagar de sepulcro en sepulcro hasta la consumación de los siglos por
la suerte torcida de sus empresas, porque ese hombre te-

nía la pava, mi general, era más cenizo que el oro, pero él
no lo creyó nunca, seguía esperando que volviera en los
extremos últimos de su vejez cuando el ministro de la
salud le arrancaba con unas pinzas las garrapatas de buey
que le encontraba en el cuerpo y él insistía en que no
eran garrapatas, doctor, es el mar que vuelve, decía, tan
seguro de su criterio que el ministro de la salud había
pensado muchas veces que él no era tan sordo como hacía
creer en público ni tan despalomado como aparentaba en
las audiencias incómodas, aunque un examen de fondo había revelado que tenía las arterias de vidrio, tenía sedimentos de arena de playa en los riñones y el corazón agrie-
tado por falta de amor, así que el viejo médico se escudó
en una antigua confianza de compadre para decirle que
ya es hora de que entregue los trastos mi general, resuel-
va por lo menos en qué manos nos va a dejar, le dijo, sál-
venos del desmadre, pero él le preguntó asombrado que
quién le ha dicho que yo me pienso morir, mi querido
doctor, que se mueran otros, qué carajo, y terminó con
ánimo de burla que hace dos noches me vi yo mismo en
la televisión y me encontré mejor que nunca, como un
toro de lidia, dijo, muerto de risa, pues se había visto
entre brumas, cabeceando de sueño y con la cabeza envuelta en una toalla mojada frente a la pantalla sin so-
nido de acuerdo con los hábitos de sus últimas veladas
de soledad, estaba de veras más resuelto que un toro de
lidia ante el hechizo de la embajadora de Francia, o tal
vez era de Turquía, o de Suecia, qué carajo, eran tantas
iguales que no las distinguía y había pasado tanto tiempo
que no se recordaba a sí mismo entre ellas con el uniforme de noche y una copa de champaña intacta en la mano
durante la fiesta de aniversario del 12 de agosto, o en la
conmemoración de la victoria del 14 de enero, o del rena-
cimiento del 13 de marzo, qué sé yo, si en el galimatías
de fechas históricas del régimen había terminado por no

saber cuándo era cuál ni cuál correspondía a qué ni le
servían de nada los papelitos enrollados que con tan
buen espíritu y tanto esmero había escondido en los resquicios de las paredes porque había terminado por olvidar qué era lo que debía recordar, los encontraba por casualidad en los escondites de la miel de abeja y había
leído alguna vez que el 7 de abril cumple años el doctor
Marcos de León, hay que mandarle un tigre de regalo,
había leído, escrito de su puño y letra, sin la menor
idea de quién era, sintiendo que no había un castigo
más humillante ni menos merecido para un hombre que
la traición de su propio cuerpo, había empezado a vis-
lumbrarlo desde mucho antes de los tiempos inmemo-
riales de José Ignacio Saenz de la Barra cuando tuvo conciencia de que apenas sabía quién era quién en las audiencias de grupo, un hombre como yo que era capaz de
llamar por su nombre y su apellido a toda una población
de las más remotas de su desmesurado reino de pesadumbre, y sin embargo había llegado al extremo contrario, había visto desde la carroza a un muchacho conocido entre la muchedumbre y se había asustado tanto de
no recordar dónde lo había visto antes que lo hice arres-
tar por la escolta mientras me acordaba, un pobre hombre de monte que estuvo 22 años en un calabozo repitiendo la verdad establecida desde el primer día en el
expediente judicial, que se llamaba Braulio Linares Moscote, que era hijo natural pero reconocido de Marcos Linares, marinero de agua dulce, y de Delfina Moscote, cria-
dora de perros tigreros, ambos con domicilio conocido
en el Rosal del Virrey, que estaba por primera vez en la
ciudad capital de este reino porque su madre lo había
mandado a vender dos cachorros en los juegos florales
de marzo, que había llegado en un burro de alquiler sin
más ropas que las que llevaba puestas al amanecer del
mismo jueves en que lo arrestaron, que estaba en un

tenderete del mercado público tomándose un pocillo de
café cerrero mientras les preguntaba a las fritangueras
si no sabían de alguien que quisiera comprar dos cachorros cruzados para cazar tigres, que ellas le habían contestado que no cuando empezó el tropel de los redoblan-
tes, las cornetas, los cohetes, la gente que gritaba que
ya viene el hombre, ahí viene, que preguntó quién era el
hombre y le habían contestado que quién iba a ser, el que
manda, que metió los cachorros en un cajón para que las
fritangueras le hicieran el favor de cuidármelos mientras
vuelvo, que se trepó en el travesaño de una ventana para
mirar por encima del gentío y vio la escolta de caballos
con gualdrapas de oro y morriones de plumas, vio la carroza con el dragón de la patria, el saludo de una mano
con un guante de trapo, el semblante lívido, los labios
taciturnos sin sonrisa del hombre que mandaba, los ojos
tristes que lo encontraron de pronto como a una aguja en
un monte de agujas, el dedo que lo señaló, ése, el que está
trepado en la ventana, que lo arresten mientras me acuerdo dónde lo he visto, ordenó, así que me agarraron a golpes, me desollaron a planazos de sable, me asaron en una
parrilla para que confesara dónde me había visto antes el
hombre que mandaba, pero no habían conseguido arran-
carle otra verdad que la única en el calabozo de horror
de la fortaleza del puerto y la repitió con tanta convicción y tanto valor personal que él terminó por admitir
que se había equivocado, pero ahora no hay remedio,
dijo, porque lo habían tratado tan mal que si no era un
enemigo ya lo es, pobre hombre, de modo que se pudrió
vivo en el calabozo mientras yo deambulaba por esta casa
de sombras pensando madre mía Bendición Alvarado de
mis buenos tiempos, asísteme, mírame cómo estoy sin el
amparo de tu manto, clamando a solas que no valía la
pena haber vivido tantos fastos de gloria si no podía
evocarlos para solazarse con ellos y alimentarse de ellos

y seguir sobreviviendo por ellos en los pantanos de la
vejez porque hasta los dolores más intensos y los instantes más felices de sus tiempos grandes se le habían escu-
rrido sin remedio por las troneras de la memoria a pesar
de sus tentativas cándidas de impedirlo con tapones de
papelitos enrollados, estaba castigado a no saber jamás
quién era esta Francisca Linero de 96 años que había ordenado enterrar con honores de reina de acuerdo con otra
nota escrita de su propia mano, condenado a gobernar a
ciegas con once pares de gafas inútiles escondidos en la
gaveta del escritorio para disimular que en realidad conversaba con espectros cuyas voces no alcanzaba apenas
a descifrar, cuya identidad adivinaba por señales de instinto, sumergido en un estado de desamparo cuyo riesgo
mayor se le había hecho evidente en una audiencia con
su ministro de guerra en que tuvo la mala suerte de
estornudar una vez y el ministro de guerra le dijo salud mi general, y había estornudado otra vez y el ministro de guerra volvió a decir salud mi general, y otra vez,
salud mi general, pero después de nueve estornudos con-
secutivos no le volví a decir salud mi general sino que
me sentí aterrado por la amenaza de aquella cara des-
compuesta de estupor, vi los ojos ahogados de lágrimas
que me escupieron sin piedad desde el tremedal de la
agonía, vi la lengua de ahorcado de la bestia decrépita
que se me estaba muriendo en los brazos sin un testigo
de mi inocencia, sin nadie, y entonces no se me ocurrió
nada más que escapar de la oficina antes de que fuera demasiado tarde, pero él me lo impidió con una ráfaga de
autoridad gritándome entre dos estornudos que no fuera
cobarde brigadier Rosendo Sacristán, quédese quieto,
carajo, que no soy tan pendejo para morirme delante
de usted, gritó, y así fue, porque siguió estornudando
hasta el borde de la muerte, flotando en un espacio de
inconsciencia poblado de luciérnagas de mediodía pero

aferrado a la certeza de que su madre Bendición Alvarado
no había de depararle la vergüenza de morir de un acceso
de estornudos en presencia de un inferior, ni de vainas,
primero muerto que humillado, mejor vivir con vacas
que con hombres capaces de dejarlo morir a uno sin
honor, qué carajo, si no había vuelto a discutir sobre Dios
con el nuncio apostólico para que no se diera cuenta
de que él tomaba el chocolate con cuchara, ni había vuelto a jugar dominó por temor de que alguien se atreviera
a perder por lástima, no quería ver a nadie, madre, para
que nadie descubriera que a pesar de la vigilancia minu-
ciosa de su propia conducta, a pesar de sus ínfulas de no
arrastrar los pies planos que al fin y al cabo había arrastrado desde siempre, a pesar del pudor de sus años se
sentía al borde del abismo de pena de los últimos dictadores en desgracia que él mantenía más presos que protegi-
dos en la casa de los acantilados para que no contamina-
ran al mundo con la peste de su indignidad, lo había padecido a solas la mala mañana en que se quedó dormido
dentro del estanque del patio privado cuando tomaba el
baño de aguas medicinales, soñaba contigo, madre, soñaba
que eras tú quien hacía las chicharras que se reventaban
de tanto pitar sobre mi cabeza entre las ramas florecidas
del almendro de la vida real, soñaba que eras tú quien pin-
taba con tus pinceles las voces de colores de las oropéndolas cuando se despertó sobresaltado por el eructo
imprevisto de sus tripas en el fondo del agua, madre,
despertó congestionado de rabia en el estanque pervertido de mi vergüenza donde flotaban los lotos aromáticos
del orégano y la malva, flotaban los azahares nuevos des-
prendidos del naranjo, flotaban las hicoteas alborozadas
con la novedad del reguero de cagarrutas doradas y tiernas de mi general en las aguas fragantes, qué vaina, pero
él había sobrevivido a ésa y a tantas otras infamias de
la edad y había reducido al mínimo el personal de ser-

vicio para afrontarlas sin testigos, nadie lo había de ver
vagando sin rumbo por la casa de nadie durante días enteros y noches completas con la cabeza envuelta en trapos
ensopados de bairún, gimiendo de desesperación contra
las paredes, empalagado de tabonucos, enloquecido por el
dolor de cabeza insoportable del que nunca le habló ni a
su médico personal porque sabía que no era más que uno
más de los tantos dolores inútiles de la decrepitud, lo
sentía llegar como un trueno de piedras desde mucho
antes de que aparecieron en el cielo los nubarrones de
la borrasca y ordenaba que nadie me moleste cuando
apenas había empezado a girar el torniquete en las sienes, que nadie entre en esta casa pase lo que pase, ordenaba, cuando sentía crujir los huesos del cráneo con la
segunda vuelta del torniquete, ni Dios si viene, ordenaba,
ni si me muero yo, carajo, ciego de aquel dolor desalmado
que no le concedía ni un instante de tregua para pensar
hasta el fin de los siglos de desesperación en que se des-
plomaba la bendición de la lluvia, y entonces nos llamaba,
lo encontrábamos recién nacido con la mesita lista para
la cena frente a la pantalla muda de la televisión, le ser-
víamos carne guisada, frijoles con tocino, arroz de coco,
tajadas de plátano frito, una cena inconcebible a su edad
que él dejaba enfriar sin probarla siquiera mientras veía
la misma película de emergencia en la televisión, consciente de que algo quería ocultarle el gobierno si habían
vuelto a pasar el mismo programa de circuito cerrado sin
advertir siquiera que los rollos de la película estaban
invertidos, qué carajo, decía, tratando de olvidar lo que
quisieron ocultarle, si fuera algo peor ya se supiera, decía, roncando frente a la cena servida, hasta que daban
las ocho en la catedral y se levantaba con el plato intacto
y echaba la comida en el excusado como todas las noches
a esa hora desde hacía tanto tiempo para disimular la
humillación de que el estómago le rechazaba todo, para

entretener con las leyendas de sus tiempos de gloria el
rencor que sentía contra sí mismo cada vez que incurría
en un acto detestable de descuidos de viejo, para olvidar
que apenas vivía, que era él y nadie más quien escribía
en las paredes de los retretes que viva el general, viva el
macho, que se había tomado a escondidas una pócima de
curanderos para estar cuantas veces quisiera en una sola
noche y hasta tres veces cada vez con tres mujeres distintas y había pagado aquella ingenuidad senil con lágrimas de rabia más que de dolor aferrado a las argollas
del retrete llorando madre mía Bendición Alvarado de mi
corazón, aborréceme, purifícame con tus aguas de fuego,
cumpliendo con orgullo el castigo de su candidez porque
sabía de sobra que lo que entonces le faltaba y le había
faltado siempre en la cama no era honor sino amor, le
faltaban mujeres menos áridas que las que me servía mi
compadre el ministro canciller para que no perdiera la
buena costumbre desde que clausuraron la escuela veci-
na, hembras de carne sin hueso para usted solo mi general, mandadas por avión con franquicia oficial de las vitrinas de Amsterdam, de los concursos del cine de Buda-
pest, del mar de Italia mi general, mire qué maravilla, las
más bellas del mundo entero que él encontraba sentadas
con una decencia de maestras de canto en la penumbra
de la oficina, se desnudaban como artistas, se acostaban
en el diván de peluche con las tiras del traje de baño
impresas en negativo de fotografía sobre el pellejo tibio
de melaza de oro, olían a dentífricos de mentol, a flores
de frasco, acostadas junto al enorme buey de cemento
que no quiso quitarse la ropa militar mientras yo trataba
de alentarlo con mis recursos más caros hasta que él se
cansó de padecer los apremios de aquella belleza aluci-
nante de pescado muerto y le dije que ya estaba bien,
hija, métete a monja, tan deprimido por su propia desidia que aquella noche al golpe de las ocho sorprendió a

una de las mujeres encargadas de la ropa de los soldados y la derribó de un zarpazo sobre las bateas del lavadero a pesar de que ella trató de escapar con el recurso de susto de que hoy no puedo general, créamelo, estoy con el vampiro, pero él la volteó bocabajo en las tablas de lavar y la sembró al revés con un ímpetu bíblico que la pobre mujer sintió en el alma con el crujido de la muerte y resolló qué bárbaro general, usted ha debido estudiar para burro, y él se sintió más halagado con aquel gemido de dolor que con los ditirambos más frenéticos de sus aduladores de oficio y le asignó a la lavandera una pensión vitalicia para la educación de sus hijos, volvió a cantar después de tantos años cuando les daba el pienso a las vacas en los establos de ordeño, fúlgida luna del mes de enero, cantaba, sin pensar en la muerte, porque ni aun en la última noche de su vida había de permitirse la flaqueza de pensar en algo que no fuera de sentido común, volvió a contar las vacas dos veces mientras cantaba eres la luz de mi sendero oscuro, eres mi estrella polar, y comprobó que faltaban cuatro, volvió al interior de la casa contando de paso las gallinas dormidas en las perchas de los virreyes, tapando las jaulas de los pájaros dormidos que contaba al ponerles encima las fundas de lienzo, cuarenta y ocho, puso fuego a las bostas diseminadas por las vacas durante el día desde el vestíbulo hasta la sala de audiencias, se acordó de una infancia remota que por primera vez era su propia imagen tiritando en el hielo del páramo y la imagen de su madre Bendición Alvarado que les arrebató a los buitres del muladar una tripa de carnero para el almuerzo, habían dado las once cuando recorrió otra vez la casa completa en sentido contrario alumbrándose con la lámpara mientras apagaba las luces hasta el vestíbulo, se vio a sí mismo uno por uno hasta catorce generales repetidos caminando con una lámpara en los espejos oscuros, vio una vaca

despatarrada bocarriba en el fondo del espejo de la sala
de música, vaca, vaca, dijo, estaba muerta, qué vaina,
pasó por los dormitorios de la guardia para decirles que
había una vaca muerta dentro de un espejo, ordenó que
la saquen mañana temprano, sin falta, antes de que la
casa se nos llene de gallinazos, ordenó, registrando con
la luz las antiguas oficinas de la planta baja en busca de
las otras vacas perdidas, eran tres, las buscó en los retretes, debajo de las mesas, dentro de cada uno de los espejos, subió a la planta principal registrando los cuartos
cuarto por cuarto y sólo encontró una gallina echada bajo
el mosquitero de punto rosado de una novicia de otros
tiempos cuyo nombre había olvidado, tomó la cucharada
de miel de abejas de antes de acostarse, volvió a poner el
frasco en el escondite donde había uno de sus papelitos
con la fecha de algún aniversario del insigne poeta Rubén
Darío a quien Dios tenga en la silla más alta de su santo
reino, volvió a enrollar el papelito y lo dejó en su sitio
mientras rezaba de memoria la oración certera de padre
y maestro mágico liróforo celeste que mantienes a flote
los aeroplanos en el aire y los trasatlánticos en el mar,
arrastrando sus grandes patas de desahuciado insomne
a través de las últimas albas fugaces de amaneceres verdes de las vueltas del faro, oía los vientos en pena del
mar que se fue, oía la música del ánima de una parranda de bodas en que estuvo a punto de morir por la espalda en un descuido de Dios, encontró una vaca extraviada
y le cerró el paso sin tocarla, vaca, vaca, regresó al dormitorio, iba viendo al pasar frente a las ventanas el paraco de luces de la ciudad sin mar en todas las ventanas, sintió el vapor caliente del misterio de sus entrañas, el arcano de su respiración unánime, la contempló
veintitrés veces sin detenerse y padeció para siempre
como siempre la incertidumbre del océano vasto e inescrutable del pueblo dormido con la mano en el corazón,

se supo aborrecido por quienes más lo amaban, se sintió
alumbrado con velas de santos, sintió su nombre invoca-
do para enderezar la suerte de las parturientas y cambiar
el destino de los moribundos, sintió su memoria exaltada
por los mismos que maldecían a su madre cuando veían
los ojos taciturnos, los labios tristes, la mano de novia
pensativa detrás de los cristales de acero transparente de
los tiempos remotos de la limusina sonámbula y besá-
bamos la huella de su bota en el barro y le mandábamos
conjuros para una mala muerte en las noches de calor
cuando veíamos desde los patios las luces errantes en las
ventanas sin alma de la casa civil, nadie nos quiere, suspiró, asomado al antiguo dormitorio de pajarera exangüe
pintora de oropéndolas de su madre Bendición Alvarado
con el cuerpo sembrado de verdín, que pase buena muerte, madre, le dijo, muy buena muerte, hijo, le contestó ella
en la cripta, eran las doce en punto cuando colgó la lámpara en el dintel herido en las entrañas por la torcedura
mortal de los silbidos tenues del horror de la hernia, no
había más ámbito en el mundo que el de su dolor, pasó
los tres cerrojos del dormitorio por última vez, pasó los
tres pestillos, las tres aldabas, padeció el holocausto final
de la micción exigua en el excusado portátil, se tiró en el
suelo pelado con el pantalón de manta cerril que usaba
para estar en casa desde que puso término a las audiencias, con la camisa a rayas sin el cuello postizo y las
pantuflas de inválido, se tiró bocabajo, con el brazo derecho doblado bajo la cabeza para que le sirviera de
almohada, y se durmió en el acto, pero a las dos y diez
despertó con la mente varada y con la ropa embebida en
un sudor pálido y tibio de vísperas de ciclón, quién vive,
preguntó estremecido por la certidumbre de que alguien
lo había llamado en el sueño con un nombre que no era
el suyo, Nicanor, y otra vez, Nicanor, alguien que tenía
la virtud de meterse en su cuarto sin quitar las aldabas

porque entraba y salía cuando quería atravesando las paredes, y entonces la vio, era la muerte mi general, la suya, vestida con una túnica de harapos de fique de penitente, con el garabato de palo en la mano y el cráneo sembrado de retoños de algas sepulcrales y flores de tierra en la fisura de los huesos y los ojos arcaicos y atónitos en las cuencas descarnadas, y sólo cuando la vio de cuerpo entero comprendió que lo hubiera llamado Nicanor Nicanor que es el nombre con que la muerte nos conoce a todos los hombres en el instante de morir, pero él dijo que no, muerte, que todavía no era su hora, que había de ser durante el sueño en la penumbra de la oficina como estaba anunciado desde siempre en las aguas premonitorias de los lebrillos, pero ella replicó que no, general, ha sido aquí, descalzo y con la ropa de menesteroso que llevaba puesta, aunque los que encontraron el cuerpo habían de decir que fue en el suelo de la oficina con el uniforme de lienzo sin insignias y la espuela de oro en el talón izquierdo para no contrariar los augurios de sus pitonisas, había sido cuando menos lo quiso, cuando al cabo de tantos y tantos años de ilusiones estériles había empezado a vislumbrar que no se vive, qué carajo, se sobrevive, se aprende demasiado tarde que hasta las vidas más dilatadas y útiles no alcanzan para nada más que para aprender a vivir, había conocido su incapacidad de amor en el enigma de la palma de sus manos mudas y en las cifras invisibles de las barajas y había tratado de compensar aquel destino infame con el culto abrasador del vicio solitario del poder, se había hecho víctima de su secta para inmolarse en las llamas de aquel holocausto infinito, se había cebado en la falacia y el crimen, había medrado en la impiedad y el oprobio y se había sobrepuesto a su avaricia febril y al miedo congénito sólo por conservar hasta el fin de los tiempos su bolita de vidrio en el puño sin saber que era un vicio sin término cuya

saciedad generaba su propio apetito hasta el fin de todos
los tiempos mi general, había sabido desde sus orígenes
que lo engañaban para complacerlo, que le cobraban por
adularlo, que reclutaban por la fuerza de las armas a las
muchedumbres concentradas a su paso con gritos de
júbilo y letreros venales de vida eterna al magnífico que
es más antiguo que su edad, pero aprendió a vivir con
esas y con todas las miserias de la gloria a medida que
descubría en el transcurso de sus años incontables que la
mentira es más cómoda que la duda, más útil que el amor,
más perdurable que la verdad, había llegado sin asombro
a la ficción de ignominia de mandar sin poder, de ser
exaltado sin gloria y de ser obedecido sin autoridad cuando se convenció en el reguero de hojas amarillas de su
otoño que nunca había de ser el dueño de todo su poder,
que estaba condenado a no conocer la vida sino por el
revés, condenado a descifrar las costuras y a corregir los
hilos de la trama y los nudos de la urdimbre del gobelino
de ilusiones de la realidad sin sospechar ni siquiera demasiado tarde que la única vida vivible era la de mostrar,
la que nosotros veíamos de este lado que no era el suyo
mi general, este lado de pobres donde estaba el reguero
de hojas amarillas de nuestros incontables años de infortunio y nuestros instantes inasibles de felicidad, donde
el amor estaba contaminado por los gérmenes de la muerte pero era todo el amor mi general, donde usted mismo
era apenas una visión incierta de unos ojos de lástima a
través de los visillos polvorientos de la ventanilla de un
tren, era apenas el temblor de unos labios taciturnos, el
adiós fugitivo de un guante de raso de la mano de nadie
de un anciano sin destino que nunca supimos quién fue,
ni cómo fue, ni si fue apenas un infundio de la imaginación, un tirano de burlas que nunca supo dónde estaba el
revés y dónde estaba el derecho de esta vida que amába-
mos con una pasión insaciable que usted no se atrevió

ni siquiera a imaginar por miedo de saber lo que nosotros sabíamos de sobra que era ardua y efímera pero que no había otra, general, porque nosotros sabíamos quiénes éramos mientras él se quedó sin saberlo para siempre con el dulce silbido de su potra de muerto viejo tronchado de raíz por el trancazo de la muerte, volando entre el rumor oscuro de las últimas hojas heladas de su otoño hacia la patria de tinieblas de la verdad del olvido, agarrado de miedo a los trapos de hilachas podridas del balandrán de la muerte y ajeno a los clamores de las muchedumbres frenéticas que se echaban a las calles cantando los himnos de júbilo de la noticia jubilosa de su muerte y ajeno para siempre jamás a las músicas de liberación y los cohetes de gozo y las campanas de gloria que anunciaron al mundo la buena nueva de que el tiempo incontable de la eternidad había por fin terminado.

1968-1975

Esta edición de 3000 ejemplares
se terminó de imprimir en
Industria Gráfica del Libro,
Warnes 2383, Buenos Aires,
en el mes de abril de 1990.